BIBLIOTECA ROMÁNICA HISPÁNICA

Fundada por DÁMASO ALONSO

II. ESTUDIOS Y ENSAYOS, 375

EL DIÁLOGO

MARÍA DEL CARMEN BOBES NAVES

EL DIÁLOGO

ESTUDIO PRAGMÁTICO, LINGÜÍSTICO
Y LITERARIO

BIBLIOTECA ROMÁNICA HISPÁNICA
EDITORIAL GREDOS
MADRID

© MARÍA DEL CARMEN BOBES NAVES, 1992.

EDITORIAL GREDOS, S. A.

Sánchez Pacheco, 81, Madrid.

Depósito Legal: M. 6755-1992.

ISBN 84-249-1481-3.

Impreso en España. Printed in Spain.
Gráficas Cóndor, S. A., Sánchez Pacheco, 81, Madrid, 1992. — 6463.

I

INTRODUCCIÓN

EL DIÁLOGO EN LA SOCIEDAD ACTUAL

Es un hecho fácilmente comprobable que hoy se utiliza el diálogo, o lo que se presenta como tal, y se alude a él como forma de relación, con una frecuencia mayor que en otras épocas.

El discurso verbal, por lo que se refiere a la emisión, adopta dos formas fundamentales: la de monólogo y la de diálogo. La primera, según puede deducirse del término que la designa, es el discurso de un solo emisor; la segunda es una cadena de intervenciones lingüísticas organizada en progresivo presente, con los interlocutores cara a cara, en situación compartida, y son dos o más (a pesar de que el término alude a dos), en funciones alternativas de emisor y receptor.

El diálogo puede ser analizado, según creemos, bajo tres perspectivas principales, aunque, sin duda, pueden añadirse otras: como un *proceso interactivo*, que forma parte de las relaciones sociales, verbales o no, de la vida del hombre, y como tal, puede ser objeto de una *pragmática*, bajo los enfoques metodológicos que esta ciencia admita; como una *construcción verbal*, objeto de una investigación *lingüística*; y como un *recurso literario*, cuya presencia en el discurso, solo o alternando con monólogos, está determinado por, y a la vez condiciona a, otras formas que están en relación con el género, las voces, la distancia relativa del narrador con los personajes o con el narratario, etc., y que pueden ser objeto de una *teoría literaria* o de una *semiología literaria*.

Por otra parte, el diálogo, en cualquiera de los tres aspectos señalados, es hoy estudio preferente, o al menos destacado, para filósofos, semiólogos, lingüistas, teóricos e historiadores de la literatura, antropólogos, sociólogos, políticos, etc., todos los cuales se interesan, con fines diversos, por su conocimiento y dominio.

Es cierto que desde siempre se ha estudiado, directamente o en relación a otras formas de discurso, el diálogo y sus valores pragmáticos, lingüísticos y literarios. Se ha considerado el diálogo en varios de sus aspectos al analizar el estilo directo, el habla coloquial, la interacción verbal, etc. Las escuelas lingüísticas de orientación textual han estudiado las unidades de intervención dialogales, sus modos de coherencia y sus recursos de conexidad, las normas que presiden la alternancia de turnos, las implicaciones conversacionales y los presupuestos de los turnos, etc.; la estilística y la semiología literaria analizan las formas dialogadas y su capacidad de crear sentido, tanto en el relato como en el drama y en la expresión lírica. Algunas investigaciones de tipo histórico han atendido a las fuentes, formas y difusión del diálogo, y las han clasificado dentro de los géneros didáctico y ensayístico. En resumen, siempre ha habido un interés por el diálogo en todas sus manifestaciones y en todos sus aspectos.

Pero lo que hoy resulta sorprendente es la proliferación de estudios sobre el diálogo, la diversidad de ángulos desde los que se aborda su descripción e interpretación, la riqueza de implicaciones que descubre su uso para la antropología, la psicología, la sociología y, en general, para las ciencias del hombre y de la conducta. En todas ellas encuentra el investigador un marco pertinente para situar, y a veces para explicar, determinados usos y determinadas formas de diálogos.

Es probable que el interés que hoy suscita el discurso dialogado en tan diversos ámbitos obedezca no a una sola, sino a varias causas; es probable que, aunque el estudio se haya iniciado en un campo, se haya ampliado a otros por el peso que la teoría del conocimiento y la metodología tiene para el conjunto de las ciencias humanas y por la repercusión que unas ciencias tienen sobre otras, y también quizá por la facilidad con que hoy día los temas adquieren valor interdisciplinar. Algunos hechos sociales que estuvieron siempre ahí, atraen la atención de los estudiosos de varios campos sólo a partir de un momento, y debido a la concurrencia de factores a veces imprevisibles.

El interés por el diálogo no se limita a sus formas lingüísticas o literarias, se proyecta también a su temática religiosa, política y filosófica, de modo que se ha convertido en objetivo fundamental de algunas investigaciones hermenéuticas, si bien, según hemos advertido, en estos niveles no suele diferenciarse el discurso dialogado y el valor dialógico de la expresión lingüística. Se ha hablado de una «lógica de la pregunta y la respuesta» (Gadamer, 1977, 439-458 principalmente); de una «lógica dialógica», que podría liberar al lenguaje científico de la subjetividad (Lorenzen, 1970); se encuentra la noción de diálogo en algunas concepciones derivadas de la fenomenología que fundan y hasta identifican la comunicación y el diálogo, por ejemplo, en M. Scheler la intersubjetividad llega a ser primaria respecto a la subjetividad, ya que el Tú, en su sistema filosófico, se halla inscrito en el Yo de forma original.

La sociología ha prestado enorme atención al diálogo como rito social prestigioso hoy, más o menos ritualizado, particularmente en los Estados Unidos de América, donde las teorías de Schlegoff, Goffman, Grice, etc., han tenido una gran repercusión.

La situación cultural y política presente, la facilidad que ofrecen los medios de comunicación, el deseo de dominar el lenguaje y presentarlo como «diálogo» para alcanzar el poder *legítimamente* en las democracias, y, desde luego, la reacción para lograr un conocimiento científico no interesado que permita rechazar la manipulación, son posiblemente las causas inmediatas de la atención desta-

cada que hoy se presta a las formas de expresión, entre las que
el diálogo ocupa un lugar preferente.

En relación con este fenómeno general en la sociedad, se producen otros que afectan más concretamente a una ciencia, pero que
también conducen a resultados idénticos. Así, la investigación lingüística, y mientras predominaron los presupuestos y métodos estructurales, no prestó mucha atención al diálogo. El estructuralismo lingüístico toma como objeto preferente de su interés la *lengua
(corpus*, unidades, relaciones, sistema) y desatiende, o deja en un
segundo plano, los hechos de *habla*, entre los que podemos considerar el diálogo. Por el contrario, los métodos postestructurales,
de orientación generalmente pragmática, son más propicios para
el estudio del diálogo y de los fenómenos de discurso en general.

Independientemente de que el cambio de orientación en la ciencia lingüística se deba a causas localizadas en sus propios presupuestos, en sus métodos o en sus objetivos, no puede descartarse
el influjo que otras investigaciones han tenido sobre ella para justificar la mayor atención que la lingüística presta hoy a los usos.
La pragmática (semiológica y literaria), la sociología del lenguaje,
la psicología y la psicocrítica que buscan en los usos concretos de
la lengua (léxico, construcción, imágenes, etc.) la manifestación de
la personalidad del hablante, y la filosofía analítica (el Wittgenstein
de los «juegos del lenguaje»; la teoría de los *Speech Acts,* de Austin y Searle principalmente) han pesado sobre la lingüística orien-
tándola hacia una mayor atención a las formas de habla y hacién-
dole superar el interés exclusivo por lo sistemático. Hoy se da más
importancia al conocimiento y explicación de la conducta verbal
del hombre en el medio social en que se desenvuelve que al conocimiento y explicación del funcionamiento de los sistemas de signos,
que han pasado a considerarse construcciones abstractas sin conexión directa con los usos reales.

Los procesos de expresión, comunicación, significación, interacción e interpretación, situados lingüística y pragmáticamente en relación con otros procesos semiósicos (p.e. de ostensión, de intensi-

ficación, etc.) y otros hechos concomitantes en el tiempo y en el espacio social, constituyen hoy el objeto directo de la investigación semiológica y lingüística (Bobes, 1989, 115).

Y si del mundo de la realidad y los hechos y de la investigación sobre ellos pasamos al mundo de los objetos de la ciencia, podemos advertir también que en el discurso literario el diálogo ha adquirido una importancia y una frecuencia mayor de la que solía tener antes, y los textos narrativos y dramáticos muestran una riqueza de formas que van desde los diálogos interiorizados, a los monólogos directos previamente dialogados, a los diálogos referidos directa o indirectamente, a los diálogos telescópicos, múltiples, etc. (Silva Cáceres, 1974; Oviedo, 1977). El discurso literario en general y el narrativo en concreto han buscado desde el realismo y el naturalismo formas dialogadas que se convierten en expresión, a veces temática, a veces icónica, de una apertura que se ha experimentado en la sociedad, y dejan testimonio de ella en los mundos de ficción que crean.

Las formas de discurso que resultan de la concurrencia de dos o más emisores (narrador, personajes) son frecuentemente el reflejo de un modo de entender y realizar las relaciones sociales; el desplazamiento del monólogo de un narrador omnisciente por el monólogo de los personajes —interior o exterior—, o por el diálogo de los mismos personajes, no es simplemente una cuestión de cambio de forma; en muchos casos es el reflejo especular o la reproducción icónica, a veces inconsciente, de unas relaciones sociales que han cambiado respecto a las anteriores y se basan en presupuestos de apertura ideológica y de rechazo de toda autoridad dogmáticamente institucionalizada. La novela relativiza por medio de un discurso dialogado las distintas opiniones de los personajes sobre una cuestión problemática y evita el dogmatismo de las posturas absolutas que son propias de la omnisciencia.

El proceso que se inicia en el Renacimiento, sobre todo en el Humanismo que sustituye la cultura teocéntrica, cuyo único punto de referencia era la fe, por una cultura antropocéntrica, cuya última instancia no pasa del hombre, se advierte en la creación literaria con las formas dialogadas en el teatro y en la novela *(La Celestina, El Quijote)* que manifiestan la aceptación de perspectivas múltiples y posiciones contrarias sobre un mismo tema. El Humanismo descubre que ningún hombre está en posesión de la verdad absoluta, y todos tienen su verdad, que pueden exponer y contrastar en el texto que se dirige a otro hombre, que a su vez podrá decidir cuál acepta.

Por razones poco precisas, la historia olvida en etapas posteriores tales actitudes abiertas y paralelamente desaparece o mengua el diálogo en el discurso literario. Y cuando en el siglo XIX el novelista siente la necesidad de acudir de nuevo a este recurso expresivo, como indicio de realismo en principio, o como expresión de actitudes muy complejas, según se va viendo, debe reconstruir las formas de diálogo, no sin el esfuerzo denodado de autores como Galdós o Clarín, Pereda o Palacio Valdés, que alcanzan de nuevo el uso abierto y perspectivístico del lenguaje en un momento en que la situación social y cultural lo permite, y hasta lo exige.

La novela usa el diálogo en alternancia con el monólogo o subordinándolo textualmente a éste y marca siempre unas pautas de relación entre los discursos del narrador y de aquellos a quienes el narrador cede la palabra. El novelista recorre una larga etapa experimental en la que trata de ver hasta dónde llegan las relaciones entre la palabra dialogada y las formas de discurso, o entre la palabra dialogada y los modos de construcción del personaje, y más adelante tratará de experimentar hasta donde sea posible los modos de sobrepasar las limitaciones que el espacio y el tiempo imponen a la obra literaria a través del sistema semiótico que utiliza para su expresión, el lenguaje. Podremos identificar en diversos textos la relación envolvente de un diálogo sobre otro, las formas de paralelismo verbal entre varios personajes a través de sus intervenciones; la subordinación y el dominio de unos personajes frente a otros por sus modos de usar el lenguaje, etc.; en todo caso con formas que frecuentemente son reflejo icónico de situaciones humanas; como lo son también los diálogos interiorizados, los superpuestos, los telescópicos, etc., utilizados por la literatura para dar variedad, intensidad y riqueza al discurso narrativo o dramático. Novelistas actuales, como Vargas Llosa, han conseguido que los diálogos alcancen una capacidad propia para expresar síntesis de tiempos, de espacios, de ideología, etc., al poner en relación directa varias situaciones, varios personajes, varios parlamentos y establecer entre ellos una interacción que en principio no tienen.

Las formas discursivas en diálogo consiguen interacciones y asociaciones de personajes que participan en escena temporal y espacialmente alejadas: un solo diálogo resume tres o más escenas que antes se incluían en el texto iterativamente, o bien por medio de una *escena modelo* (Bobes, 1977, 82). El lector encuentra en las relaciones formales o temáticas de los diálogos la reproducción de relaciones personales o ideológicas porque se funden en un solo diálogo dos o tres ocurridos en lugares y tiempos diferentes, siempre que entre ellos se destaque un nexo común (un personaje, una contestación, un término) que indique la superposición.

El texto dramático no conoce otra forma de expresión (aparte variantes insertadas: monólogos, apartes, imprecaciones, etc.) y usa siempre el diálogo, pero no lo usa siempre igual. A pesar de que aparentemente es lo mismo, el diálogo dramático ha cambiado tanto a lo largo de la historia del teatro, y no sólo en la forma de decirlo, que en ocasiones ha desorientado no sólo a los espectadores sino incluso a la crítica habituada a unos recursos y efectos determinados. Así se han calificado de poco dramáticos los diálogos de Chejov, o se han considerado históricos los de Ibsen, simplemente porque no siguieron las formas habituales de su tiempo. Los diálogos de Chejov reproducen icónicamente formas de hablar y de actuar de una sociedad alegre y confiada, inconsciente de lo que se le venía encima, decadente en sus valores, en crisis sin advertirlo. Los personajes asisten impasibles a su ruina, usan frases sin acabar, frecuentes puntos suspensivos, preguntas sin respuesta, salidas de tono y de tema, frases hechas que son comodines para cubrir vacíos

de ideas y de palabra, sin venir a cuento, etc., e independientemente de lo que digan y de la historia que construyen con su palabra,
expresan con la forma de decirlo la situación de una sociedad en
crisis de vida, de conducta, de valores. Los diálogos son poco ro-
tundos, están llenos de «vacíos» y son completamente diferentes
de los que usaba el drama realista. El teatro, en general, y quizá
de forma más acusada en el realismo, aunque procure seguir miméticamente las formas sociales de hablar, trató siempre de eliminar
pausas, de completar las frases, de exponer las dudas y vacilaciones
directamente, por medio de los términos que denotan estos estados
de ánimo, sin trasladar los contenidos a la forma, como exige el
signo icónico, al menos parcialmente. El desconcierto que producen
los diálogos de apariencia insustancial de Chejov, procedía de la
total falta de manipulación y de traslado a los valores semánticos
de la lengua de los contenidos sociales de apatía, desconcierto y
duda: los personajes de estos dramas no dicen que son apáticos,
pero usan las palabras con apatía, no dicen que son indecisos, pero
no formulan las frases con decisión.

En las obras de Ibsen el diálogo que construyen los personajes
está hecho contando con la dimensión histórica del ser humano.
Cada uno de los interlocutores tienen un contexto histórico desde
el que se entienden sus intervenciones; están concebidos como «personas» cuya vida no se inicia al levantar el telón cuando empiezan
a hablar, sino que cuando aparecen en la escena ésta los sorprende
en un tramo de su trayectoria histórica. Por esta razón, las obras
de Ibsen fueron calificadas de «narrativas» y «poco dramáticas»,
en una valoración meramente temática y muy alejada de la visión
pragmática que da sentido a la literatura. Los diálogos de los personajes de Ibsen responden a una concepción historicista del hombre
y, por ello, incluyen en el presente vivo, que es su propio lenguaje
—con él se van creando en la obra como personajes de ficción—,
los condicionamientos que sobre su vida presente impone su vida
pasada. Precisamente la tragedia del personaje ibseniano radica en
que está limitado en su libertad presente a causa de su libertad pa-

sada: las acciones y elecciones, que en principio son ejercicio de la libertad humana, son simultáneamente limitaciones en su vida y en su libertad futura, que se verá reducida.

Estos personajes así concebidos no «cuentan» su historia, la soportan, y esto les hace vivir el presente de una forma dramática: cada uno de ellos es un «yo-aquí-ahora» que tiene un ámbito de movimientos y de libertad limitado al pedestal que ha ido construyéndose en su vivir pasado, y lógicamente su participación en el diálogo se realiza desde ese pedestal, desde su espacio de «estar» que es su ser histórico.

Si los héroes clásicos luchan contra su destino y en un proceso de anagnórisis dialogan hasta descubrir la responsabilidad que les corresponde en los actos que han realizado sin conocimiento pleno, por imperativo del *fatum*, los héroes de Ibsen son víctimas de una historia que siendo pasado no deja nunca de condicionar el presente: su palabra en el momento actual no puede desbordar las posibilidades que le señala su propio pasado. Estos héroes no sienten la mirada de los dioses, pero soportan el peso de su historia, la que ellos mismos han ido recorriendo y dibujando con sus acciones. Todo lo que dicen debe ser interpretado en el marco de su propia dimensión de seres con historia.

El teatro ha ido repasando las razones del ser y del actuar del hombre y ha planteado a través del diálogo dramático los problemas que vital y discursivamente se le ofrecen a la humanidad, pero lo hace siempre desde unos presupuestos culturales, sociales y epistémicos determinados, que repercuten en el lenguaje, en cualquier afirmación o negación que hagan los personajes y, desde luego, en las formas que siguen en sus diálogos. Y los cambios no afectan solamente a los temas desarrollados (destino, responsabilidad, enfrentamiento de ordenamientos jurídicos y derechos individuales, relaciones con los dioses o entre los hombres, etc.) o a la conducta (libre, condicionada, necesaria), sino también a los turnos en los diálogos, a las implicaciones conversacionales, a los marcos de referencia donde hay que interpretar las palabras, etc.

Pensamos a este propósito, por ejemplo, en los diálogos de los dramas de Pirandello o de O'Neill, cuyos personajes están diseñados desde una concepción de la persona humana basada en unos presupuestos psicológicos que le niegan unidad y le niegan también toda posibilidad de conocimiento de otros y aun de reconocimiento racional de sí misma. Los diálogos de unos personajes troquelados desde esta perspectiva resultan necesariamente muy alejados de los diálogos discursivos, silogísticos, narrativos o históricos de otros dramas, cuya finalidad inmediata era la de construir una fábula y darla a conocer en su planteamiento, nudo y desenlace, porque se admitía que la creación literaria explicaba las historias y daba razón de las conductas, o lo que es igual, era una forma de conocimiento. Los diálogos que oímos a los personajes de Pirandello discurren sobre anécdotas que, en ocasiones, no son más que cubiertas de una historia, de una fábula que discurre subterránea en una especie de subtexto que el lector deberá descubrir.

Pensamos también en algunos diálogos de obras de García Lorca que se construyen en unidades escénicas que son segmentos de un proceso tensional y que prescinden, o al menos no diseñan, un proceso histórico de desarrollo causal o por azar de una historia. En el texto de *Yerma* los diálogos transcurren al margen de la anécdota y del esquema causal que puede desembocar en un desenlace trágico, se limitan a construir y a sostener, intensificándolo, un clima de tensión y de enfrentamiento entre los sujetos del drama. Parten de una situación inicial abierta al drama: la falta de hijos, y los diálogos son expresión de una tensión creciente por la forma en que Yerma vive esa circunstancia. No hay hechos que agraven la situación llevándola hacia un clímax trágico, hay solamente unas palabras cada vez más exasperadas que expresan una tensión creciente. Los diálogos no pueden ser lógicos, porque ni Yerma ni Juan están para discursos, no plantean problemas concretos que puedan resolverse hablando, son, por parte de Yerma una protesta continuada y por parte de Juan una defensa hasta donde puede.

Con estos ejemplos tenemos suficientes argumentos para verificar que los diálogos tienen, tanto en la novela como en el teatro, formas históricas de manifestación en una diversidad y unas posibilidades muy amplias.

Una crítica dramática y una teoría literaria que habían analizado, según lugares y movimientos literarios, unos diálogos tradicionales, rechazan, en principio, como ajenos al teatro y a la novela, las nuevas formas de interacción verbal de los personajes, y sólo la insistencia de los autores y los efectos sobre los lectores y espectadores, a medida que se van aceptando los nuevos modelos, hacen que se vayan imponiendo los conceptos actuales. Es necesario cambiar los criterios de teatralidad, de dramatismo y de narración para comprender e interpretar el diálogo icónico de Chejov, el diálogo histórico de Ibsen, el diálogo absurdo de Beckett, o los diálogos telescópicos de Vargas Llosa.

La diversidad de sentidos y de posibilidades que demuestra tener el diálogo literario responde, sin duda, a un cambio de valores en general y a una evolución en los modos posibles de dar testimonio de los hechos, ideas, conocimientos, conductas y actitudes, desde unos presupuestos ontológicos y epistemológicos nuevos. Porque, si no se admite la unidad de la persona (presupuesto ontológico) y se niega la posibilidad de conocerla (presupuesto epistemológico), e incluso la posibilidad de transmitir el conocimiento, es *lógico* que el teatro acoja diálogos sin lógica, absurdos, y si se cree que el hombre no es capaz de conocerse a sí mismo y sólo puede ir haciéndose por la palabra de los demás, es lógico que la señora Ponza, el personaje principal de la obra de Pirandello *Así es, si así os parece*, al ser requerida para que aclare de una vez quién es realmente y cómo es, conteste que ella no lo sabe, puesto que no tiene conciencia de su propio ser y sólo se conoce a través de lo que los otros creen y dicen que es. El diálogo sobre el tema del desconocimiento tienen formas que no coinciden con las que siguen unos personajes seguros de su ser y hasta de su unidad esencial, aunque no traten el tema como un problema planteado direc-

tamente. Los diálogos de conocimiento pertenecen a un teatro clásico cuya argumentación discursiva y lógica conducía al descubrimiento
de la verdad; los diálogos del desconocimiento, propios del teatro
actual, llevan únicamente al reconocimiento de lo absurdo del hombre en su vida y en su conducta. Los diálogos son absurdos porque
la realidad es absurda, y es necesario quitar la venda. La literatura
actual no se propone «tranquilizar», como pensaba Forster de la
novela a principios de siglo; frente al teatro concebido como un
proceso de conocimiento que tranquilizaba a Edipo, aunque le cos-
tase la vista por su responsabilidad, al explicar los hechos, el teatro
tiende hoy, como toda la literatura, a mostrar que no hay lógica
en el castigo de Edipo, a lo más que se llega es a situar en cadena
unos hechos sin relación, que en sí mismos resultan absurdos, fal-
tos de lógica interna. Cuando se buscaron explicaciones en la literatura, los diálogos se encomendaban a personajes que tenían seguridad en sus palabras, cuando se renuncia a la explicación, se busca
el reconocimiento de la realidad, aunque resulte absurda, ilógica,
etc.

Vemos una relación directa entre las formas de organizar y utilizar los diálogos literarios y los presupuestos que dan sentido o reconocen el sinsentido de las actividades sociales, culturales, psicológicas, familiares, etc., de los hombres en una sociedad que inspira
a los autores; y hay también una relación, que parece más distante,
pero que advertimos en el fondo de las obras, con las actitudes
científicas que sirven de presupuestos de conocimiento.

El estudio del diálogo literario, narrativo y dramático principalmente, muestra que un fenómeno localizado en el discurso puede
remitir a concepciones generales de la persona, de las relaciones
sociales, de los presupuestos y conceptos de la ciencia cultural, y
que los cambios de formas reproducen homológicamente cambios
y evoluciones de los sistemas culturales que integran el sistema lingüístico y el literario.

El mundo de hoy está necesitado de diálogo efectivo entre tantos anuncios de diálogo norte-sur, diálogo este-oeste, diálogos so-

ciales de apertura y disposición para todo, etc., que aparecen de modo casi obsesivo en los medios de comunicación. Basta abrir cualquier periódico para encontrar el término «diálogo» repetido una y otra vez en propuestas, rupturas, consejos, etc. La creación literaria acoge los intereses y temas de la sociedad, no sólo en la forma directa en que señaló una sociocrítica ingenua, sino en las formas, cuya lectura no es, a veces, inmediata.

Se ha suscitado así un gran interés por el diálogo y sus formas y también por precisar y conocer las situaciones previas y concomitantes que permiten asegurar el comienzo, desarrollo y final del diálogo: los preludios, las condiciones, las implicaciones conversacionales, los tiempos y espacios adecuados, los interlocutores, los temas, etc.

El diálogo efectivo, en su aspecto verbal, resulta ser el fin de un proceso muy complejo que tiene su inicio en el establecimiento de unas condiciones que se refieren al dónde, cómo y cuándo, y también de qué se puede, se debe o se sabe hablar (aspecto pragmático); igualmente entra en el proceso de diálogo la interpretación de las formas y del sentido que puede tener. Los preparativos para un diálogo, de carácter social, político o científico, se extienden a todos los aspectos que pueden garantizar su efectividad y a prevenir todos los inconvenientes que pueden hacerlo fracasar. Las condiciones pragmáticas del diálogo resultan tan decisivas —de ahí su interés— como el tema y las formas o el fin que se busca con el diálogo. Es preciso analizar hasta los imponderables y las variantes y alternativas para recomponer el intercambio verbal, si alguna de ellas falla. Cuando se trata de un diálogo literario hay que añadir a todos estos aspectos la posible experimentación de formas nuevas, más allá de la efectividad, para la expresión más intensa o la comunicación más consonante con otros valores literarios.

El uso frecuente y diversificado del diálogo, tanto en el lenguaje estándar utilizado socialmente, como en el discurso literario, remite a una situación nueva, a una actitud ideológica abierta, más o menos definida o intuida en la sociedad y cultura actuales. De ningún modo podemos pensar que esa proliferación de diálogos y la aparición de formas nuevas puedan deberse a la casualidad.

Superada la vieja idea de la sociocrítica de que la literatura refleja en sus temas los temas sociales, hay que admitir que «cada elemento de la forma está impregnado de valoraciones sociales vivas» (Bajtin, 1986). La forma dialogada, utilizada como expresión directa de los hablantes en el intercambio social, utilizada como materia de experimentación estilística e interpretada como signo icónico de modos de ser, de estar y de actuar del hombre en sociedad, puede ser estudiada en sus manifestaciones concretas y en el contexto que la produce, social o literario.

EL ESTUDIO DEL DIÁLOGO

Si el uso frecuente del diálogo es un fenómeno verificable en la sociedad actual, también lo es la proliferación de estudios sobre él, tanto en lo que se refiere a sus manifestaciones lingüísticas y a sus circunstancias pragmáticas, como por lo que atañe a su aparición en la obra literaria y al sentido que adquiere en ella.

Son muchos los estudios dedicados en los últimos años a todos los aspectos del diálogo y de la llamada «lógica conversacional» (o «erotética», según Zuber). Podemos observar que la atención al diálogo y a la conversación se inicia en dos ámbitos de investigación bastante alejados entre sí y posteriormente influye en otros, a veces en forma directa, otras veces de un modo indirecto al proporcionar presupuestos, descripciones o tesis que resultan válidos interdisciplinarmente.

Históricamente el análisis conversacional surge en Estados Unidos al proyectar sobre los usos lingüísticos las teorías de la «interacción social», y así lo afirma Sacks:

> no ha sido el interés por el lenguaje lo que me llevó a los análisis de la conversación, sino el hecho de que podía revisar las conversaciones una y otra vez (1974).

La posibilidad de analizar acciones y reacciones sociales sobre los comportamientos lingüísticos de los sujetos en una conversación o en un diálogo, ofrecía un amplio material de estudio a la sociología.

En Francia se inicia el estudio de la conversación y del diálogo como una parte del análisis del discurso. De un interés casi exclusivo por el monólogo escrito, se pasa progresivamente a un interés por las realizaciones orales de la lengua, entre las que el diálogo ocupa un lugar central. Jakobson había advertido, ya en 1952, que la realidad que debía interesar al lingüista era la interlocución, como forma de uso más frecuente. El grupo de la Universidad de Lyon que bajo el significativo título *Décrire la conversation* (P. U. L., 1987) publica sus análisis directos del habla, ha recibido ataques de estructuralistas, como N. Ruwet por ejemplo, que siguen creyendo en la necesidad de orientar las investigaciones lingüísticas hacia lo sistemático y, por tanto, de limitarse a la «lengua» dejando el «habla» como realización inadecuada para ser «objeto científico». Kerbrat-Orecchioni rechaza las objeciones que se aducen contra el estudio del habla en el prólogo que pone al libro citado. Los modos de considerar los objetos de estudio han cambiado sustancialmente en la pragmática en relación al estructuralismo y lo mismo podemos decir de los métodos y de las posibilidades de argumentación.

Si la epistemología cultural propone la necesidad de fijar los objetos de estudio para darles un valor general y permitir así el paso de los enunciados individuales a la formulación de leyes generales, la lingüística tenderá a orientar sus análisis hacia lo sistemático de la lengua, dejando en un segundo plano las realizaciones circunstanciales del habla. Si la epistemología cultural reclama una atención preferente a «lo dado», la lingüística tomará como objeto central de sus estudios al habla, a los usos, al texto.

Con frecuencia se producen en la lingüística, y en todas las ciencias humanas, cambios en la orientación metodológica y desplazamientos del interés de unos aspectos del sistema verbal a otros, de unos temas a otros, que no suelen ser debidos a un replanteamiento

interno de la investigación y sus posibilidades, sino ecos de nuevas
orientaciones en el método y los presupuestos generales de la investigación cultural. Es posible que en la ciencia del lenguaje se adviér-
tan tales cambios de un modo más patente, pero es seguro que
afectan a todas las ciencias cuyos objetos, total o parcialmente,
tienen que ver con el lenguaje, como ocurre con la teoría de la
literatura, la estética literaria, la hermenéutica, la semiología, etc.

El primero de los campos donde se inicia el interés por el diálogo (y no nos referimos a la cronología) es el *epistemológico*, es
decir, el de la teoría del conocimiento. Esta disciplina atiende al
diálogo a propósito de los problemas que plantea la posibilidad
y la justificación filosófica de un conocimiento objetivo de la realidad. La relación del sujeto de conocimiento con los objetos del
conocimiento se manifiesta a través de la palabra. El conocimiento
es siempre el resultado de una *actividad de un sujeto* y, si no tiene
otra dimensión, es preciso reconocer el subjetivismo de todo conocimiento y negar la posibilidad de alcanzar la objetividad. Si pretendemos mantener que el conocimiento es una actividad de los
sujetos y a la vez tiene que alcanzar una extensión general, es decir,
llegar a ser conocimiento objetivo válido para todos los sujetos,
se acude a la *verificación*, hecha por cualquiera, de modo que si
el objeto responde a lo que se presenta como conocimiento sobre
él, entonces puede considerarse como de valor general. Pero la verificación es también subjetiva, es decir, hecha por un sujeto, y la
formulación en signos de cualquier tipo de conocimiento es también subjetiva, pues es un acto de habla. La idea de la justificación
objetiva del conocimiento es hoy una preocupación constante en
el pensamiento epistemológico y ha repercutido en la teoría literaria
intensamente, como veremos, tanto en lo que se refiere a la posibilidad de construir a los personajes en su dimensión interna y externa, como en lo que se refiere a la unidad de la acción, que se
entresaca del caos de la realidad. Se ha hablado de *sujetos* coincidentes en conocimientos, de intersubjetividad, como una especie de
puente entre lo subjetivo y lo objetivo; se ha aludido al llamado

sujeto «puro» o transcendental, en evidente relación con el Lector Modelo o el Archilector; se ha intentado desplazar el enfrentamiento Yo-Tú, por la relación comprensiva «otros yo», o el «yo ajeno». Y, como es de prever, todas estas relaciones descansan en las tesis que sobre el diálogo se van sucediendo.

La generalidad del conocimiento se enfrenta con la actividad individual de que parte y es el problema central de la epistemología siempre. Antes se planteaba a propósito del objeto (objetos naturales: leyes nomotéticas porque la verificación lo permitía así / objetos culturales: leyes idiográficas, o particulares, Rickert, 1922).

Un segundo campo sería el *sociológico*, en el que el lenguaje, y de modo destacado el diálogo, interesa como instrumento y forma de la interacción social; el diálogo es forma de interacciones y es en sí mismo una actividad realizada socialmente por el hombre, sujeta a unas normas que afectan a los turnos de intervención y a las formas de uso de la palabra, como tantas otras de la vida social y concretamente de la vida política, donde la interacción es también con frecuencia de tipo verbal. En las sociedades con estado democrático, el medio privilegiado y más prestigiado actualmente para resolver cualquier tipo de tema es el diálogo libre, cuyas formas se analizan minuciosamente en la ciencia social.

En esta investigación sociológica sobre el diálogo viene a incidir el enorme desarrollo experimentado por la pragmática general que, iniciada por Ch. S. Peirce en Estados Unidos, es ampliada y diversificada por la semiología europea en todas direcciones (Grunig, 1981).

El diálogo estudiado como lenguaje en situación es objeto de la pragmática porque no se circunscribe a los hechos estrictamente lingüísticos, sino que se abre a las circunstancias personales de los hablantes y a las referencias contextuales e intertextuales de la situación física y cultural en que se desarrolla, ya que además de ser un texto verbal se da en circunstancias de «cara a cara».

Por otra parte, la lingüística había atendido con preferencia al lenguaje enunciativo, como si el uso de la lengua se redujese a las posibilidades del monólogo destinado a informar referencialmente del mundo exterior por medio de frases atributivas. La estilística ha advertido las diferencias que hay entre un discurso en tercera persona y el lenguaje directo que se articula en primera o segunda, y había relacionado estas formas de discurso con las funciones informativas y afectivas respectivamente. Si bien es cierto que la teoría gramatical conoce y describe las unidades morfológicas que remiten a los sujetos y a las circunstancias de la enunciación, es decir, a la actividad lingüística cuyo producto es el enunciado, solía situarlas fuera del sistema; algunas escuelas las excluyen de sus análisis, porque no forman serie con las unidades del sistema enunciativo. La lingüística estructural que parte del presupuesto de que es necesario conocer lo sistemático de la lengua, elige un *corpus*, más o menos amplio, en el que identifica, mediante la prueba de la conmutación, las unidades que se repiten, porque ellas son las sistemáticas de la lengua, y deja fuera todo aquello que no se relaciona sistemáticamente.

En este modo de proceder hay una inmediata petición de principio porque el sistema que se busca como tesis de investigación, es el mismo que se propone como hipótesis para eliminar previamente lo no sistemático: se busca el sistema que subyace en los enunciados y se excluyen las unidades que no pertenecen a ese sistema, pero que pueden pertenecer a otro, y en todo caso, son unidades lingüísticas. Greimas (1982) concibe como objeto de la investigación lingüística un lenguaje objetivo y para señalar sus límites propone prescindir de las categorías de subjetividad, que lógicamente no resultarían pertinentes en la descripción de un sistema objetivo; sólo si se toma como objeto de investigación la subjetividad, resultan pertinentes sus signos. Esto da lugar a que los índices de la enunciación se sitúen fuera del sistema objetivo de la lengua, y, por tanto, fuera del interés de una lingüística estructural. Tales categorías serían las de persona, tiempo y espacio, es decir, las de la deixis en general, que son precisamente las que tienen una frecuencia de uso mayor en el diálogo, frente al que tienen en el discurso enunciativo referencial.

La lingüística estructural trató de fijar el objeto para un «estudio científico» tomando partido en el conflicto «cambio / estabilidad», planteado en el tiempo desde la oposición «diacronía / sincronía», para atenerse a los principios epistemológicos kantianos, y a la vez tomaba partido en la oposición «objetivo / subjetivo», que respecto al conocimiento se planteará en la fenomenología y en la lógica formal. La decisión que adopta la lingüística estructuralista por la estabilidad del objeto, la sincronía en el tiempo, la objetividad del conocimiento, se traslada a otras dicotomías: «lengua / habla» a favor de la primera, «sistema / uso», también a favor del primer término, etc., y volverá a revisarla a propósito de las nuevas oposiciones surgidas desde otros análisis como «enunciación / enunciado», o a propósito del diálogo como discurso en el que son frecuentes unidades fuera del sistema: el imperativo entre los modos verbales, las interjecciones entre las categorías morfológicas, el sistema indéxico respecto a los lexemas denotativos, etc.

A la posible influencia de la teoría del conocimiento, de la sociología y de la pragmática en los presupuestos de la lingüística y de la teoría de la literatura (o del lenguaje literario más concretamente) hay que añadir el influjo de la semiología general y de la lógica matemática, o filosofía del lenguaje.

La semiología trata de estudiar la lengua como uno de los sistemas de signos (sintaxis y semántica: unidades y relaciones formales y unidades y relaciones de sentido), y como una actividad (pragmática), es decir, un proceso con varias realizaciones (expresión, comunicación, interacción, significación, interpretación). La obra literaria, desde esta perspectiva no sólo es un producto cultural, con unas formas históricas —un *artefacto*, dirá Mukarovski—, sino también un elemento que participa en un proceso de comunicación literaria.

El diálogo, como posible expresión primera del lenguaje (la comunicación es siempre necesariamente dialógica, aunque no dialogal), es el uso verbal que se presta mejor al estudio de la interacción lingüística, paralingüística, kinésica y proxémica, es decir, al análisis de la lengua en situación, cara a cara, con todas las circunstancias pragmáticas del uso.

Mientras la lingüística estructural, desde los presupuestos que se pone, construye un objeto adecuado para la investigación científica: un *sistema*, que es una abstracción de la realidad o a veces una especie de constructo que ha perdido toda relación con la realidad, la semiología, sin abandonar la idea de sistema, sobre todo en referencia a la sintaxis y a la semántica, amplía su objeto al interesarse por la lengua como actividad (habla) y al considerar dentro de su objeto de estudio todas las circunstancias que en el uso pueden contribuir a crear o modificar el sentido. La filosofía del lenguaje vuelve, con todas las circunstancias pragmáticas en que se da, después de una trayectoria de desviaciones, que va desde la renuncia a todo lo que no sea empíricamente determinable (atomismo lógico, sintaxis, semántica) hasta los usos, que se toman en su ser real fenoménico como objeto propio del conocimiento lingüístico.

Considerado como una actividad social, como un uso de la lengua literaria y como un objeto de estudio de la teoría literaria, el diálogo tiene unas manifestaciones y unas formas generales que es necesario conocer para su análisis y descripción en la obra literaria, y en todo caso para su conocimiento: es una actividad sémica (crea sentido), realizada por dos o más hablantes (interactivamente), en situación cara a cara (directo), en actitud de colaboración, en unidad de tema y de fin. Esto implica que el diálogo tiene un aspecto verbal, en lo que coincide con cualquier expresión monologada, pero se realiza cara a cara y en un tiempo presente, mientras que otros tipos de procesos verbales, que pueden darse también cara a cara, no se construyen en presente, pueden traerse acabados y darlos incluso por turnos: tal puede ser una comunicación delegada o representada donde los interlocutores se limitan a decir lo que pueden y les han autorizado. El diálogo exige que cada interlocutor cuente con la intervención del otro para preparar la propia intervención y es preciso tener en cuenta las palabras, el tono y la forma en que son dichas, los gestos, la distancia, los movimientos, etc., del interlocutor para seguir. La secuencia del diálogo resulta lógica, si se tienen en cuenta todos los aspectos pragmáticos de la situación en que se enuncia.

El diálogo, según vamos a ver desde la perspectiva semiológica, no se reduce a un intercambio verbal, es la creación de un sentido en un discurso realizado por más de un hablante, en un intercambio de signos verbales y no-verbales concurrentes. En el diálogo directo, cada uno de los hablantes debe interpretar, si quiere intervenir adecuadamente, lo que los otros han dicho y además todos los signos simultáneos que están en el contexto social y de situación en que se desarrolla el diálogo. Cuando el diálogo es referido por un narrador, éste se ve obligado a reproducir las palabras que está oyendo y a la vez, para que adquieran sentido pleno, debe dar cuenta también de las circunstancias de tono, ritmo, actitudes, gestos, distancias, etc., de los interlocutores, si es que quiere dejar testimonio completo del diálogo como actividad social en la que hay signos verbales en concurrencia con los otros.

El marco de estudio del diálogo queda así ampliado y desde la semiología se pueden señalar los presupuestos necesarios para su investigación en un modo específico frente a la ciencia del lenguaje, cuyo objeto es exclusivamente la lengua, el uso o el sistema inducido de los usos, sin extenderse a signos de otros tipos.

Yendo más atrás en la búsqueda de las razones por las que el diálogo ocupa hoy un plano destacado en la investigación social, lingüística y literaria, podemos explicar las posibles relaciones entre los planteamientos de Husserl en el problema de la objetividad del conocimiento y el diálogo como instrumento de intersubjetividad.

Si se admite, y hoy es lugar común, que la palabra no es la realidad y ni siquiera la representa en forma directa, debe reconocerse que el objeto de la investigación de las ciencias no puede limitarse al discurso, a las construcciones verbales, sino que debe proyectarse hacia la realidad (sea ésta lo que sea, y sea cual sea el modo que se considera adecuado para acceder a ella; éstos son problemas ontológicos); si se admite que el conocimiento es siempre el resultado de la actividad de un sujeto, parece que será difícil superar el subjetivismo, incluso el solipsismo, en la investigación científica o filosófica. Teniendo en cuenta también que los resultados de toda investigación tienen que traducirse a signos, verbales o algorítmicos, la objetividad, en todo caso, habrá que buscarla en la coincidencia de las formulaciones que hacen los sujetos, y es necesario pasar por las palabras.

Surge así la figura del *sujeto pensante* con la que se quiere transcender de algún modo la idea de sujeto individual, concreto. Husserl, siguiendo y modificando en parte la idea kantiana de un sujeto transcendente, propone que se considere como sujeto del conocimiento objetivo la figura de un sujeto independizado, o liberado, de las circunstancias concretas, en el que puedan coincidir los sujetos individuales, para reconocer el conocimiento común a todos ellos.

Creo que nos encontramos ante un proceso en el que, en lugar de hacer abstracción de las circunstancias concretas, por ejemplo, y en referencia al lenguaje, de las circunstancias de uso para llegar al sistema, se hace una abstracción de los sujetos cognoscentes y hablantes para alcanzar una especie de «sujeto general». No se hace sino desplazar la operación que conduce de lo particular a lo general, que antes se hacía sobre el objeto, y ahora se hace sobre el sujeto.

El paso de lo particular a lo general, de lo concreto a lo abstracto, de lo estable a lo contingente y variable, es siempre y seguirá siendo, el caballo de batalla de la investigación científica, particularmente de la cultural. Superar la antinomia epistemológica «objetividad / subjetividad», es lo que había propuesto la lingüística al señalar en su objeto de estudio la oposición «sistema / usos», o lo que es lo mismo «lengua /habla», y al proponer como meta de sus investigaciones el establecimiento de leyes generales que tenga aplicación en el sistema, frente a descripciones y clasificaciones de fenómenos que tienen siempre carácter particular, concreto, y se localizan en los usos.

Aunque venimos apoyando nuestra argumentación con ejemplos lingüísticos, porque son más inmediatos y quizá más conocidos, ocurre otro tanto en la teoría literaria. La propuesta de un Archilector (Riffaterre, 1976), o la de un Lector Modelo (Eco, 1981) [1], no es más que el deseo de encontrar un sujeto de recepción transindividual, es decir, un sujeto cognoscente de la obra literaria que pueda asumir objetivamente las posibles coincidencias de diversas lecturas, o las posibles lecturas coincidentes de una obra.

La diversidad de formas de la literatura, que sería paralela a la diversidad de usos de la lengua, se constituye en un problema más grave aún con el hecho, hoy reconocido como tal por la teoría literaria en general, de la polivalencia semántica del texto literario, y la apertura de la obra a diversas interpretaciones.

La teoría de la literatura trató de fijar las posibles coincidencias de emisión en la «intención» del autor, que se supone da unidad a la obra o en las recurrencias semánticas de las diversas formas como estrategias para conseguir unas reacciones iguales en todos los lectores; también está en relación con este propósito el reconocimiento de un «horizonte de expectativas» común a una época histórica y a los lectores en ella; y lo mismo podríamos decir del interés que muestra la sociocrítica por el lector en general, y el que tiene la semiología por destacar el papel de la obra en el proceso interactivo de un autor y un lector. En cualquier caso y reconociendo la diversidad de las obras literarias y las posibilidades de varias lecturas en cada una de ellas, la teoría trata de encontrar la posibili-

---

[1] U. Eco considera precedentes de su Lector Modelo a Barthes *Analyse structurale des récits* (1966), a Lotman, *Estructura del texto artístico* (1970), a Riffaterre, *Essays de stylistique structurale* (1971), y a Van Dijk, *Pragmatics and Poetics* (1976). Sea cual sea la historia del concepto, el motivo de la búsqueda es el mismo: el paso de lo concreto (fenómeno) a lo abstracto y general (conocimiento científico) a través de la actividad o la actitud de los sujetos del conocimiento.

dad de algo estable en la emisión, en la obra, en la recepción a fin de no perder el camino de la generalización del conocimiento.

Toda la investigación actual propicia el interés por las formas de intercambio semiótico, sea verbal o no, y concretamente por el diálogo. La concertación social, la producción literaria que ofrece modelos diversos de diálogo, la búsqueda de valores suprasubjetivos en la investigación, son los campos y las razones por las que el diálogo resulta ser hoy tema central para la filosofía, la ciencia y la creación literaria.

La filosofía analítica, a la que ya hemos aludido más arriba de pasada, una vez que ha superado las limitaciones del atomismo lógico, que exigía al lenguaje científico prescindir de todo enunciado que no fuese la atribución simple, deriva en el Wittgenstein de las *Investigaciones filosóficas* (1988) al estudio de los usos, o juegos del lenguaje. Frente a un lenguaje artificial, o un lenguaje natural depurado de imprecisiones por medio de normas que limitan sus usos y sus relaciones y lo hacen pretendidamente unívoco y preciso *(Tractatus logicophilosophicus*, 1921), y frente a las normas de formación y transformación que imponen rígidos controles al discurso lingüístico de la ciencia (Carnap, *Sintaxis lógica*, 1934), se impone en la filosofía del lenguaje una nueva orientación que apunta hacia los hechos lingüísticos, tal como aparecen en el uso social.

La pragmática, en resumen, propone que el estudio del lenguaje se haga sobre lo que es, no sobre lo que debe ser (según los criterios de cada cual), porque no hay una razón suficiente para imponer unos moldes y unas limitaciones a la expresión, y, por otra parte, parece lógico que la ciencia lingüística se enfrente a la realidad que quiere conocer, es decir, a los usos, no a lo que los científicos desde unos presupuestos, digan que es el sistema. Y resulta que el lenguaje, tanto el estándar como el literario, es diverso en sus formas, y no es un sistema cerrado; el diálogo parece su forma más habitual en el uso social y en los intercambios de todo tipo y, por ello, se ha erigido en el objeto de estudio del mayor interés para algunas investigaciones filosóficas, lingüísticas y literarias actuales. En relación con el sujeto transindividual y en relación con los usos, cobra un gran interés la intersubjetividad, ya que «no podemos pasar de la subjetividad a la objetividad sino por medio de la intersubjetividad» (Lavelle, 1951, 43). La atención a las situaciones interlocutivas en las que varios sujetos desarrollan una actividad que se dirige a un mismo fin y logra crear sentido por medio de las palabras en situación, cara a cara, en presente, está justificada desde la filosofía, pero también desde la lingüística y la teoría de la literatura.

El análisis de una realidad lingüística, en el lenguaje estándar y en el lenguaje artístico, tanto en su dimensión formal, material como social, sitúa hoy al diálogo como forma frecuente de uso y como objetivo para el conocimiento científico.

En la ciencia del lenguaje y en la teoría de la literatura se manejan hoy algunos conceptos que están en relación con el diálogo y el dialogismo y a la vez con problemas planteados desde otras perspectivas metodológicas anteriormente. La *intertextualidad*, el *dialogismo* de los textos (interiormente entre sus diferentes niveles, o exteriormente con otros textos anteriores o contemporáneos), el *cronotopo* de Bajtin, por ejemplo, no son sino denominaciones que se refieren a la dimensión espacio temporal de los signos lingüísticos y literarios. La lengua, en su dimensión diacrónica, y los textos literarios en su historicidad, recogen relaciones horizontales con otros signos, con otros textos, y las proyectan en relaciones verticales con los usos anteriores y posteriores en el tiempo. El espesor de la lengua y particularmente del discurso literario proviene de un uso diversificado en diferentes espacios y tiempos. Todos los usos anteriores y los simultáneos en otros textos pueden tener resonancias en uno determinado y establecer en él posibilidades de relación formal y semántica prácticamente inagotables. El dialogismo así entendido es inacabable como lo es el proceso semiósico de la interpretación.

Si admitimos que el cronotopo literario alude a las coordenadas espaciotemporales del texto como unidades que sirven de marco de referencias más o menos determinadas en el devenir de la historia

de la literatura, y admitimos que la intertextualidad se refiere a
las relaciones con otros textos anteriores o coetáneos, y admitimos
también que el dialogismo lo establece cualquier texto, por el hecho
de estar expresado con signos de valor social, entre un emisor y
un receptor que tienen una dimensión histórica y un horizonte de
expectativas individual, y a la vez social, podremos encuadrar todos
estos conceptos, hechos y relaciones en una pragmática como esquema general en el que alcancen explicación y coherencia los problemas diacrónicos y sincrónicos de los sistemas de signos y de los
usos concretos que de ellos se hagan, literarios o no.

En los capítulos que siguen revisamos las posibilidades de ese
análisis desde el marco más amplio (pragmático) al más restringido
de la forma y sentido de los usos (lingüístico) para tener los esquemas referenciales para un estudio del diálogo literario en la novela,
en el teatro, en el texto lírico. Proponemos un modelo y unas tesis
que no pretenden más que abrir caminos a investigaciones más concretas y, en todo caso, alertar sobre nuevas posibilidades de situar
y explicar la obra literaria.

II

PRAGMÁTICA DEL DIÁLOGO

EL DIÁLOGO COMO ACTIVIDAD SEMIÓTICA

El diálogo, como todo uso de la lengua, como cualquier actividad hablada, es un proceso realizado en el tiempo, que se desarrolla en unas condiciones pragmáticas determinadas en sus formas generales, aunque presente variantes en cada caso particular. De las condiciones generales en que se produce el diálogo deriva un modo específico de creación de sentido que se concreta en cada uso con las limitaciones que impone la situación particular, con un marco de referencias propio.

La situación en que se construye el diálogo es fundamental para el análisis pragmático, aunque no lo es para su estudio lingüístico, ya que el diálogo es un discurso directo en el que intervienen cara a cara varios sujetos, con intercambio de turnos, que tratan un tema único para todos. De esta definición derivan algunos elementos constantes que es preciso tener en cuenta en un esquema general del diálogo:

a) Cada uno de los sujetos que intervienen aporta su propio rol, su función específica y su modo de actuar lingüísticamente. Estas particularidades se traducen en la forma general del diálogo, en su modo de avanzar y en la efectividad que pueda tener.

b) A los actos verbales, realizados según el apartado anterior, hay que añadir las acciones no verbales de los sujetos que están en la situación, y que incluso pueden no participar con la palabra limitándose a estar presentes y condicionando así la situación, que se realizará para ellos también como un cara a cara.

c) El carácter de la misma situación, que puede dar lugar a diálogos científicos, filosóficos, políticos, literarios, etc.

d) El progreso del diálogo, según la secuencia de las intervenciones, que puede estar en relación con una situación distendida, tensa, dramática, discursiva, etc.

En la primera parte de nuestra exposición vamos a considerar las condiciones pragmáticas generales del diálogo y las conductas posibles de los interlocutores para verificar cómo se produce sentido en una situación semiótica dada.

En principio partimos de la afirmación de que el proceso dialogado y los actos de habla que dan lugar a este tipo de discurso son «fenómenos semióticos», «situaciones semióticas», porque en ellos se utilizan signos que concretan en un sentido particular las virtualidades de significado que tienen como unidades de un sistema, o bien se utilizan formas sensibles que se convierten en formantes o signos circunstanciales en el marco de la situación. Esto, que ocurre en todos los fenómenos y situaciones semióticas, adquiere en el diálogo una dimensión especial que deriva de su naturaleza y de las circunstancias pragmáticas en que se da. Porque, efectivamente, el diálogo se da en una situación que se caracteriza en primer lugar porque los interlocutores son varios, dos o más, y esto da al proceso una dimensión social y, como todas las actividades sociales, exige una normativa que rija su desarrollo y que regule, por ej., los turnos de intervención; también del hecho de que sean varios los sujetos deriva una fragmentación formal que diferencia al diálogo de otras formas de discurso monologales, con las que puede coincidir en otras notas, por ejemplo, en ser lenguaje directo.

Hay otros procesos verbales que se desarrollan también con dos o más sujetos, por ejemplo, toda situación de comunicación exige al menos dos sujetos, pero lo distintivo del diálogo está en que todos los que intervienen en él participan de la misma manera, tienen la misma actividad y todos intervienen en los turnos sometidos a las mismas normas, aunque en cada caso concreto cada uno haga uso de modo diverso de sus posibilidades, bien por abuso bien por negligencia; todos los sujetos del diálogo aportan su presencia física, de modo que su actividad no se limita a hablar y a escuchar lo que se va diciendo, sino que, por el hecho de estar presentes, pueden aportar, por medio del gesto, de la actitud, de la distancia a que se coloquen, etc., matices, precisiones o negaciones a lo que otros dicen; la situación *face to face* permite intervenir no verbalmente, e impone determinados condicionamientos a la palabra de los demás por un efecto inmediato de *feedback*, pues hay cosas que pueden decirse cara a cara y cosas que no pueden decirse, si no es en ausencia.

Las intervenciones de los diferentes interlocutores avanzan conjuntamente con las palabras, con los gestos, y con todos los indicios que pueden proceder de la situación: las reacciones kinésicas, proxémicas, paralingüísticas, etc., van dando paso a modificaciones que no serían necesarias si los hablantes sólo se atuviesen a la palabra. El avance del diálogo se realiza con todo lo que la situación aporta en simultaneidad.

Todo esto implica que el diálogo sea un proceso complejo que exige una conducta especial de los sujetos, pero tiene además otras características: los signos verbales, que sustentan quizá la actividad fundamental de los sujetos (aunque esta afirmación sería discutible en muchos casos), entran en concurrencia con signos de otro tipo, concomitantes temporalmente, constituyendo la que Poyatos denomina «estructura triple básica»: lenguaje, paralenguaje y kinésica (Poyatos, 1972). Es específico del diálogo, frente a otros procesos verbales, la convergencia de signos de varios sistemas, la presencia e intervención de varios sujetos y la consiguiente fragmentación del discurso.

Es necesario destacar que en el diálogo los signos verbales y los no verbales actúan en concomitancia de modo que una palabra puede ser respuesta a un gesto, o un movimiento puede terminar o interrumpir a las palabras. El intercambio semiósico en la situación dialogal transcurre en presente y el sentido se construye progresivamente con las intervenciones de los interlocutores y mientras no se cierre el diálogo el sentido puede ser alterado: cada una de las ocurrencias debe ser tenida en cuenta por el que la dice, para no contradecirse o repetirse, y por los demás interlocutores para asumirla o rechazarla en sus intervenciones: el diálogo crea sus propias implicaciones conversacionales y los interlocutores no pueden dar como aportación suya lo que ya ha sido dicho por otro. El sentido, pues, se logra con la colaboración de todos y no se cierra hasta que termine el diálogo.

Por lo que acabamos de exponer se deduce que el diálogo no es lo mismo que otros procesos semióticos, aunque estén próximos a él, como pueden ser la comunicación, o la información (que no es más que una forma de comunicación). En estos procesos, que son también actividades semióticas entre dos o más sujetos, no todos intervienen con las mismas oportunidades, libre y espontáneamente, ya que sus roles están fijados y mientras uno informa, el otro o los otros son informados, mientras uno comunica, los demás se enteran de la orden, de la noticia, de la amenaza, etc.

El diálogo crea su sentido por la intervención de todos los sujetos y por la convergencia de varios tipos de signos; la comunicación transmite un mensaje que conoce uno de los sujetos y no los demás, que está terminado en el momento en que empieza el proceso de información que acabará cuando los demás se dan por enterados. En el diálogo la información que aporta cada uno de los interlocutores es incorporada al conocimiento de todos y hace proseguir el discurso.

No es, pues, lo mismo traer un discurso para comunicarlo (una conferencia, una lección, una rueda de prensa preparada, etc.), o disponer unilateralmente de los datos necesarios para dar una información, que utilizar el lenguaje como instrumento para alcanzar un acuerdo dialogando entre varios sujetos que disponen de las mismas oportunidades de intervención.

Creemos que la nota más característica del diálogo frente a otras formas de intercambio semiósico posiblemente sea su capacidad para aclarar sentidos y crearlos mientras se desarrolla. Forest afirma que la finalidad del diálogo no es la de intercambiar verdades poseídas, sino, y principalmente, la de crear ideas (Forest, 1956). De aquí puede derivar una diferencia notable entre el teatro y la novela como géneros convencionales (aunque las variantes en casos límites pueden aproximarlos): el teatro *hace* una historia, la novela *cuenta* una historia.

La actividad de los sujetos del diálogo es paralela, porque todos hablan y todos escuchan por turnos, pero es también progresiva, porque las intervenciones se realizan teniendo en cuenta las anteriores, sean de quien sean; no se puede intervenir en un diálogo haciendo caso omiso de lo dicho antes: ésta es una de las leyes más generales, y da lugar a algunas notas características del diálogo, por ejemplo, que el orden de intervención sea determinante de la congruencia del discurso, de su avance hacia la conclusión y de la unidad del proceso. Las implicaciones conversacionales que surgen a medida que se avanza sirven de marco de referencias para las intervenciones que siguen.

Por la importancia que tiene para fundamentar alguna de las afirmaciones que haremos posteriormente, insistimos en que el diálogo, a pesar de que generalmente se le presenta como tal, no es un proceso de comunicación. En la comunicación un sujeto se dirige a otro y el proceso se da por terminado cuando el segundo se da por enterado, como ya hemos dicho. El diálogo es comunicación, pero es también intercambio y sobre todo es unidad de construcción. Aun en el supuesto de que la comunicación de un sujeto sea seguida de la comunicación del otro y se produzca el intercambio con una doble comunicación ($\overleftrightarrow{}$), no habría diálogo, pues la comunicación (si es sólo eso) de cada uno de los sujetos es independiente de la del otro y es también autónoma, de modo que el tema puede ser diverso y no avanza hacia la unidad del conjunto: cada uno de los sujetos que intercambian comunicación informa al otro de su mensaje, sin modificar para nada lo que ya tenía preparado; la información camina en los dos sentidos, pero no se crea en el proceso. La doble comunicación puede realizarse con intercambio de cartas cerradas, el diálogo no.

El diálogo es un *proceso de interacción* en el que la actividad de los interlocutores es complementaria para la creación de un sentido único a lo largo del proceso y mientras éste dura. La convergencia de las intervenciones hacia la unidad de sentido es el rasgo que diferencia al diálogo de otros procesos interactivos, como puede ser la conversación, que es abierta en cuanto al sentido: las intervenciones en ésta son suplementarias y autónomas dentro del tema sobre el que se habla; los interlocutores hablan cuando quieren y con las ideas que estimen oportunas dentro de la coherencia conversacional, sin que tengan que atenerse a la unidad de sentido, o a seguir conversando para lograrla.

Podemos decir que en el diálogo las intervenciones son complementarias hacia un fin, mientras que en la conversación se suman las de todos y lo que resulta es válido porque no se busca un fin común: la conversación puede tener un valor lúdico, el diálogo tiene un valor pragmático.

En el diálogo el intercambio implica que los locutores tienen unas ideas comunes que expondrán hasta su reconocimiento mutuo: las posiciones inicialmente diferentes convergen hacia el mismo horizonte, al menos eso se pretende en el «contrato enunciativo» (Greimas, 1976, 24). Las divergencias iniciales indican posiciones diversas dentro de un marco de comprensión que se propone, y van aclarándose mediante el análisis de las presuposiciones del diálogo y de sus enunciados.

El estudio pragmático del diálogo no puede, por tanto, limitarse a los aspectos verbales y no verbales del proceso interactivo y a la convergencia de todos los signos en la creación de un sentido único, tanto en lo referente a los sujetos (intervención de todos para lograr ese fin), como a los signos en sí (subordinación estructural de todos a la unidad de sentido), sino que se amplía a todo lo que se pueda considerar contexto del diálogo, de la situación en que se desenvuelve. La perspectiva pragmática es, en todos sus aspectos, mucho más amplia que la lingüística o la literaria.

La pragmática del diálogo considera las relaciones de los signos en todos sus aspectos, lingüísticos, literarios y contextuales, pero además tiene en cuenta también las posibles relaciones verticales con otros signos; los signos lingüísticos se relacionan con otros signos a través de la situación concreta de su uso; los signos literarios contraen relaciones de forma y de sentido con todos los que están en el mismo texto, con los signos lingüísticos en la época de su uso y de su recepción, según ha mostrado la investigación hermenéutica y la teoría de la recepción. En sucesivos capítulos iremos planteando cada uno de los temas que ahora anunciamos para situar las relaciones del diálogo y su forma especial de crear sentido en el proceso interactivo en que se usa.

La creación de sentido lingüístico parte de los valores referenciales de los signos verbales (significados virtuales) y se precisa en el conjunto del discurso, en unas relaciones concretas que actualizan sólo algunas de las posibilidades. Por eso preferimos a lo largo de este trabajo partir de un concepto de *significado virtual* frente a un concepto de *sentido concreto*.

La creación de sentido literario es un proceso más complejo y transciende el lingüístico, porque cuenta con éste y añade el que procede de los signos literarios que dan al texto una polivalencia semántica que no tienen los textos lingüísticos. Por ejemplo, el diálogo entre dos personajes puede ser incluido en un texto narrativo referido por un narrador o puede ser presentado como el traslado directo de un diálogo real; es posible que en el segundo supuesto el narrador trate de alcanzar una propiedad lingüística recogiendo las variantes sociales que correspondan a cada interlocutor, y puede hacerlo mediante una verbalización adecuada, o mediante una codificación pertinente y una contextualización apropiada, o puede intensificar alguno de estos rasgos y prescindir de los otros, o bien puede buscar una coincidencia en los temas teniendo en cuenta la ideología, los intereses, la educación, etc., de sus personajes... En el conjunto de la obra literaria cualquiera de las decisiones que siga el autor dará lugar a signos concurrentes con otros signos literarios y las formas que se derivan pasan a ser signos circunstanciales o formantes literarios, que indican distancia afectiva, procesos miméticos o creativos, voces directas, superposición de tiempos, etc.

Insistimos en que un estudio pragmático del diálogo puede referirse a todas las relaciones posibles del discurso lingüístico y literario, porque además de considerarlas en sí mismas, las sitúa en nuevas relaciones extralingüísticas y extraliterarias que constituyen en cada caso el contexto propio situacional.

EL DIÁLOGO DESDE LA
PERSPECTIVA PRAGMÁTICA

Vamos a precisar los caracteres del diálogo desde la anunciada perspectiva pragmática, y para ello partiremos de definiciones verbales, tal como nos las ofrecen los principales diccionarios, pues representan más o menos el consenso social sobre lo que es el diálogo. Estas definiciones verbales nos servirán para precisar los rasgos más generales y alcanzar una definición que podremos considerar más científica.

María Moliner *(Diccionario de uso del español)* define el diálogo como «la acción de hablar una con otras dos o más personas, contestando cada una a lo que otra ha dicho antes». El *DRAE* hace una definición menos analítica y dice que el diálogo es una «plática entre dos o más personas que alternativamente manifiestan sus ideas o afectos». En esta definición sobra la última parte porque nada tiene que ver con la naturaleza del diálogo el que sean ideas o afectos de lo que se trata, y falta, por el contrario, alguna nota importante; destaca dos rasgos: la concurrencia de dos o más personas y la alternancia en el uso de la palabra (actividad por turnos), pero no alude a la unidad de sentido, o a la creación progresiva de sentido, que diferencia al diálogo de la conversación o la comunicación en general. María Moliner en la frase «contestando una a otra» alude a esa progresión de sentido y a la unidad y delimita bien los ámbitos del diálogo frente a un monólogo o una comunicación informativa, aun en el caso de que sea doble, como hemos visto más arriba.

Los rasgos característicos que hemos señalado para el diálogo derivan de tres notas que recogen las definiciones:

a) el diálogo es un proceso semiótico *interactivo* en el que concurren varios sujetos, lo que le da un carácter social y le impone una normativa que regula la actividad de los diferentes sujetos.

b) El diálogo es un proceso que se desarrolla con la *alternancia* de turnos regulada por una normativa social y, en consecuencia, tiene la forma de un discurso fragmentado.

c) El diálogo es un proceso *semánticamente progresivo* (no sólo en progresión lineal, como lo son todos los discursos verbales) que se dirige hacia la unidad de sentido en la que convergen todas las intervenciones, que al ser realizadas como «lenguaje en situación», «cara a cara», tienen en cuenta todas las circunstancias en que se desarrolla.

De estos tres rasgos característicos del diálogo que recogen sus definiciones directa o indirectamente, derivan *hechos* (formas en que aparecen los signos), *conductas* semióticas (modos de actuación de los sujetos) y *relaciones* (esquemas pragmáticos, lingüísticos y literarios, que se convierten en cánones sobre los que se estiman las variantes). Pasamos a explicitar los más destacados.

El diálogo es un proceso semiótico, de carácter preferentemente lingüístico. Junto a los signos verbales aparecen y se sitúan en convergencia con ellos otros signos paraverbales, kinésicos, proxémicos («estructura triple básica»). No estoy segura de que pueda hablarse de un diálogo con signos exclusivamente no verbales: las definiciones, al menos, no lo tienen en cuenta. El diálogo como proceso semiótico verbal se caracteriza por una serie de notas que lo diferencian claramente de otros procesos sémicos que pueden estar próximos.

En el diálogo intervienen dos o más sujetos. Hay propuestas para denominar «duólogo» al diálogo de dos (Kennedy, 1983, 34). Y decimos *intervienen* y no *hay* o *están* dos o más sujetos, porque no es suficiente la presencia física, sino que exige una actividad lingüística por parte de todos, aunque también se puede asistir a un diálogo como observador, sin voz, pero en este caso no será interlocutor el sujeto que tal haga. Con cierta frecuencia se denomina «diálogo» al lenguaje directo que incluye, además del *yo,* un *tú,* y se considera, por ejemplo, lírica dialogada, la que tiene alocuciones de este tipo. Es muy discutible y lo discutiremos.

El diálogo es lenguaje directo, en situación. Intervienen, por tanto, no sólo los signos verbales, sino todos los signos de los sistemas semióticos concurrentes: paralenguaje, kinésica, proxémica, signos objetuales, luces, sonidos no articulados, etc., todos cuantos se integran en la situación de diálogo y pueden contribuir a crear sentido.

El diálogo es una actividad semiótica realizada con signos de varios sistemas (o formantes) en la que intervienen en forma directa, por tanto en presente, varios sujetos cuya presencia física (o similar, televisiva, telefónica, etc.) permite el intercambio de turnos con conocimiento de los que han intervenido antes.

Puesto que el diálogo es intercambio de varios sujetos, es una actividad que transciende el ámbito personal y adquiere una dimensión social que se regula mediante normas, como todas las actividades sociales organizadas en turnos. La actividad dialogal no puede quedar a la espontánea acción de los individuos, ya que es fácil que derive entonces en el abuso de uno de los interlocutores que no deje turno a los demás, o en la comodidad de otro que pretende escuchar solamente. El uso social del diálogo va depurando su desarrollo y va imponiendo sus leyes pragmáticas en forma de normas aceptadas por la cortesía y la educación e impuestas por la misma naturaleza del diálogo, de modo que si no se cumplen no hay diálogo, por más que se llame así al intercambio de palabras de otra forma.

Los turnos de intervención de los sujetos se refieren a dos actividades lingüísticas, que se pueden ampliar a una tercera de tipo visual, ya que estamos ante un lenguaje en situación y en presente, cara a cara. Las primeras son el hablar y el escuchar, la tercera el observar y ver. No se construye un diálogo si es un solo sujeto el que habla; no interviene en el diálogo el que sólo escucha, pues no pasa de ser testigo del diálogo de otros, hasta el punto de que si no hay más que dos y uno habla y el otro escucha, no hay diálogo, hay comunicación. Con frecuencia, los diálogos políticos, los que se presentan como tales, son en realidad comunicaciones del jefe, aunque se hayan segmentado con la intervención de los otros para asentir. El diálogo exige que los interlocutores intervengan activamente en el hablar y también activamente en el escuchar. Añadimos que también en el ver y observar, puesto que los gestos y actitudes de los hablantes y de los oyentes constituyen signos y crean sentido en simultaneidad con la palabra: si uno de los interlocutores hace caso omiso de los gestos de impaciencia, de los indicios que muestran que el otro quiere intervenir, de la actitud de cansancio, o de despedida, etc., de los demás, no hay propiamente diálogo. Y si éste se desarrolla por teléfono, que es una situación posible, aunque no la típica, queda excluida la posibilidad de observar y de ver, pero no la de interpretar los indicios paralingüísticos de tono, ritmo, blancos, etc., que proceden del interlocutor y que obviamente deben ser interpretados por el otro.

Cuando uno de los sujetos se limita a asentir a lo que dicen los otros sin escucharlos, sin mirarlos, sin decir nada, como hace el Sr. Smith en la primera escena de *La cantante calva* y como se hace con mucha frecuencia en situaciones sociales, no hay diálogo, a pesar de la apariencia de tal. La actividad del Sr. Smith y semejantes no puede considerarse dentro de un proceso interactivo, sino como un uso fático del lenguaje que propicia la confidencia de quien quiere confiar o está dispuesto a hablar solo. La presencia del Tú en el discurso de un hablante es independiente de que el otro esté presente o ausente de la situación real.

El diálogo es un proceso semiótico interactivo, que no es lo mismo que la actividad semiótica de dos sujetos. La comunicación, la información y otros procesos se desarrollan sobre un esquema en el que intervienen varios sujetos fijados en la función de hablantes o de oyentes: se trata de la actividad de varios sujetos, no de la interacción de varios sujetos.

La interacción dialogal exige actividad de uno que afecta a la actividad de otro y viceversa para construir un discurso único. El diálogo no es un discurso preparado previamente a su expresión, en el que un sujeto transmite a otro una información, como si la grabase y ahí queda eso en forma definitiva; tampoco es el diálogo la suma o intercambio de dos discursos independientes que se presentan segmentados y alternantes. El diálogo es un discurso único que se va construyendo entre los interlocutores de modo que la intervención de cada uno avanza con todas las intervenciones anteriores, asumidas o rechazadas.

Cada una de las intervenciones de los dialogantes está en relación con las anteriores y con todas las circunstancias pragmáticas que la rodean, y supone un paso adelante hacia la unidad semántica del proceso.

No obstante, es muy frecuente que se presenten como diálogos discursos que sólo lo son en apariencia. Son discursos que pueden tener todo el aparato retórico del diálogo, pero que fallan en alguno de los requisitos que hemos enumerado: no buscan una unidad común, de modo que las formas de interacción se convierten en formas de disyunción. Martin Buber ha analizado, desde una perspectiva filosófica y sociológica, los diálogos atípicos como formas de diálogo aparente, falso, que se contrapone al diálogo auténtico, que llama «existencial» porque compromete a todo el hombre (Buber, 1960).

Hay otro rasgo del diálogo que no se deduce, como los que ya hemos enumerado, de alguno de los hechos, conductas o relaciones de que hemos partido, pero que es garantía de la existencia de un diálogo auténtico. Nos referimos a la igualdad de los interlocutores. En un discurso en el que intervengan varios sujetos, pero no todos tengan la misma libertad de expresión y de intervención, podremos encontrar la segmentación propia de un diálogo, pero difícilmente tendrá unidad de fin; otras veces, aun interviniendo todos los sujetos con la misma libertad, el intercambio verbal no se hace en unidad de tema o de fin, y más bien se persigue un fin lúdico, o simplemente no estar callados para evitar la tensión del silencio, o para seguir unas formas sociales que exigen participación, etc. Tampoco en este caso estamos ante un verdadero diálogo.

En el vocabulario político actual, el liberalismo suele entender por diálogo un intento de acuerdo verbal entre adversarios, como una solución a los enfrentamientos por razón de intereses o razones políticas, laborales, etc. No obstante, tenemos que advertir que el diálogo no es un término equivalente a conversación o a convencimiento por persuasión verbal. El valor del diálogo se basa fundamentalmente en la igualdad, de derecho (como todos suelen reconocer) y las de hecho (difícil de conseguir, dada la complejidad de las modalidades, la competencia, los presupuestos de que se parte, las implicaciones previas, las conversacionales, etc., de los interlocutores) y las oportunidades de que se dispone para llegar a un acuerdo sobre lo que es justo, verdadero, conveniente, o simplemente posible en un momento de la historia. En general el diálogo favorece a los que saben manejar el lenguaje con habilidad y eficacia.

La imposibilidad de diálogo cuando no se reconoce igualdad de intervención a los interlocutores es un hecho. Celestina habla de la necesidad humana de comunicarse, y lo mismo admite Pármeno, pero es Areúsa quien precisa que *el diálogo que causa plazer* es el que se realiza tú a tú, en igualdad, cosa que es imposible entre la criada y la señora. Pero sobre estas formas de diálogos «que no causan placer» volveremos más adelante, y también sobre la norma dialogal que exige la igualdad de los interlocutores, para lograr un diálogo auténtico.

Para reconocer un diálogo es condición necesaria, pero no suficiente, la concurrencia de varios sujetos en las formas que hemos dicho, la fragmentación consiguiente del discurso, la existencia de un tema común y de una unidad de fin, la alternancia de las intervenciones en unos turnos más o menos flexibles, etc., y también la igualdad para intervenir.

Es posible también transmitir los diálogos, en forma directa y a medida que se van realizando, o a través de una narración de palabras de un sujeto que lo refiere. En este caso el diálogo puede quedar envuelto en el monólogo del narrador y adoptar la apariencia de un discurso monologal. Por esto decimos que las circunstancias que hemos señalado son necesarias, pero no suficientes, para reconocer los diálogos. La concurrencia de todas garantiza que un determinado discurso sea un diálogo.

De todos modos hay quien reduce lo específico del diálogo a una sola nota: «lo propio del diálogo (...) es la *reciprocidad* (en la igualdad consentida de las presencias y las acciones)» (Deschoux, 1956), o a una actitud de los sujetos: «quienes no son seres de diálogo son fanáticos» (Lacroix, 1955). En cualquier caso es una visión global que luego permite ir desglosando caracteres, en la forma que lo hemos hecho, o en otros modos.

La presentación del diálogo, tanto en el lenguaje estándar como en el texto literario, y sobre todo en éste, puede complicarse mucho, pero el reconocimiento de las circunstancias mínimas resulta indispensable para establecer un canon, sobre el que pueden reconocerse variantes y situaciones limites en formas y sentidos, y pueden también señalarse las posibles interferencias con otras formas de interacción verbal.

* * *

Vamos a repasar algunas de las que consideremos condiciones mínimas para el diálogo, lo que nos permitirá pasar a detalles más precisos en las situaciones pragmáticas generales y en las situaciones literarias en las que se trata de reproducir miméticamente los procesos dialogados.

Son fundamentales para reconocer los valores y funciones del diálogo las perspectivas de estudio sobre la interacción social. En gran manera esa perspectiva que considera los hechos sociales condiciona la selección de datos y la interpretación de sus relaciones. Así el estudio de la interacción social desde unos presupuestos y unos métodos psicologistas pone mayor énfasis en los elementos no-verbales de la conducta: signos paralingüísticos, kinésicos, proxémicos, etc., que acompañan a la conducta verbal. El estudio de la interacción social desde una perspectiva lingüística lleva a un interés preferente por las estructuras formales del diálogo, sobre todo desde la metodología estructuralista.

Se ha afirmado que «si se dispone de un número dado de actos pueden identificarse una serie de regularidades estadísticamente» (Thibaut, J. W. y Kelley, H. H., 1959), y entre tales regularidades cabe destacar que cada acto social está determinado por el último acto del otro» (Argeley, M., 1979). Así, las preguntas van seguidas de respuestas, una orden va seguida de una acción, una información origina una conducta determinada en otros, etc. En general podemos admitir que las conductas sociales responden a esquemas, en líneas generales conocidos por los individuos. El diálogo transcurre también sobre esquemas conocidos por los interlocutores, pues en caso contrario se produciría un desconcierto que rompería la interacción.

El análisis del diálogo desde esos posibles esquemas pragmáticos permite establecer los cánones más generales y quizá unos conceptos relativos para explicar los usos lingüísticos y los signos literarios. Es frecuente que el texto dramático consiga algunos efectos estéticos con un uso específico del diálogo que se distancia de lo que se considera uso estándar, por ejemplo, el diálogo de *Yerma* se aparta de todo lo que sea progresión hacia un acuerdo, hacia una unidad de fin y repite una y otra vez una situación de enfrentamiento en la que Juan y Yerma mantienen sus posiciones sin que haya un recorrido común. Estos diálogos no pueden conducir a un acuerdo y lógicamente desembocarán en un asesinato en el drama.

Desde un punto de vista empírico la comunicación interpersonal se ha estudiado siguiendo el esquema causal y es frecuente que el diálogo dramático presente una interacción recíproca, es decir, una orientación en la conducta verbal de los interlocutores en la que un final único hace que los recorridos de unos y otros sean convergentes.

Las condiciones pragmáticas, las normas lingüísticas y las posibilidades de los signos literarios se proyectan sobre los diálogos que pueden ser analizados desde perspectivas determinísticas (causal, condicional, determinante), normativas (en formas y relaciones) y estocásticas (finalidad y efectos probables), para deducir el sentido que se logra en el texto concreto.

CARÁCTER SOCIAL DEL DIÁLOGO: NORMAS

El diálogo es una actividad regida por normas que regulan la conducta de los hablantes, como todas las actividades sociales que se desarrollan por turnos *(turn-taking)*. Tales normas, en el caso concreto del diálogo, se refieren no sólo a la actividad que da lugar al diálogo, sino que amplían su ámbito de aplicación a las disposiciones previas de los hablantes y a las modalizaciones del habla, que, si bien no aparecen materialmente en el discurso, lo condicionan en su expresión verbal o no verbal (el tono, la distancia, los movimientos, etc.).

Se supone que los interlocutores de un diálogo aceptan una serie de implicaciones previas que se refieren a los temas que van a tratar, a los marcos de referencia en que adquieren sentido los enunciados, a su propia disposición corporal y anímica, etc., tal como se siguen en la sociedad que los rodea.

Searle habla de «comprometerse con una actividad gobernada por normas» que pueden ser reglas de significado (lingüísticas) y de uso (pragmáticas o pueden ser reglas regulativas (las de cortesía, por ejemplo), o reglas constitutivas (las del fútbol) (Searle, 1976).

Los que intervienen en un diálogo y no respetan las normas habituales pretenden usar el término «diálogo» por su prestigio social, aunque realmente hacen un tipo de intercambio verbal o de actividad semiótica que no es un diálogo, sino una información, una comunicación, un juego, un ejercicio de dominio o sometimiento, etc. El diálogo queda desvirtuado, si los sujetos no aceptan o no siguen las normas que les afectan como hablantes o como oyentes, pues las normas se refieren a una y otra función.

Quizá la norma previa más amplia para el diálogo es la que reconoce a todos los dialogantes, en cuanto tales, libertad de intervención y las mismas posibilidades de uso de los turnos, independientemente de que su situación social fuera del diálogo sea de desigualdad. El diálogo no admite relaciones jerarquizadas, que son posibles en otros procesos semióticos. Las relaciones jerarquizadas en el diálogo son incompatibles con una de sus normas fundamentales: la libertad de intervención. El diálogo de Edipo y Tiresias, en *Edipo rey*, se inicia con todos los requisitos necesarios: el rey lo ha pedido, el adivino se aviene a dialogar, aunque sea de mala gana, pero cuando Edipo, transgrediendo la norma de la igualdad de los interlocutores, quiere hacer prevalecer su prepotencia extralingüística, Tiresias lo llama al orden, le recuerda la norma que, si no estaba formulada expresamente al comenzar el diálogo, regía en la sociedad griega, y le dice: «tú eres rey, pero para contestar somos iguales».

No puede considerarse diálogo el intercambio verbal en el que desde dentro o desde fuera se impide la libre intervención en igualdad de condiciones para todos los interlocutores.

No es diálogo el intercambio verbal en el que uno de los hablantes no respeta los turnos de los otros, ya sea porque se impone físicamente por el volumen de su voz, ya sea porque tiene una acti-

tud corporal prepotente. No es diálogo propiamente el intercambio
verbal en el que uno de los dialogantes, o más, rechazan los argumentos de los otros calificándolos con valoraciones negativas antes
incluso de formularlos: «ninguna persona inteligente admitirá otra
postura...» Frases de este tipo impiden la libre intervención de los
demás, pues ni rebate ni asume otro discurso, de donde resulta una
imposición más que un diálogo.

No es diálogo el intercambio verbal dirigido desde afuera por
un moderador encargado de que se cumpla la ley de los turnos
de intervención que ofrece diferentes tiempos o diferente frecuencia
de intervención a los hablantes. En este caso, tan frecuente en los
diálogos televisados, no hay diálogo, pues se trata de una exposición de ideas ilustrada a gusto del moderador o de quien lo dirige,
si la manipulación es en segundo grado.

El lenguaje no reconoce más categorías formales para denotar
a los sujetos del habla que el Yo y el Tú, que no son exclusivos
de un individuo, sino de los sujetos de la enunciación (el que habla,
a quien se dirige, y sólo en ese uso y circunstancia). La norma
de la igualdad de los interlocutores del diálogo se asienta en la forma en que el lenguaje reconoce sus propias categorías de la
enunciación.

Es cierto que la mayoría de los sistemas indéxicos admiten variantes de estas formas básicas, y así ocurre en el español con *Nos,
Usted*, etc., que reflejan categorías sociales, extralingüísticas, lo que
supone añadir a la capacidad denotativa del Yo y el Tú notas inten-
sivas de «categoría social», «cortesía», etc.

La lengua reconoce como categoría del discurso al que habla,
el YO, y a quien se habla (escuche o no), el Tú, y solamente en
los usos concretos ese Yo, índice de ostensión de la persona que
está en el uso de la palabra, puede denotar un sentido añadido
que se refiere a la dignidad profesional (obispo, rey, etc.) y sustituirse por Nos; o bien, respecto a la segunda persona, añadir sentido de respeto, de desconocimiento, de distancia, de edad, etc., y
sustituir el Tú por Usted. pero el Nos y el Usted no cambian en

absoluto la categoría lingüística del Yo y el Tú, y son YO más una situación personal, Tú más una relación cualificada.

El diálogo se realiza siempre de la misma manera, como un intercambio verbal entre la primera y la segunda personas gramaticales, con las posibles variaciones formales que impone la referencia concreta a la situación personal de los hablantes, que, insistimos, tiene carácter y valor extralingüísticos y no tiene que afectar a la actividad lingüística.

A esta primera norma de la igualdad lingüística de los interlocutores y la subsiguiente libertad de intervención de todos ellos, siguen otras leyes derivadas en forma inmediata. La *participación de los hablantes ha de ser activa.* No es suficiente, como ya hemos anunciado más arriba, que uno hable y el otro escuche: es norma regulativa del diálogo que sus sujetos intervengan como hablantes y como oyentes. Es descortés —es decir, va en contra de la norma social— no hablar, y es descortés no escuchar.

Esta norma no afecta solamente al tiempo de desarrollo del diálogo, se extiende también a la situación previa, al igual que ocurre en la conversación social, aunque en formas diferenciadas.

La concurrencia de interlocutores para un diálogo preparado en lugar y tiempo convenidos, inicia la situación de diálogo con una fase previa que reconoce también sus propias normas. La norma social nos impone intercambio de palabras, de saludos, de frases lúdicas que eviten el silencio, pues éste puede parecer hostil. El uso de gestos, movimientos, o actitudes corporales amistosas no es suficiente: una sonrisa repetida se hace inoportuna a la tercera vez y lo mismo ocurre con una inclinación de cabeza repetida o cualquier otro signo no verbal. El cine ha puesto en imágenes la tensión que deriva de tales gestos repetidos sin palabras: los saludos incesantes de Charlot tienen esa finalidad cómica y denotan timidez.

Los «elementos encuadrantes del diálogo» (Greimas, 1982, 121) se concretan en frases de cortesía y parecen ser una constante en todas las culturas. Se puede sostener que «es función importante del lenguaje evitar los silencios, y es completamente imposible en

nuestra sociedad hablar sólo cuando hay algo que decir» (Hayakawa, 1967, 68). Antes de decir lo que tenemos que decir, tenemos
que romper el silencio diciendo algo trivial. La frase de Wittgenstein, tan repetida, de que cuando no hay nada que decir es mejor
callar, no es válida para las fases previas a la conversación o al
diálogo, pues exigen romper el silencio hostil.

H. Haverkate, refiriéndose a la cortesía como estrategia conversacional afirma que «la cortesía paralingüística se manifiesta mediante signos gestuales que tienen una función comunicativa concomitante acompañando a los signos puramente verbales» (Haverkate, 1987, 29). El sentido que da el profesor Haverkate al término
«paralingüístico» se extiende a todos los sistemas de signos no verbales concurrentes con los signos verbales en la expresión cara a
cara y precisamos también que la norma que impide el silencio en
la situación previa al diálogo, afecta a los signos paralingüísticos
(tono, timbre, entonación, ritmo... en la realización de los signos
lingüísticos) y también a los signos kinésicos y proxémicos, y en
menos medida, porque son estáticos, al vestido, peinado, etc. El
diálogo, como lenguaje en situación, compromete a todo el individuo por lo que se refiere a la «cortesía conversacional». El uso
social impone determinadas exigencias de vestido, peinado, distancia, etc., para determinados diálogos, a pesar de que hoy traten
de negarse al considerarlas prejuicios. En todo caso ha de tenerse
en cuenta que su abolición no puede ser individual, puesto que son
normas sociales, y si alguien decide ir sin corbata para participar
en un diálogo cuando es costumbre llevarla, se expone a que los
otros lo valoren por su decisión; es inevitable, sea a favor o en
contra. Las normas sociales se han establecido, en todo caso, para
buscar una seguridad en las relaciones humanas, y desde ellas se
interpreta la apariencia, la conducta verbal y no verbal, de los demás.

Las «reglas de etiqueta conversacional» (denominación que Haverkate y otros han tomado de Garvey) se refieren por igual a la
conversación y al diálogo, y se extienden también a la comunicación y a la información, es decir, a todos los actos de habla que

tienen una dimensión social, si bien cada uno de estos procesos las aplica de una forma particular.

En una situación interactiva (diálogo y conversación principalmente), suele romperse el silencio con frases hechas, con elementos aloraciones encuadrantes, que tienen una función fática o conativa, y que pueden ser de tres tipos fundamentales: frases *neutras*, que no aludan para nada a los sujetos *(!qué calor!)*, una frase amable dirigida al *oyente (¿será duro su trabajo, verdad?)*, o un comentario que afecta al *hablante (¡no soporto este calor!)*. La fórmula elegida depende de la relación social que exista entre los sujetos y de la forma en que el hablante quiere captar la benevolencia del oyente, que a su vez puede reaccionar con indiferencia o con amabilidad. En general suele respetarse la convención de que el interlocutor de mayor categoría social tome la iniciativa y también la de que invada el mundo del otro con preguntas personales, familiares o profesionales; el hablante inferior socialmente suele centrarse en su persona como tema y no suele salirse de su propia esfera, en parte porque no tiene la iniciativa y se limita a responder a lo que le preguntan (Haverkate, *id.*).

Esta fase previa al diálogo se rige por unas normas parecidas a las de la conversación, y no es diálogo todavía, pues queda claro que las categorías personales prevalecen sobre las lingüísticas, mientras que en diálogo esto no debe ocurrir: sería improcedente introducir preguntas personales que no correspondan al tema tratado.

Las normas que rigen la fase previa son comunes al diálogo y a la conversación, y la más general es, sin duda, la de evitar el silencio.

Cumplida esta norma, se siguen otras. Resulta descortés, pues se trata de una norma regulativa, que uno de los sujetos se limite a hablar o se limite a escuchar: es descortés no hablar, es descortés no escuchar; es descortés no responder, y es descortés no responder adecuadamente. En resumen, la cortesía impone hablar por turnos, escuchar por turnos y tener en cuenta lo dicho para contestar de acuerdo con el contexto. El diálogo, organizado sobre unos temas centrales, puede admitir alguna divagación marginal, pero exige volver al tema y seguirlo por todos.

El discurso literario presenta con frecuencia transgresiones de estas normas como indicios de algún sentido buscado: salidas de tono, de tema, contestaciones absurdas, balbuceantes, etc., en el diálogo dramático han de interpretarse siempre más allá de su valor referencial. En *Diálogo secreto* produce desconcierto la frase de un personaje que está presente en el diálogo y ante una pregunta con otro contenido contesta: «¡hay tanto paro!». El desconcierto no sólo se produce entre sus contertulios sino que también se traslada al público e incide en un marco social de referencias en el momento en que se estrena la obra perfectamente inquietante, aunque en otro momento quizá no tenga ese efecto.

La intervención en el diálogo, desde las frases previas, pero particularmente en su desarrollo, responde a la norma de que los sujetos son activos en todos los sentidos, por lo que se refiere al tema central: son activos como hablantes y son activos como oyentes. No puede admitirse que sea sujeto activo sólo el hablante, como suele decirse con frecuencia, reservando para el oyente un papel pasivo: puede adoptarse una actitud pasiva respecto al hablar, callándose, y respecto al escuchar, no atendiendo lo que dicen los demás. Hablar y escuchar no son términos activo y pasivo de una misma actividad, y reconocerlo es importante en un análisis del diálogo.

El sujeto en sus turnos de oyente ha de mostrar mediante signos kinésicos y proxémicos que está escuchando y demostrar en sus turnos de hablante que ha oído y entendido las intervenciones de los demás, pues rompe las normas regulativas del diálogo el intervenir fuera de contexto, ya que supondría impedir el avance hacia la unidad de fin. Los dialogantes no pueden limitarse a asentir, o a estar presentes para que el interlocutor disponga de un Tú, ya que esta situación es la típica del monólogo, pero no la del diálogo, que es proceso interactivo.

Las llamadas normas sociales no son, pues, normas de mera cortesía, ya que afectan a las leyes constitutivas del diálogo y derivan de su propia naturaleza de proceso semiótico interactivo.

Es indudable, sin embargo, que en lo que tienen de «cortesía», las normas que rigen las fases previas y el desarrollo de un diálogo, pueden cambiar en el tiempo y en el espacio. Los hablantes de una determinada edad soportan difícilmente el silencio en compañía y suelen sentir desasosiego en la situación previa al diálogo o a la conversación, si no se rompe el silencio; la juventud actual suele, por el contrario, y según se puede observar con relativa frecuencia, adoptar una actitud indiferente, incluso irónica, ante el esfuerzo de los mayores por romper el silencio; sin embargo se sienten también desasosegados, si nadie rompe el silencio previo al diálogo.

Una vez que se inicia el diálogo propiamente dicho, se imponen las normas que S. Stati denomina de «cortesía intraconversacional», exigidas por «il codice dell' intercambio verbale», y que se refieren a los contenidos, no a los turnos: es cortés responder a un saludo, es descortés no contestar a las preguntas o no intervenir, es cortés explicar por qué no se accede a un ruego, es cortés contestar al verbo modalizado, no al modalizante, por ejemplo, sería descortés contestar «no» a la pregunta «¿puede usted decirme qué hora es?», sin otras explicaciones, etc. (Stati, 1982).

Por último, en el desarrollo de los turnos y dentro de las normas de cortesía lingüística y social, señalamos las que se refieren a las modalidades, es decir, a los modos de presentar las cuestiones.

Es consustancial al diálogo que los interlocutores tengan las mismas posibilidades en los turnos, y es importante que tengan las mismas posibilidades modalizantes, es decir, que quieran, puedan y sepan dialogar. Únicamente en estas circunstancias se establece un equilibrio lingüístico y se garantiza la libertad de intervención.

Las modalidades lingüística afectan a la competencia de los sujetos y a su disposición (saber, poder, querer). No es posible establecer un diálogo con quien no quiere, no puede o no sabe dialogar. En tales casos puede haber comunicación, información, u otra actividad sémica, pero difícilmente habrá diálogo.

Las modalidades se refieren también al otro aspecto, al escuchar. Es posible querer, saber y poder escuchar lo que los otros interlocutores dicen, y todavía podríamos añadir que se refieren a la relación locutiva: se puede, se debe y se quiere dejar hablar a los otros. En todos estos supuestos pueden darse transgresiones o se pueden seguir las normas constitutivas del diálogo.

Las normas de cortesía afectan también a la formulación modalizada de los enunciados del discurso: resulta cortés formular las preguntas evitando un planteamiento de alternativa binaria, pues obliga al interlocutor a decidirse por el si o por el no, sin dejarle posibilidad de elegir matices o de aportar explicaciones. Claro que este tipo de cortesía resulta la mayor parte de las veces en la realidad más formularia que efectiva, por lo que ya hemos aclarado más arriba: la pregunta «¿puede decirme la hora que es?», no pretende una respuesta al *puede,* si no a *decir la hora;* otro tipo de modalización podría resultar incluso descortés, porque lleva implícita una duda sobre el conocimiento o la voluntad de interlocutor: «¿sabe / quiere decirme la hora?», y desde luego resultaría insólita la pregunta sin modalizar, que equivaldría a una orden: «dígame la hora que es».

La cortesía impone formular las preguntas del diálogo en forma modalizada, con el verbo adecuado, y espera una contestación al verbo central, no al modalizante. La trangresión de estas normas suele aprovecharse en el diálogo dramático para conseguir efectos cómicos o de otro tipo.

El diálogo efectivo se construye teniendo en cuenta, no en forma expresa, sino como costumbre, todas estas normas previas al desarrollo y las del mismo diálogo. No suelen formularse nunca directamente, pero sí se advierte su transgresión y se reclama su cumplimiento.

El desconocimiento de tales normas da lugar a desajustes que se superan mediante el que Grice denomina «principio de cooperación», que veremos en un apartado que sigue. Y si el conocimiento y dominio del diálogo y sus normas son desiguales entre los interlocutores, y no rige el principio de cooperación, es muy verosímil que el intercambio verbal no sea verdadero diálogo, sino una relación intersubjetiva en la que, bajo formas verbales, se encubra una relación extralingüística de dominio y sumisión.

El equilibrio en las intervenciones dialogales se apoya en todas las circunstancias pragmáticas del diálogo, como lenguaje en situación cara a cara, de modo que los diferentes interlocutores aporten lo que se espera de ellos en cada momento y en cada fase del desarrollo verbal.

Los signos concurrentes de los sistemas no verbales, los paraverbales, kinésicos y proxémicos principalmente, que son dinámicos (frente a los de maquillaje o vestido, que son estáticos en el sujeto), se rigen por normas generales semejantes a las de los signos verbales en su uso, y adoptan variantes en cada época, en cada autor (si se recogen en el texto literario), pero cualquier alteración adquiere un sentido y esto indica que tales normas son constitutivas del diálogo en todos sus aspectos, lingüístico, pragmático y literario.

EL DIÁLOGO COMO ACTIVIDAD POR TURNOS

Los estudios de etnometodología realizados por Mehan y Wood (1975), tratan de hacer «una caracterización del modo en que las personas crean situaciones o reglas, y al mismo tiempo se crean ellas mismas y sus realidades sociales».

Al considerar las normas del diálogo en el apartado anterior, hemos pensado que la repetición de situaciones dialogales ha dado lugar a una conducta típica de los sujetos, que los crea efectivamente como dialogantes. La persona se convierte en «sujeto de diálogo» cuando sigue las normas constitutivas de una interacción verbal que se pueda llamar diálogo.

Las normas del diálogo, aunque alguien las niegue (sobre todo en su particularidad, pues nadie las niega radicalmente) y aunque no estén formuladas expresamente, se reconocen negativamente en la conducta de los sujetos que las infringen. La caracterización del dialogante se realiza a la vez que la definición de diálogo. Las personas, en su actividad social, crean situaciones de diálogo y se constituyen a sí mismo en sujetos dialogantes si toman parte y producen un discurso dialogado.

La naturaleza misma del diálogo da origen a una serie de normas que lo rigen como actividad social que está realizada por varios sujetos y se diferencia de otras actividades lingüísticas de carácter interactivo (normas pragmáticas). Por otra parte, todo discurso es un proceso sometido a normas de tipo lógico que afectan a lo que se dice (semántica) y de tipo gramatical, que efectan a la forma de decirlo (sintaxis).

Si un hablante quiere participar en un diálogo, es decir, si quiere hacerse a sí mismo «dialogante», tendrá que seguir las normas lógicas para saber él mismo lo que dice y hablar con sentido; tendrá que someterse a las normas gramaticales para dar oportunidad a los interlocutores de interpretar lo que dice, y tendrá que someterse a las leyes pragmáticas que son constitutivas del diálogo, porque en caso contrario no hará diálogo.

En un conocido artículo, «Logic and Conversation» (1975), H. P. Grice define el diálogo como un discurso en el que el sentido convencional de los términos y de los enunciados y el sentido general del discurso deben dar cuenta no sólo de las referencias, es decir, de lo que se dice verbalmente, a fin de transmitir información, sino además de las *implicaciones pragmáticas* que afectan a los enunciados y a los sujetos.

Pero pensamos que estas circunstancias y tales exigencias se refieren no sólo al diálogo, sino a todo lenguaje en situación, es decir, lenguaje directo, cara a cara. La concurrencia de signos de varios sistemas sémicos es una característica de todas las actividades lingüísticas interactivas: la información, la comunicación, la conversación. La definición de diálogo como actividad por turnos nos parece que es la diferencia específica respecto a su presentación como discurso sometido a normas lógicas (coincide con todo discurso en esto), o sometido a normas pragmáticas (coincide con los discursos directos), y serán las normas de los turnos las que diferencien finalmente al diálogo de la conversación, con la que coincide en ser actividad realizada también por turnos, pero con otras normas, o sin normas.

Las *normas del discurso* (Ducrot), denominadas por Grice *máximas conversacionales,* o por Gordon y Lakoff *postulados de conversación,* organizan los turnos, es decir, la distribución de los enunciados, si miramos desde el discurso, en un orden que resulte coherente, o reconocido como tal en el uso del diálogo.

Tales normas constituyen una especie de código del discurso dialogado; S. Stati las considera *il codice dell'intercambio verbale* que debe seguir el hablante que usa con honestidad el lenguaje en los procesos dialogados.

Pertenecen a este grupo de normas la que postula que a una pregunta se le dé una respuesta y no se conteste con otra pregunta; la que exige que de la situación previa se pase a la situación de diálogo y no se impida estratégicamente introducir los temas que deben ser discutidos; la que impide que los temas secundarios interfieran el discurso de los temas principales; y las que exigen que se creen las condiciones para cerrar el diálogo.

Podemos observar que las normas sociales de relación entre los dialogantes, es decir, las pragmáticas, coinciden con algunas de las normas semánticas que ahora tratamos de precisar y que se caracterizan por ser leyes que garantizan la producción de sentido dentro de las formas que exige el diálogo, es decir, mediante los turnos o teniendo en cuenta la posibilidad de los turnos que deben dejar entrada a las intervenciones libres de los sujetos, en igualdad de oportunidades y a la vez ir construyendo el sentido único con tales intervenciones.

Grice habla de una norma general de conducta verbal que tiene su aplicación inmediata en el diálogo, el PRR (Principio de Respecto a las Reglas), que vendría a ser una norma formal, en la que vendrían a resumirse todas las demás con sus contenidos materiales específicos. Sería la disposición formal para iniciar el diálogo, proseguirlo y terminarlo.

A partir de esta norma formal, que es un pacto de conducta verbal y situacional en cualquier interacción lingüística en directo, se proyecta la actividad con acuerdo sobre los temas que se tratarán o se excluirán y los turnos quedarán simultáneamente fijados, según reclame el tema. Esta norma material podría considerarse, sin grandes dificultades, como una implicación previa determinada por la cortesía para no hablar de temas que puedan molestar a los interlocutores, o podría tratarse de una implicación conversacional que se deduce de algunos indicios de los enunciados; pero también puede formularse directamente: no se tratará de tal o cual tema porque no es oportuno, porque molesta a alguno, porque en caso contrario no se aviene uno de los sujetos a dialogar, etc. Por lo general no se expresan directamente las exclusiones y la coherencia del tema es la que diseña la oportunidad de los turnos.

Todas las condiciones externas y formales necesarias para iniciar, proseguir y terminar el intercambio verbal son las que denominaremos *normas semánticas*, que afectan al sentido que se va logrando con el diálogo, para diferenciarlas de las normas de cortesía conversacional, o normas pragmáticas propiamente dichas, que afectan de un modo directo a la conducta de los sujetos del diálogo. Lógicamente las interferencias entre ambas clases de normas son continuas porque la cortesía con el interlocutor se orienta a conseguir la mayor eficacia en el discurso que con él se construye en la interactividad lingüística.

Grice explica las exigencias del discurso dialogado, por lo que se refiere a las normas semánticas, apoyándose en las categorías kantianas de Cantidad, Calidad, Relación y Modalidad.

El hablante debe ofrecer la cantidad de información necesaria y no más de la necesaria en cada una de las intervenciones; debe aportar la información que se le pide y no otra; debe decir la verdad y no expresarse a la ligera (Calidad), y debe expresarse con claridad (no oscuro, no ambiguo, no confuso). Estas condiciones son deseables en todo acto lingüístico y constituyen las normas materiales en el consumo de los turnos que corresponden a los interlocutores.

J. J. Weber, en «Frame Construction and Frame Accomodation in a Gricean Analysis of Narrative», y L. Doležel en «In Defense of Structural Poetics» precisan que el Principio de Cooperación y las máximas de Cantidad, Calidad, Relación y Modalidad de Grice pueden tener una aplicación en el análisis del diálogo en el lenguaje estándar, pero no son aplicables a un análisis del discurso literario, en el que la lógica ha pasado a un segundo término, desplazada por lo imaginario y lo irracional. Sin embargo, la objeción es un tanto simple: si se puede disponer de un canon lingüístico, más o menos admitido por la lógica y la gramática, resulta asequible con mayor facilidad el descubrir las variantes literarias, los signos y formantes sémicos del texto artístico verbal. Se supone que un diálogo literario se realiza miméticamente sobre los diálogos lingüísticos, y cualquier desviación la interpretaremos como un signo literario que remite, generalmente en concurrencia con otros signos, a un contenido referencial, emotivo, imaginativo, etc., específico de la situación literaria. Partimos para esta interpretación del hecho hoy admitido por la ciencia literaria de que cada elemento de la forma se llena de sentido propio y diferente en cada texto literario, que subraya o rompe las expectativas que su uso anterior ha creado.

M. L. Pratt en su estudio *Toward a Speech-Act Theory of Literary Discourse* (1977) ha aplicado también los conceptos y formulaciones de Grice al análisis de discursos literarios, pero quizá ha simplificado demasiado los conceptos y no ha sido posible comprobar su capacidad de explicación.

Weber mantiene que donde pueden tener mayor aplicación los principios de Grice es en la interpretación del subtexto ideológico de las obras literarias, y lo demuestra con el estudio, desde tal perspectiva, de una obra de H. James, *The Turn of the Screw* (Weber, 1982).

De todos modos, pensamos que las relaciones del diálogo lingüístico estándar con el diálogo lingüístico literario (en cualquiera de las variantes que pueda adoptar) repiten los problemas que ya se han discutido ampliamente en las Estilísticas acerca de las relaciones del lenguaje funcional y el literario, considerando a éste como «registro», «desvío», «dialectos», etc. No es necesario repasar las razones a favor y en contra de las diferentes posturas, porque esto es otro tema, el de la naturaleza del lenguaje literario. De momento estamos presentando las distintas normas que rigen las conductas dialogales y la creación de sentido en el discurso dialogado. Cuando tengamos hecha una descripción será el momento de pasar a la interpretación y explicación del diálogo literario. Si es posible centrar un canon de usos resultará más fácil interpretar las formas del lenguaje literario.

LOS PROCESOS INTERACTIVOS:
EL DIÁLOGO Y EL DIALOGISMO

El diálogo es un uso específico del lenguaje que se caracteriza, según hemos podido analizar, por unos rasgos fundamentales: la concurrencia de varios sujetos, la alternancia en igualdad para los turnos de intervención y la progresión en unidad para la creación de sentido. De estos caracteres derivan otros que tienen relación con el valor social del diálogo y a la vez con su naturaleza de discurso lingüístico (normas pragmáticas y semánticas) que alterna, por ser lenguaje en situación, con signos de otros sistemas sémicos, mímicos, kinésicos, proxémicos, objetuales, etc.

No todos los usos del lenguaje tienen tales caracteres, pues hay discursos monologales, comunicaciones a distancia, mensajes cerrados, expresiones sin valor social, etc., que se diferencian del diálogo por una o más notas de oposición; y hay otros usos del lenguaje que están más próximos, como la comunicación, o la conversación, que comparten con el diálogo muchos de sus rasgos, aunque también contienen alguna nota diferencial, tanto en el proceso (actividad de los sujetos) como en el resultado (discurso).

Hay algunos autores que afirman que todo uso del lenguaje es diálogo. Incluso hay quienes afirman que todo debe ser diálogo, pues «quienes no son seres de diálogo son fanáticos» (Lacroix). Bajtin afirma que «se puede decir que toda comunicación verbal se desarrolla bajo la forma de un intercambio de enunciados, es decir, bajo la forma de un diálogo» (Todorov, 1981). B. Schlieben-Lange mantiene la misma tesis, si bien la apoya en argumentos diferentes: para ella todo texto tiene carácter dialógico porque todos tienen un emisor externo, el autor, y un receptor externo, el lector (Schlieben-Lange, 1987)

Refiriéndose a los textos escritos, no a los procesos de comunicación, T. Albaladejo distingue los *textos implícitamente dialógicos,* que se presentan bajo formas monologales y tienen un único emisor, aunque establecen lógicamente una relación dialógica entre emisor y receptor, y *textos explícitamente dialógicos*, que tienen forma de diálogo (Albaladejo, 1982, 122).

En estas afirmaciones y clasificaciones se manejan, como se puede constatar, varios conceptos de diálogo y algunos términos (diálogo / dialogismo) que pueden resultar ambiguos al trasladarlos de su contexto inmediato y que vamos a fijar en el sentido que les daremos, primero en una forma convencional, después en una definición que propondremos apoyándonos en algunos caracteres de oposición.

Desde una perspectiva general del lenguaje vamos a diferenciar lo que es diálogo y lo que entenderemos por dialogismo, que tiene poco que ver con el discurso dialogado. Y para comenzar trataremos de hacer una relación de los diferentes procesos semióticos y precisar sus formas lingüísticas y sus esquemas básicos.

En referencia a los hechos, no a las teorías que se han formulado sobre ellos, o a sus posibles interpretaciones, podemos decir que distinguimos hasta cinco procesos semióticos verbales, que en algún caso concurren con signos no verbales, y que llamamos: expresión, significación, comunicación, interacción e interpretación. Son procesos que dan lugar a formas de discurso que pueden coincidir, y de hecho presentan la misma apariencia a veces; se caracterizan, en el orden en que los enumeramos, porque cada uno de ellos incluye a los anteriores, aunque tienen, y por eso los distinguimos, esquemas básicos diferentes, tanto por lo que se refiere al número de sujetos y su forma de intervención, como por lo referente a la función que desempeñan los signos y el valor que se les da (Bobes, 1989, 115).

Los *procesos de expresión* (hablar) tienen un esquema semiótico que cuenta con un solo sujeto, el YO, es decir, la persona que habla, y utiliza signos que pueden formar parte de un sistema o no, y pueden estar codificados o no. El sujeto hablante se manifiesta como quiere, se desvía de las normas, si lo estima oportuno, porque no busca un intercambio, o una comunicación; quiere solamente manifestarse exteriormente. Las estilísticas idealistas buscaron los procesos de expresión en los textos literarios, señalando como indicios los «desvíos» que encontraban en el texto comunicativo. El texto literario, considerado como el resultado de un proceso de comunicación, dejaba entrever algunos signos de un proceso expresivo cuando se alejaba de las exigencias de la comunicación; tales signos, de carácter literario, son testimonio de la presencia directa, y acaso inconsciente, del autor en el discurso.

Los *procesos de significación*, si es que pueden considerarse «procesos», idea que tenemos en duda, dan lugar a los valores significativos considerados en el discurso, y dejan (es posible el supuesto teórico) en latencia a los sujetos. Los signos objetivan el significado y constituyen las unidades de un código, de un sistema, que tiene existencia fuera de los sujetos. Desde esta perspectiva, los signos actúan como si tuviesen autonomía, como si lograsen actuar por sí mismos, sin necesidad de que los sujetos los usen. En los signos así considerados ponen su interés el estructuralismo y las gramáticas textuales, dejando en un segundo plano o en situación de latencia, los procesos de usos y los valores pragmáticos. Mounin, y en general los lingüistas franceses, mantienen que el signo no lo es, si no está integrado en un sistema. Nosotros creemos que el signo lo es en el uso, donde adquiere un sentido, y que la codificación y sistematización son el resultado de operaciones teóricas. No obstante reconocemos en el signo la posibilidad de una codificación y, por tanto, la fijación, aunque con límites no precisos, de un *significado*, que se realizará como sentido en el uso. El significado lo vemos siempre como una abstracción de los sentidos que el signo tiene en los diferentes usos, en los contextos donde puede aparecer. Por esto dudamos de la posibilidad de calificar a la significación como «proceso»; en todo caso sigue una dirección inversa a la de los otros procesos que estamos enumerando y que se basan en los usos. Y en el texto pueden descubrirse relaciones de contigüidad, de oposición, de recurrencia, etc., es decir, relaciones que se establecen espacialmente en el discurso, y que originan sentidos, de los que suponemos que el autor no tuvo intención de manifestarlos. Son las relaciones de los signos entre sí, de las que pensamos que son espontáneas, no intencionales y, por tanto, no debemos atribuirlas a los sujetos del proceso lingüístico, pues se originan en el texto y son válidas sólo en él.

Los *procesos de comunicación* (hablar a) se basan en un esquema semiótico que reconoce, al menos, dos sujetos, el emisor y el receptor, fijados en sus respectivos roles de hablar y escuchar respectivamente; la intervención del YO implica siempre el uso de los signos, ya que si no hay signos no hay proceso sémico; el Tú, sin embargo, actúa en formas bastante diversas: como una categoría del proceso de enunciación, receptor del enunciado; como oyente, aunque el discurso no se dirija a él; con las dos funciones: receptor interno del discurso y receptor externo, etc., y de aquí derivan las posibilidades, explotadas principalmente por el texto narrativo, y también en menor medida quizá por el texto lírico, de jugar con diversos tipos de narratarios o con alocuciones de formas diversas.

El proceso de comunicación, sea cual sea la forma y función del receptor se caracteriza por la presencia de dos sujetos en roles no simétricos: uno comunica, el otro recibe la comunicación, en forma directa o indirecta. Además, la comunicación adquiere la categoría de fenómeno social, porque traspasa las fronteras de la individualidad, al ser más de uno los sujetos que se ponen en relación semiótica.

Los *procesos de interacción* (hablar con, hablar entre) tienen el mismo esquema básico que los procesos de comunicación, es decir, dos sujetos, pero con simetría de roles para ambos. Es el proceso más complejo y en él se sitúan la conversación y el diálogo. Tiene unas exigencias que no se dan en los otros procesos, por ejemplo, el uso del lenguaje en situación, en presente, cara a cara, etc.

Por último, los *procesos de interpretación* dejan en situación de latencia al emisor y se basan en la existencia de formas que puedan ser captadas como signos por un Tú, aunque no hayan sido propuestas por un emisor como signos y con intención de significar, bien porque sean objetos naturales, a los que un sujeto interpreta añadiéndoles valor sémico, bien porque siendo objetos culturales se han usado originalmente como objetos, no como signos: son los que Barthes denomina *función-signos*, es decir, objetos que utiliza el hombre y por el hecho de usarlos se semiotizan adquiriendo la capacidad de connotar tiempo, clase social, gustos personales o de grupo, etc., de los sujetos que los han usado, y que los demás interpretan en esas relaciones añadidas al ser-objeto. Un traje a la moda de los años veinte denotará en el escenario esa época, un despeinado connota desidia personal o extendida a grupos sociales hipies, etc.

La expresión, la significación, la comunicación, la interacción y la interpretación son procesos sémicos porque en todos ellos se utilizan signos, pero se diferencian entre sí por el número de sujetos que intervienen: uno o dos, por la función que desempeña de emi-

sor, receptor o alternativa, y por la naturaleza de los signos utilizados (codificados o no, función signos, formantes, etc.).

Un esquema puede dar cuenta de todas estas circunstancias:

expresión	Yo: signo
significación	Signos
comunicación	YO: Signo: Tú
interacción	YO: Signo: Tú
interpretación	[Signo]: Tú

Las variantes de uso que puede presentar el discurso en estos
procesos son muchas y, aunque teóricamente la distinción entre unos
y otros es posible, en la práctica lingüística y literaria suelen presentarse como aspectos con uno de ellos dominante o destacado.

El proceso de expresión, puesto que no establece relaciones entre sujetos al ser la manifestación del emisor solamente sin dirigirse
a otros, se diferencia de los otros procesos que reconocen un segundo sujeto, el Tú, al menos como intencional. Paralelamente el proceso de interpretación actúa con un solo sujeto, el Tú, que se hace
receptor de un texto no emitido intencionalmente por otro.

En el proceso de expresión, la falta de un segundo sujeto, el
Tú, da lugar a unas consecuencias directas sobre el discurso, o mejor, sobre los signos del discurso. Éstos, aunque por lo general son
los mismos que suelen utilizarse para la comunicación y para la
interacción, no exigen en la expresión tener una codificación admitida socialmente, o ser sistemáticos en sus relaciones, o sujetarse
a las normas lógicas y gramaticales. El sujeto de la expresión actúa
individual no socialmente y puede hacer su discurso con formas
que él mismo se proponga, sin acudir a los signos codificados. En
este supuesto hay expresión de un sujeto que puede actuar sincréti-

camente como intérprete de su propia expresión, pero no hay, ni siquiera como virtualidad, comunicación, pues los signos utilizados no podrán ser descodificados, pues nadie tiene la clave del código que siguen, si es que siguen algún código. Puede pensarse la importancia que en las artes visuales de vanguardia que han renunciado a la figuración, tienen los procesos de expresión. Frente a esto, la obra literaria, sujeta en sus manifestaciones al sistema lingüístico, no puede lograr autonomía expresiva nunca, y únicamente podremos considerar «expresión» algunas desviaciones del uso estándar del lenguaje, tal como han hecho las estilísticas idealistas.

Los procesos expresivos dan lugar a creaciones que, interpretadas como procesos de comunicación, son o resultan absurdas. Hay una tendencia, a veces insuperable, a considerar emisión y recepción como extremos de todo proceso semiósico, incluso de procesos interactivos, y esto da lugar a frases repetidas por intérpretes: «lo que quiso decir el pintor... / lo que el público reclama...» etc, pronunciadas ante un cuadro, o cambiando lo que hay que cambiar, ante una obra de teatro del absurdo.

Lo distintivo de los procesos de expresión es la falta de intención comunicativa del emisor. La expresión aparece como una manifestación individual y no como parte de un proceso de relación social de tipo lingüístico, pictórico, literario, o artístico en general.

No obstante, es habitual que los procesos expresivos se realicen con signos pertenecientes a sistemas socialmente válidos, y, por tanto, tengan la posibilidad de ser interpretados por individuos de la comunidad que los crea. La pintura no figurativa, entendida exclusivamente como un proceso de expresión, suele descubrir siempre algunas formas sueltas, alguna figura, aunque sea en otro contexto que no le es propio, o habitual.

La expresión es, en tales casos, una virtual comunicación, e incluso puede pasar a ser una interacción con los sujetos que sean capaces de interpretar y descodificar los signos. La expresión, insistimos, se diferencia fundamentalmente de los otros procesos semióticos porque es una actividad sémica —pues interviene el signo—

de carácter individual —pues no se pretende relación alguna con otros sujetos— y no intencional. El que luego haya sujetos que pretendan interpretar, o que puedan hacerlo, no cambia la naturaleza del proceso de expresión. Los intérpretes actúan como si estuviesen ante función-signos o ante objetos no significantes, es decir, en forma independiente respecto al emisor.

El sujeto de un proceso expresivo persigue una finalidad exclusivamente individual, y no está sometido a las normas que Morris llama «técnicas» (si quieres que te entiendan, debes someterte a las leyes lingüísticas o del sistema que uses), en el caso de que use signos de un código socialmente válido: dispone de toda la libertad que quiera en su discurso; las normas semióticas podemos decir que son teleológicas, sólo están justificadas por la finalidad del mensaje. El proceso expresivo que tiene una dimensión exclusivamente individual, cobra una gran importancia al explicar el discurso literario en alguna de sus convenciones. La lírica, en general, suele presentarse como un proceso expresivo, como una reflexión interior, como parece decir el poeta romántico: «¿Por qué volvéis a la memoria mía / tristes recuerdos del placer perdido / a aumentar la ansiedad y la agonía / de este desierto corazón herido?» *(Canto a Teresa*, Espronceda). Otras veces se presenta el discurso lírico como un diálogo que sigue el esquema de pregunta-respuesta, dejando por lo general latente la contestación, como veremos, bajo formas muy variadas: «¿A dónde te escondiste, / Amado, y me dejaste con gemido?» *(Cántico espiritual*, San Juan de la Cruz). Otras veces incluso se presenta el discurso lírico como una narración: «El dulce lamentar de dos pastores, / Salicio juntamente y Nemoroso / he de cantar, sus quejas imitando...» *(Égloga primera*, Garcilaso). En todos los casos, y bajo los discursos directos, dialogados o narrativos, la crítica literaria ha descubierto procesos expresivos que remiten, bajo las anécdotas externas, a vivencias individuales.

En la narrativa, el monólogo interior se presenta convencionalmente como un proceso de expresión, como forma de una actividad interior que es una corriente de conciencia que fluye en forma espontánea, sin pretender dirigirse a nadie y sin esperar que nadie la interprete. Apurando las cosas, podríamos decir que el monólogo interior no es ni siquiera un proceso expresivo porque convencionalmente no se exterioriza. Desde la convención de interioridad y la consiguiente falta de interlocutor, queda justificado en el monólogo interior narrativo cualquier modo de asociación ilógica, absurda, cualquier expresión incorrecta gramaticalmente, que tendría su justificación en una clave exclusivamente personal, afectiva, intuitiva, nunca discursiva, y fuera de toda pretensión de objetividad o incluso de intersubjetividad. Es normal, también desde la ausencia convencional de un interlocutor, que el monólogo presente enunciados incompletos, referencias que exceden el marco de presuposiciones del discurso o del contexto, frecuentes anacolutos, etc., es decir, referencias que sólo puede completar el emisor como receptor de su propio discurso, pues está en posesión de todas las claves, de todas las implicaciones previas, de todas las referencias.

El proceso expresivo, por tanto, si tiene dimensión real no se explica a no ser mediante convenciones aceptadas en los diferentes géneros literarios y cuando es así va siempre en concurrencia con otros procesos (lírica y dramática) o mediante convencionalismos que se apoyan en la existencia de un narratario, o en último caso, de un lector.

Pasamos al proceso de significación, sobre cuya naturaleza de «proceso» ya hemos expresado dudas, puesto que los signos actúan en forma convencionalmente autónoma, como poseedores de un significado y como entidades capaces de establecer relaciones entre sí automáticamente. Si los procesos expresivos más que procesos son actividad de un sujeto, los significativos son propiamente actividades del signo, prescindiendo teóricamente de los sujetos en el discurso concreto y parcialmente.

El estructuralismo define a los signos como entidades fijadas por la concurrencia de un significante y un significado, con unos límites formales y hasta semánticos determinables en el conjunto de los sistemas de que forman parte, y por oposición a otras unidades de la misma categoría.

Una vez que tienen un ser fijo, con dos caras, tienen capacidad para relacionarse entre sí y para crear sentidos no previstos por el emisor, y se ha hablado incluso del «desenfreno de los signos» (Beuchot, 1979, 17) en procesos de significación completamente inesperados para los sujetos que usan los signos. Las relaciones que se establecen en el texto por el hecho de tener unos límites y tener un sentido único, hacen que, independientemente del emisor y de sus intenciones, puedan surgir nuevos sentidos, o sentidos no previstos, que pueden descubrir sucesivos lectores y dar lugar a procesos de interpretación. La contigüidad textual, la necesidad, o al menos la tendencia, de dar sentido único a un texto, dan lugar a relaciones de sentido, que pudieron no preverse en la emisión.

Todos los procesos que estamos describiendo suelen denominarse en conjunto procesos de comunicación, sin embargo, no son comunicación propiamente dicha, puesto que actúa un solo sujeto en el caso de la expresión o se prescinde de los sujetos en la significación. La comunicación es la relación de dos sujetos, por medio de signos, en una función fija.

Los *procesos de comunicación* exigen, efectivamente, dos sujetos que se ponen en relación, como primera y segunda persona gramaticales: un Yo que habla para comunicar a un Tú que lo escucha. La actividad que relaciona a los dos sujetos es siempre unidireccional, y sigue un esquema semiótico lineal, progresivo

La intervención de dos sujetos en el proceso no es suficiente, en contra de lo que afirma Schlieben-Lange, para que haya diálogo, pues el diálogo es otra clase de proceso, interactivo, en el que los interlocutores alternan sus roles de hablante y oyente. El diálogo es una comunicación alternativa y recíproca, mientras que, como ya hemos afirmado, la comunicación es un proceso semiótico unidireccional.

Los esquemas básicos de la comunicación y de la interacción coinciden totalmente, en lo que se refiere al número de sujetos y al papel que desempeñan los signos, pero hay otros aspectos que permiten diferenciarlos y que se refieren al modo de intervención de los sujetos.

Vamos a distinguir dos formas de uso de la palabra que, aunque próximos nominalmente, constituyen hechos muy distintos por lo que se refiere a los discursos que producen y a los valores de tales discursos.

Una de estas formas constituye un rasgo general de los sistemas de signos y la otra es un fenómeno que se localiza en algunos usos concretos y tiene un carácter eminentemente pragmático, aunque de hecho pueda repercutir en los valores semánticos y en las relaciones sintácticas del discurso. Son el diálogo y el dialogismo.

Entendemos por dialogismo una propiedad de los signos de los sistemas con valor social, que se encuentra en todos sus usos. Cualquier discurso realizado con signos lingüísticos, sometido a las normas de selección y combinación gramaticales y sometido también a las normas lógicas del sentido, puede ser interpretado por los individuos que forman la comunidad lingüística donde tiene vigencia el código. Esta circunstancia es conocida por el emisor, que ajustará su discurso a las normas de uso y además buscará la forma más adecuada, entre las que permiten los usos, para que el receptor, a quien pretende dirigirse, lo entienda de la mejor manera posible. Se admite así que hay un efecto retroactivo del receptor sobre el emisor del mensaje, que se realiza a medida que se formula la expresión. Aparte de las normas de selección paradigmática, aparte de las normas de combinación sintagmáticas, para garantizar la precisión, la expresividad, la eficacia o la belleza del mensaje, según la naturaleza de éste y según el receptor a quien va dirigido, el emisor selecciona también, dentro de lo que le permite el sistema, las formas que mejor pueden ser entendidas, valoradas o admiradas por el interlocutor, o receptor.

En todos los procesos de comunicación, y por supuesto en los procesos interactivos, hay una relación hablante-oyente por la que discurre el mensaje, y hay una relación oyente-hablante que condiciona en su origen al discurso y sus formas.

Cuando un hablante utiliza signos de valor social aceptados como tales por una comunidad lingüística, pretende, o al menos permite, que su mensaje sea interpretado. Todos los que conocen el código en el que se expresa el emisor son virtuales receptores de su discurso, incluso en el caso de que él no pretenda la comunicación y sólo intente expresarse. La virtualidad de la comunicación está incluida en el hecho de utilizar signos válidos socialmente.

Según Bajtin el enunciado tiene dos partes, una verbal y otra extraverbal (Todorov, 1981, 301). La parte verbal se compone de «todos esos aspectos del enunciado (palabras, estructuras morfológicas y sintácticas, sonidos y entonación) que son reproducibles e idénticos a sí mismos en todos los casos en que se repite». La parte extraverbal corresponde a los elementos que se añaden en el tiempo de la actividad lingüística. Y los dos aspectos pueden dar cuenta de la capacidad dialógica de los enunciados.

La parte verbal, según la concibe Bajtin, es la que tiene un valor social objetivo, determinable, aunque habría que decir que esto ocurre en referencia a las formas, pero no en el significado, que se concreta como contenido diferente, aun manteniéndose las mismas formas, si cambia el contexto, o incluso si cambia la parte extraverbal: los gestos que acompañan a un enunciado puede confirmarlo o rechazarlo; y, por otra parte, los elementos extraverbales pueden constituirse como signos estables en una cultura determinada.

La relación dialógica puede establecerse tanto sobre las unidades verbales como sobre las extraverbales, y aun podríamos decir que una unidad extraverbal, realizada por el interlocutor en una situación de diálogo, puede hacer cambiar las unidades verbales del emisor. Cuando nos referimos a dialogismo entendemos cualquier efecto *feedback* que el receptor ejerce sobre el emisor cuando éste formula o mientras está formulando su discurso.

La comunicación real exige la relación efectiva de dos sujetos en el proceso semiótico y la aceptación de los roles de emisor y receptor, activo el primero como hablante y activo el segundo como oyente. Esta actividad, bien diferenciada en su realización, no es independiente: el hablante no se limita a hablar; si quiere comunicar, pretende establecer una determinada relación semiótica y ser entendido; por tanto, tiene en cuenta al oyente y actúa en una cierta forma, según la idea que tenga del oyente, o según sea el oyente real y lo que pretenda de él. No se habla igual ante un oyente único o ante un grupo, no se habla de la misma manera ante un oyente de la misma edad y amigo, que ante una autoridad, etc., por tanto el emisor, antes de iniciar su actividad elige unas formas que son el resultado de una elección de registros a que le obliga su oyente. En esto consiste el fenómeno del dialogismo. A pesar de que la dirección que en el esquema semiótico de la comunicación se reconoce como unidireccional, existe también una acción en el sentido contrario, del oyente al hablante que no adopta la forma de una respuesta verbal (pues estaríamos en un diálogo), pero sí es lo suficientemente sensible para condicionar la emisión. De las dos partes que describe Bajtin, la verbal y la extraverbal, la primera es realizada por el emisor, la segunda es común al hablante (acompañando a la verbal) y al oyente. Los elementos extraverbales pueden ser signos de atención, o indicios de desinterés, etc., tanto en el hablante como en el oyente y pueden determinar la relación semiótica del proceso de comunicación.

Un proceso de comunicación típico puede ser una clase, una conferencia, la lectura de un comunicado, etc.; en todos estos supuestos puede comprobarse la función que desempeña cada sujeto de la relación semiótica y cómo se establece la comunicación de un modo más efectivo o más objetivo, cómo cambia la actitud de oyente por el interés del mensaje verbal, pero también por la actitud corporal, los movimientos, los gestos, etc., del emisor, y cómo cambia también la actitud del hablante por efecto de los gestos, movimientos, etc., del oyente (efecto *feedback*).

En resumen, podemos decir que la comunicación exige dos sujetos reales, el emisor y el receptor, con papeles bien diferenciados y en unas relaciones que verbalmente corresponden a un esquema semiótico unidireccional, pero extraverbalmente acoge fenómenos de retroactividad que se traducen en que el emisor «tiene en cuenta» al receptor, antes de formular su mensaje y mientras lo realiza.

El dialogismo es un rasgo inherente a la lengua como sistema; está en todos los usos que se hacen de ella, incluido el expresivo en determinados supuestos; implica la presencia de dos sujetos (uno de los cuales puede permanecer latente, o estar a distancia, o ser un ente de ficción, un narratario diseñado por el narrador, pues basta con que el emisor actúe con la idea de que otro va a entrar en el proceso para descodificar su discurso). La existencia del emisor garantiza el inicio de la actividad semiótica; la existencia de un receptor, percibida y admitida por el emisor, tiene como consecuencia inmediata un efecto *feedback*, que hace del esquema lineal un esquema circular, aunque mantiene los roles desiguales de los sujetos de la comunicación. Y en esto se diferencia del diálogo. El emisor se dirige a un receptor, y éste lo condiciona en la emisión, con su mera existencia.

Las normas gramaticales (de selección paradigmática y de combinación sintagmática), las normas lógicas que dan sentido y coherencia al discurso, el conocimiento de las circunstancias pragmáticas del receptor, su marco de referencias, las relaciones personales, etc., actúan como recursos de objetividad para garantizar la interpretación, pero también actúan en relación inmediata con la figura del receptor: se eligen palabras y se rechazan otras, se completan las frases o se dejan sin acabar, se sigue una lógica de conceptos o de hechos, etc., según sea el oyente a quien nos dirigimos. Los signos actúan como mediadores intersubjetivos; en ningún caso pueden considerarse como propuesta del emisor, ya que las normas que rigen su uso son comunes a los sujetos del proceso. El emisor considera qué formas y bajo qué normas puede expresarse ante el otro para connotar sentidos que completan, en cualquier comunicación, la mera información que el mensaje verbal puede dar.

El dialogismo es, pues, la relación que el receptor establece, por el hecho de serlo, con el emisor, a partir de la idea que el mismo emisor se forma de él y que se proyecta sobre el discurso para presentarlo del modo más adecuado al ser y al entender del receptor.

No tiene nada que ver ese dialogismo con lo que el *DRAE* entiende por tal («hablar con uno mismo»), o con lo que a partir de Bajtin se denomina «dialogismo» respecto del discurso de la novela, y que no es más que la concurrencia de voces distintas en forma de diálogo interior, exterior o incluso de monólogo. El discurso de un narrador que recoge en su voz la de los personajes caracteriza a una forma de novela y le da un perspectivismo lingüístico típico. Sin embargo, este fenómeno puede considerarse como un diálogo interiorizado por el narrador y la diferencia con lo que llamamos dialogismo es notable; en el dialogismo de la novela interviene la voz de los personajes, aunque no sean directamente oídos en forma diferenciada, porque el narrador retransmite sus enunciados y a veces sus términos o sus ideas, en diferido. La novela trabaja con voces directas, referidas indirectamente, reducidas a un enunciado, a un lexema, a un eco: la voz del narrador las recoge y las asume como suyas para retransmitirlas, como podremos ver en un capítulo siguiente.

Por el contrario, el dialogismo sólo reconoce un sujeto con voz, y sobre él se proyecta la sombra del oyente modulando su discurso. La actitud pragmática de los sujetos es completamente diferente en uno y otro caso: el narrador de la novela, aunque renuncie convencionalmente a su omnisciencia, es el dueño de la palabra. El emisor de un proceso de comunicación (y como tal es también el narrador respecto al narratario, no a los personajes) es dueño de su palabra pero sometido al efecto *feedback* del receptor.

El sujeto del habla, el YO, adquiere un compromiso respecto al discurso: los errores o los aciertos, la dificultad o la facilidad de la expresión, etc., se remiten a él; sin embargo, en la mayor parte de los casos, la competencia del emisor está sometida en buena medida a la presencia de un oyente: el efecto *feedback* no se materializa en una segunda voz, sino en matizaciones de la voz primera y única, la del emisor.

El proceso interactivo que explica el diálogo es muy diferente al de la comunicación. El diálogo tiene unas formas retóricas propias: es lenguaje directo, presenta alternancia de Yo y el Tú (con todas sus variantes de uso: me, mí, conmigo, etc.), es un discurso segmentado; es una actividad realizada por turnos, se inicia con una situación previa que tiene sus propias leyes, se somete en su desarrollo a unas normas conversacionales, según hemos visto, y busca una finalidad conjunta.

El diálogo es, pues, una forma de discurso y una actividad sémica que se encuadra entre los procesos de interacción. El dialogismo, por el contrario, es un rasgo característico de todos los discursos realizados con signos de valor social.

Con frecuencia, la semiología literaria ha definido la lectura como un diálogo a distancia entre el autor y el lector. No es así. Al ser la obra literaria un mensaje semánticamente abierto a varios sentidos, el lector tiene una función activa en el proceso de interpretación, pero no establece diálogo con el autor, sino con la obra. Respecto al autor, el lector proyecta un efecto *feedback* de tipo dialógico, nunca diálogo propiamente tal. El dialogismo está en todos los textos literarios y no literarios y supone unas relaciones entre el lector y el autor formuladas de una vez, que dan lugar a las estrategias (Riffaterre) con que el autor prepara la lectura de su lector ideal. El diálogo es un fenómeno del discurso, no del proceso de comunicación literaria.

Nos hemos detenido a precisar con cierta amplitud las circunstancias que diferencian al diálogo del dialogismo, porque resultan fundamentales para definir los géneros literarios en su discurso. Cuando se habla del dialogismo en la narración o del diálogo en el teatro, es preciso aclarar que se refieren a la concurrencia de voces en la novela y a un discurso dialogado en el teatro, pero ambos géneros son dialógicos por la relación que el receptor ha establecido con el emisor condicionando su lenguaje. El uso que

Bajtin y muchos de sus seguidores hace de *diálogo* y *dialogismo* es más bien metafórico ya que suelen referirse a las relaciones que se establecen entre todos los niveles del texto y entre éste y los textos anteriores o contemporáneos (intratextualidad / intertextualidad / contextualidad): es la cultura y los sistemas culturales entendidos como un inmenso diálogo; son los sistemas de signos y los usos que de ellos se hacen como la convergencia de todos los usos anteriores.

En la nomenclatura de Perelman, el dialogismo es el pseudo discurso directo. La presencia de un Tú convierte al discurso en discurso directo, aunque esa presencia sea solamente un recurso retórico (Perelman / Olbrecht-Tyteca, 1989). Al estudiar el diálogo en la lírica comprobaremos que son muchos los autores que siguen esta denominación; sin embargo creemos que tales discursos no constituyen diálogos propiamente dichos, sino formas de locución distintas.

También se ha entendido el dialogismo como la ficción de un diálogo en un discurso en el que se suceden las preguntas y las respuestas, incluso cuando sean retóricas o hechas a uno mismo (Mortara, 1989, 267).

Hay unos límites formales poco precisos entre el diálogo, que es un hecho de la forma del discurso, y el dialogismo, que es una propiedad de los sistemas de signos de valor social que se hace presente en todos los usos que se hagan de tales signos, y hay una tendencia a denominar diálogo o dialogismo a cualquier relación que se establezca sincrónica o diacrónicamente entre los textos lingüísticos de cualquier tipo.

El autor de una obra literaria (sea del género que sea) habla de una vez, y tiene en cuenta, hasta donde estime oportuno, las reacciones de su lector (Modelo, Archilector, lector individual), pero deja cerrada a cualquier modificación formal posterior su obra, por más que sea obra abierta a varias interpretaciones. La obra es el elemento intersubjetivo que pone en relación dialógica (no dialogal) al emisor y al receptor.

Cervantes, en la segunda parte del *Quijote,* tuvo en cuenta las reacciones de algún lector de la primera, por ejemplo, al autor del *Quijote* apócrifo, Avellaneda, y cambió los itinerarios de su héroe para dejar constancia de la diferente trayectoria que seguiría el verdadero frente al falso *Quijote.* El dialogismo entre Cervantes y un lector individual de su obra es evidente, pero está claro que no fue diálogo, porque no hubo intercambio de enunciados con Avellaneda sino simple reacción ante la falsa novela a la hora de organizar la segunda parte del *Quijote.*

La crítica histórica y la biográfica, y también la critica textual, no se plantearon nunca la posibilidad de una intervención del lector en la creación de sentido en el proceso literario. Admitieron como presupuesto indiscutible (ni siquiera llegaron a entrever otra situación) que el significado de la obra procedía del autor, determinado por sus circunstancias vitales, por su capacidad creativa, o por su intención. El texto tenía límites de forma y de significado fijados por el autor como ser individual: la obra literaria era el producto acabado de esas circunstancias, capacidad e intenciones.

La presión de la pragmática, de la estética de la recepción, de la psicocrítica y de la sociocrítica, es decir, de las teorías literarias que abren la obra a su entorno y a los sujetos, han creado un nuevo concepto del arte literario. La obra no es el producto definitivo, sino que es un elemento intersubjetivo en un proceso de comunicación en el que el lector adquiere una función activa en la determinación del sentido (no del significado). El lector es el sujeto activo que ocupa el extremo del proceso semiótico, y su actividad no es la de receptor pasivo: es intérprete de los signos que se le ofrecen en un uso concreto; su papel es tan amplio como le permite su propia competencia.

Es extraño que la idea de un lector pasivo, simple receptor de un sentido único, haya persistido tanto tiempo en la teoría literaria, si tenemos en cuenta que los procesos anafóricos y deícticos requieren siempre la colaboración del lector. La crítica inmanentista pudo haber advertido esta situación: es el texto, no una teoría, el que reclama la participación de los lectores para completar el marco de sus referencias internas. Eco considera a la obra literaria como «una máquina perezosa que requiere la cooperación del lector» (Eco, 1981, 39), si bien está seguro que «postular la cooperación del lector no significa contaminar el análisis estructural con elementos extratextuales» (íd., 16).

Si del discurso y sus formas pasamos al valor semántico y al sentido literario de la obra, se pone de manifiesto rápidamente que la actividad del lector es una exigencia del especial proceso de comunicación que es la literatura. El autor ofrece un texto cuyos signos se activan de modo diverso en cada lectura, según la competencia del lector y según el horizonte de expectativas en el que se realiza la lectura. En este proceso no es posible el diálogo, pero sí el dialogismo: la obra está cerrada en sus formas y la ha dejado perfecta el autor teniendo en cuenta a sus lectores, por lo menos a la idea que él se ha formado de sus lectores.

Nos queda un último proceso, el de la *interpretación*. Como el de expresión, se organiza con un esquema de dos elementos: los signos (en otro caso no sería un proceso semiósico) y un sujeto, el receptor. La capacidad formal y semántica de los signos, base de los procesos de significación, permite que un receptor descubra, amplíe o cree sentidos nuevos con las unidades que están en el texto y que se han podido poner con otras intenciones, o incluso con elementos y objetos que en principio no son signos. El receptor puede cambiar las cosas que en principio no son signos y convertirlas en signos al darles un sentido en relaciones históricas o funcionales. Son los que Barthes denomina *función-signos*, y que son objetos que se semantizan porque se ponen en relación simbólica de representación temporal, espacial, o humana: un traje de época nos traslada a un tiempo, nos remite a una clase social, a una cultura refinada o no, etc. Estos elementos, utilizados en el teatro como signos de cosa (Bogatyrev, 1938) dan informes sobre todo lo que de algún modo se relaciona con ellos.

En todo este proceso nos referimos a cualquier uso de la lengua y a la obra literaria como objeto intersubjetivo de la relación autor-lector, con independencia de que el discurso en uno y otro caso pueda ser dialogado o no. El dialogismo no aparece en los procesos de interpretación porque no hay relaciones emisor-receptor, ya que el primero queda latente o no existe en el caso de que la interpretación verse sobre objetos naturales o función-signos que en origen no son propuestos como signos por nadie. Recordemos que tampoco era posible el dialogismo en los procesos de expresión, que contaban con un solo sujeto, el Yo, que prescindía de cualquier intención comunicativa.

Resumiento lo que los procesos sémicos proyectan sobre el diálogo y el dialogismo, podemos deducir que el diálogo sólo es posible en los discursos de la interacción; el dialogismo es posible en la interacción y en la comunicación, y acaso en la expresión realizada con signos de un sistema socialmente válido. Todos los procesos sémicos dan lugar a un discurso que puede presentarse segmentado, aunque no sea un diálogo verdadero; es conveniente, pues, distinguir la actividad de los sujetos en el proceso, que es lo que definitivamente puede caracterizar al discurso como un diálogo a medida que se hace con la intervención de los dos; y la actividad expresiva, interpretativa de los sujetos y significativa de los signos a la que puede darse una forma monologal o dialogada, sin ser en su origen diálogo.

Al estudiar las variantes del diálogo en el discurso literario podremos comprobar cómo en el monólogo del narrador puede encontrarse envuelto un diálogo, o cómo pueden concurrir varias voces retransmitidas en la única del narrador (dialogismo, según Bajtin); podemos ver cómo los diálogos directos de la obra dramática pueden tener diversas variantes y ser más o menos abiertos o dogmáticos, o más o menos lógicos, etc.

Ahora podremos precisar que los discursos que Albaladejo denomina «textos implícitamente dialógicos» son todos, porque todos tienen, como afirma B. Schlieben-Lange, un emisor y un receptor, aunque tendríamos que precisar más: siempre que no sean procesos expresivos o interpretativos solamente. Los textos que Albaladejo denomina «explícitamente dialógicos» son los dialogados, es decir, los que tienen un discurso que sigue las formas retóricas del diálogo: segmentado, con alternancia de turnos, etc. Tenemos que añadir, y esto resulta interesante para comprender los usos literarios del diálogo, sobre todo en la narración, que los textos dialogados son también además textos dialógicos. Y como fenómeno contrario, hemos advertido que, en la lírica, los procesos que convencionalmente se presentan como expresivos, a veces adquieren formas dialogadas, por medio de preguntas retóricas que contesta el mismo sujeto de la expresión: en *Muerte a lo lejos,* Guillén se ofrece como sujeto del proceso de expresión (aunque no es el sujeto gramatical del enunciado):

> Alguna vez me angustia una certeza
> y ante mí se estremece mi futuro...

para pasar luego a un discurso dialogado, con preguntas y respuesta:

> ¿Mas habrá tristeza, si la desnuda el sol?
> —No, no hay apuro todavía...

El concepto de dialogismo es mucho más amplio que el de diálogo. Sobre este hecho ha insistido F. Jacques (Dascal, 1985, 27-56) proponiendo la necesidad de diferenciar el dialogismo general de todo mensaje del diálogo propiamente dicho, ya que son posibles discursos de estructura dialogada, a pesar de que retóricamente no son diálogos, y por otra parte pueden encontrarse falsos diálogos, o discursos que retóricamente son dialogados y, en realidad, son un monólogo segmentado. Nuestro Unamuno había afirmado hace tiempo que «casi todos los que pasan por diálogos, cuando son vivos y nos dejan algún recuerdo imperecedero, no son sino monólogos entreverados; interrumpes de cuando en cuando tu monólogo para que tu interlocutor reanude el suyo; y cuando él, de vez en cuando, interrumpe el suyo, reanudas el tuyo tú. Así es y así debe ser» (Unamuno, 1968, 33).

Para comprender en su dimensión real el diálogo y el dialogismo nos parece que es necesario barajar varios conceptos: en primer lugar la enunciación y el enunciado, o lo que es el mismo en versión semiótica: la actividad y el discurso; en segundo lugar los procesos que pueden diferenciarse en la actividad sémica: la expresión, la significación, la comunicación, la interacción y la interpretación. Es necesario también tener en cuenta que el diálogo es propio solamente de los procesos interactivos, y que el dialogismo puede aparecer en cualquier proceso en el que se establezcan relaciones sémicas entre dos sujetos. Y es necesario, por último, comprender que el diálogo es un hecho del enunciado, del discurso y que puede presentarse en todos los discursos, aunque sea el producto de un proceso en el que sólo intervenga un sujeto, a pesar de que en este caso, y desde la consideración del proceso como actividad, sea imposible.

Las exigencias pragmáticas, gramaticales y lógicas del discurso dialogado pueden transgredirse a propósito para conseguir determinados efectos literarios: un acercamiento al lector, un primer plano presentativo, una ideología concebida dialécticamente, etc.

Como siempre que un fenómeno del discurso se constituye por la concurrencia de varias circunstancias de diferentes niveles, y no por una sola y específica, el texto concreto puede activar una de ellas y darle un relieve semántico o formal para destacar una determinada relación, un determinado sentido. Particularmente el discurso literario actúa sobre todas las posibilidades que el diálogo y el dialogismo pueden ofrecerle y consigue, de un modo especial en la narrativa actual, unos efectos de intensificación y de concurrencia muy diversos. Su análisis resulta, por ello, bastante complejo en ocasiones.

Las relaciones que el diálogo establece en cada enunciado entre el locutor y el alocutor son las de los procesos de expresión y de interpretación, como casos extremos, y los de comunicación y de interacción, como casos más generales y frecuentes. Las formas concretas dependen no sólo del diálogo en sí, como actividad semiótica, sino también de los mismos sujetos del diálogo y sus circunstancias pragmáticas personales.

El valor ilocucionario y perlocucionario de los enunciados de un diálogo no se organiza en el discurso por ser directo, alternante, en situación presente, libre, etc., es decir, en las condiciones que derivan de las normas semióticas, gramaticales y lógicas que rigen esa forma de discurso; con frecuencia se apoya en situaciones extradialogales aunque de la competencia lingüística de los interlocutores. La situación extralingüística puede favorecer o dificultar las relaciones de los sujetos y llevar a actitudes de colaboración o de enfrentamiento desde las fases previas al diálogo. Éste exige libertad de intervención, igualdad consentida para todos los interlocutores, tanto para hablar como para escuchar, y sin embargo, la competencia y la situación de los hablantes va a modificar las oportunidades de los sujetos. También quedará modificada la igualdad y la libertad de intervención cuando los sujetos asisten al diálogo como observadores, o se sitúan en zonas de acecho, para ocultar su presencia.

La competencia y habilidad en el uso de la palabra por parte de los interlocutores puede facilitar o dificultar el progreso del diálogo. Los interlocutores pueden hablar (verbalización) mejor o peor, pueden ser más o menos oportunos, pueden ser rápidos o lentos...; la libertad teórica de las intervenciones se realiza en el habla en formas concretas en las que podrán identificarse las causas por los efectos sobre el discurso. Por otra parte, los turnos de intervención no están establecidos de modo automático o mediante criterios fijados estrictamente, a no ser en los casos de diálogos organizados para determinadas actividades sociales, como pueden ser las políticas: en tales circunstancias los turnos se vigilan y se controlan. De faltar estos supuestos, los turnos se siguen de un modo relativamente flexible, de acuerdo con el carácter general del diálogo y en relación con la competencia y habilidad de los interlocutores.

Hay dialogantes que tienen soltura y habilidad para las fases previas y crean un clima propicio para el diálogo, hay quienes se desenvuelven bien entre las fórmulas iniciales y los saludos, los hay que conocen bien los temas y la materia del diálogo; algunos interlocutores manejan hábilmente las estrategias necesarias para descubrir sus cartas en el momento oportuno, o para convencer a los alocutores con el menor gasto posible, etc. Los momentos finales necesitan también disposiciones adecuadas y suelen incluir propuestas más concretas y formulaciones más conclusivas.

Las relaciones de los interlocutores en el uso efectivo de los signos no verbales son también importantes en el desarrollo del diálogo: una actitud desafiante o displicente puede inhibir la expresión verbal del interlocutor, mientras que una actitud de complacencia o de humildad puede propiciar la avenencia.

Las modalidades del lenguaje (saber, querer, poder hablar-escuchar / expresarse-interpretar) que, según pudimos observar anteriormente tienen su relieve en la organización y construcción del diálogo como actividad semiótica, son objeto también de la manipulación interesada por parte de los interlocutores para asumir turnos de intervención o para rechazar el turno del alocutor. Un locutor puede interrumpir a otro en un enunciado referencial, si advierte que ya conoce bien las referencias y tiene la información suficiente sobre el tema, o si argumenta que no quiere o no puede enterarse de más, porque no debe saber más. Las modalidades, como todos los aspectos pragmáticos del diálogo, se convierten en actitudes de los interlocutores, manipulables en favor de determinada finalidad.

La organización de los turnos del diálogo está en relativa dependencia de los intereses de los interlocutores y de las modalidades del lenguaje y de la competencia lingüística; también hay una relación de dependencia cuasi mecánica de los turnos, según se formulen; así requieren un orden las respuestas respecto a las preguntas, las aceptaciones o rechazos respecto a las propuestas, la ironía respecto al discurso que se rechaza con ella, etc. La distribución formal de los turnos abre posibilidades a los interlocutores para abrir y cerrar los diálogos: es impensable acabar un diálogo con una pregunta, o con una propuesta. Parece que, salvo el caso de preguntas retóricas, los enunciados finales han de ser conclusivos, y depende de los locutores el proponerlos así y dar por terminada la interacción verbal.

Podemos, pues, concluir que los turnos se articulan obedeciendo a los aspectos modalizantes del discurso, o se originan desde el contenido material o formal de los mismos enunciados, en cadena. No hay unas normas universales para ello; dependen en último término, en la realización, y siempre, hasta cierto punto, de los sujetos del diálogo.

A pesar de la discrecionalidad que advertimos, podemos decir que la intervención competente de los locutores en cualquier interacción verbal, y sobre todo en la dialogada, se orienta por tres criterios generales: las *modalidades* del habla (que son disposiciones de los sujetos, anteriores al discurso, que garantizan que saben, pueden y quieren hablar), el *valor semántico* y formal de los enunciados en el transcurso del diálogo y las *normas* lógicas, semióticas y gramaticales de todo discurso, cuyo conocimiento y uso pasa por los sujetos del diálogo.

Sobre las modalidades, las formas y las normas gramaticales del diálogo tienen peso específico las circunstancias de intervención de los sujetos (no sólo la competencia, que hemos visto hasta ahora). El diálogo, puesto que es lenguaje en situación presente, exige la presencia de los interlocutores, aunque a veces tolera la distancia espacial (no la temporal); esta exigencia deriva de la necesidad de que cada intervención ha de hacerse con el previo conocimiento de las anteriores, a fin de que el diálogo progrese. En la situación compartida se da el cara a cara de los interlocutores, que a su vez origina un compromiso determinado con las normas sociales que presiden este tipo de situaciones: se impone una distancia entre los interlocutores según el tema sea íntimo, profesional, trato social, etc.; se impone también una actitud corporal y unos gestos acordes con el tema y su concreta formulación por parte del conjunto de los interlocutores. Una actitud de impaciencia, un gesto, incluso el color de la cara, etc., puede hacer cambiar los turnos, por renuncia, por imposición.

El lenguaje en situación implica en las formas de discurso dialogado unas relaciones determinadas con el espacio y unas circunstancias personales en su desarrollo. Todas estas relaciones y hechos adquieren formas textuales o dejan sus ecos en algunas formas discursivas, unas veces mediante el uso de los deícticos personales y de espacio inmediato, otras veces en el tono reticente o ingenuo de la expresión, otras veces en la suspensión de las intervenciones.

Y ambas notas características: el ser lenguaje en situación presente y el ser situación cara a cara hacen del diálogo una construcción compleja porque a las modalizaciones verbales que hemos analizado se añade el hecho de que concurren también signos no verbales: paralingüísticos, kinésicos, proxémicos, objetuales, etc., que intervienen directamente en la interacción semiótica. De todos estos signos e indicios es soporte el hablante, que emite toda clase de mensajes, que deben ser interpretados para que el diálogo avance correctamente. De la misma manera que el uso de los signos verbales exigía la actividad simultánea de hablar y escuchar alternativamente, la posibilidad de emitir signos no verbales por parte de los interlocutores (tanto del que habla como del que escucha) lleva aparejada la posibilidad y la necesidad de interpretarlos. Una buena parte de la interacción dialogada corresponde a los signos no verbales concurrentes con los verbales en la situación cara a cara, y es frecuente que a un signo verbal se conteste con uno no verbal, o que las intervenciones verbales se interrumpan al interpretar como impaciencia los signos no verbales emitidos por el alocutor. Las variantes son muy numerosas y suelen recogerse en el texto narrativo con más profusión y detalle que el mismo diálogo: a veces para dar paso a un enunciado dialogal de uno de los personajes, transcurre una página o dos que describen las actitudes, movimientos, disposiciones, etc.

Goffman ha demostrado mediante análisis empíricos que en los usos de la lengua la conducta lingüística de los hablantes es sustancialmente diferente cuando hablan cara a cara o en ausencia. El diálogo está en función de la presencia de los interlocutores, y en el caso de que el tema sea una persona, está también en función de su presencia o ausencia (Goffman, 1973).

Las normas que rigen el lenguaje en sus usos cara a cara pueden ser alteradas, lo cual demuestra su existencia, en las llamadas por el mismo Goffman «zonas de acecho», es decir, lugares desde los que se puede escuchar un diálogo sin que lo adviertan los interlocutores. Una persona presente en el diálogo, aunque no intervenga con la palabra, participa de la situación e impone un contexto a los hablantes, que se verán en la necesidad de tenerla en cuenta al hacer las referencias, en las implicaciones conversacionales que pueda no entender, etc.

Una persona que escucha sin dejarse ver no impone nada a los dialogantes, y se expone a escuchar lo que no dirían en su presencia, y se expone también a no entender las alusiones y referencias del mensaje en su verdadero marco. La presencia oculta no da derechos, como es lógico: se comparte de hecho la situación, pero no el cara a cara. Cada uno de los interlocutores de un diálogo impone con su presencia obligaciones a los demás, incluso aunque no alcance el grado de interlocutor, con la mera presencia. De aquí deriva la importancia que adquieren en los diálogos los observadores, aunque no se les reconozca voz: su influjo sobre los interlocutores no se limita a su presencia física, podemos hablar de intervención extraverbal, pues inevitablemente emiten signos no verbales: de asentimiento, de aburrimiento, de desinterés, de rechazo, etc. El diálogo suele resultar, por esta razón, más espontáneo cuando todos tienen el mismo compromiso verbal y no verbal, y resulta forzado cuando algunos de los que comparten la situación no se incluyen en el compromiso verbal.

El interlocutor tiene derecho a sus turnos y tiene también el deber de reclamarlos, tiene el derecho y el deber de consumir su tiempo hasta donde le permite su competencia pragmática y lingüística, y de acuerdo con lo que él estima que merecen sus interlocutores. El observador de un diálogo produce siempre un efecto *feedback* sobre los interlocutores que lo tendrán en cuenta en sus intervenciones. Un caso muy especial es el que se da en la representación dramática: los personajes dialogan en escena como si hubiese una *cuarta pared*, y en ningún caso reconocen la presencia de un observador, el público, pero, sin embargo, el autor de la obra debe hacer los diálogos de tal modo que sean información suficiente, ordenada según un propósito y una estrategia, para que el público se entere; por otra parte, el efecto *feedback* del público no se da como en el caso de los diálogos con observadores sobre los interlocutores, sino sobre el autor, puenteando a los dialogantes.

Denominamos «tapados» a los sujetos ocultos en el transcurso de un diálogo. En una línea de más a menos, en el diálogo intervienen directamente los *interlocutores;* indirectamente, por lo que se refiere a los signos verbales, y directamente en relación con los signos no verbales, los *observadores*, que producen un efecto *feedback* sobre los dialogantes o sobre el autor del diálogo (en el caso específico del teatro), y los *tapados*, que no se hacen presentes para nada en el diálogo y que dan lugar a procesos de comunicación indirectos explotados por la novela y, sobre todo por el teatro. Vamos a comprobarlo sobre un ejemplo tomado de una novela.

El capítulo quinto de *La Regenta* incluye una escena en la que mantienen un diálogo dos viejas señoras, doña Águeda y doña Asunta, tías de la protagonista, Ana Ozores, la Regenta. Es un diálogo (un duólogo) entre dos interlocutores que han compartido, desde

su nacimiento y a lo largo de toda su vida, los marcos de referencia
y la valoración de todo: conocimientos, sentimientos, experiencias
vitales, etc., de modo que en la narración constituyen un solo actante, aunque el discurso los presenta como dos personajes. Las
circunstancias pragmáticas de los interlocutores hace que el diálogo
sea más bien una especie de reflexión en voz alta de un solo hablante. No hay intercambio de información: las dos viejas saben todo
sobre las mismas cosas; el diálogo es un ejercicio lúdico con el que
las dos señoras ocupan su tiempo vacío. En la novela sirve para
caracterizar a los personajes y tiene a la vez un valor informativo
para la sobrina que se enterará del amor, o mejor, desamor, que
le profesan sus tías.

Las formas lingüísticas están en relación con las circunstancias
pragmáticas que hemos enumerado: los enunciados son frases sin
terminar, frecuentes puntos suspensivos que inician una afirmación
y no la completan porque ya se sabe, insinuaciones cuyo sentido
remite a un marco de referencias compartido integramente por las
dos hablantes:

— Y tú crees... que...
— Bah, pues claro...
— Si es claro, si genio y figura...

Así discurre en su mayor parte el diálogo. El tema es la sobrina
y su conducta que responde a unas leyes hipotéticas sobre la herencia de su madre. Las tías no saben que las escuchan. La sobrina
ocupa una «zona de acecho» y está escuchando sin intervenir y
sin dar la cara, procurando más bien pasar inadvertida para que
sigan hablando.

En estas circunstancias el diálogo se estructura de acuerdo con
la idea de que los dos personajes son un actante único, como si
se tratase de un monólogo interior, tanto en su léxico, como en
sus construcciones sintácticas y en su lógica interna: hay palabras
que no aparecerían en una conversación social, hay asociaciones
inesperadas, que no se explican en el texto, alusiones a datos consa-

bidos, frases hechas, y muchos puntos suspensivos; y en cuanto a la lógica, la dos señoritas consideran evidencias sus convencimientos sobre la conducta y la herencia. Si Ana estuviese cara a cara, aunque no interviniera en el diálogo con la palabra, sus tías no podrían hablar así, se verían obligadas a aclarar las presuposiciones en que se basan y el marco de referencias que da sentido a sus medias frases, o el vocabulario que pertenece, en parte, a una lengua de grupo («la clase»). La confianza que tienen entre sí las dos viejas no coincide con la que tienen con su sobrina, ya que son personajes que en la novela ocupan ámbitos muy distantes en ese mundo ficcional creado por Clarín. Al creerse solas, las tías no cuidan su léxico ni el contenido escabroso de sus enunciados, ni se remilgan ante su propia sabiduría, porque entre ellas «no tienen vergüenza». La máscara social, e incluso la familiar, que habitualmente usan en sus diálogos, se la han quitado para manifestar a lo vivo su «corriente de conciencia».

Este diálogo tiene la finalidad de descubrir para el lector, a la vez que para la sobrina, el ser real de una sociedad que aparenta mojigatería y está llena de prejuicios, pero que no tiene inhibiciones en el trato íntimo. El narrador aclara textualmente para que no exista la menor duda:

> no hablaban a solas como delante de los señores de *la clase*; no eran prudentes, no eran comedidas, no rebuscaban las frases. Doña Anuncia decía palabras que la hubieran escandalizado en labios ajenos *(La Regenta*, 109).

Y, desde luego, Ana no las había oído hablar así nunca, porque nunca había entrado en el círculo cerrado de la intimidad de las tías paternas. El escuchar cara a cara, aunque no se intervenga más que como observador, impone una mesura a los hablantes; el escuchar en «zonas de acecho», sin dar la cara, da lugar a que se oiga lo que no se oiría de otro modo. Los hablantes en estos casos están desprevenidos y siguen las normas pragmáticas y lógicas, incluso sintácticas, del diálogo íntimo: respetan las leyes del cara a cara limitadas a las que recíprocamente se exigen, pero no incluyen la contextualización de Ana, ni se retraen en su propia verbalización.

El discurso dramático ha hecho uso con frecuencia de estas zonas de acecho como espacios estructurantes de la sintaxis teatral: algún personaje escucha detrás de una cortina (Polonio en la alcoba de la reina Gertrudis), debajo de una mesa, en espacios latentes contiguos al escenario, en zonas de sombra del mismo escenario (el Afilador en *Ligazón*, de Valle Inclán), etc. Son zonas desprestigiadas socialmente, a no ser que se explique que son involuntarias: Hamlet mata a Polonio como a una rata, porque, según afirma, detrás de las cortinas sólo puede haber ratas. El espacio dramático que reconoce zonas de acecho las incorpora a la estructuración de las obras para suprimir personajes coordinadores que lleven la información de un espacio a otro, o para dar información directa de algo que se debe ocultar en público, etc.

El desprestigio en que incurren los que escuchan sin dejarse ver se advierte en que todos se disculpan si los descubren y dicen que están allí por mera casualidad y sin buscarlo ellos, por otra parte suelen ser personajes secundarios y poco estimables. La razón del desprestigio está en que transgreden las normas del juego: el diálogo como lenguaje cara a cara impone a los interlocutores normas de conducta lingüística y pragmática de unos y otros, pero al actuar tapados, participan como oyentes sin turno de hablantes y como observadores sin ser vistos.

Dando la vuelta a esta situación, encontramos en otras obras, personajes que saben que otro está oculto escuchando y no puede salir por el desprestigio que le supondría, y aprovechan para decir lo que no le dirían cara a cara, sin la responsabilidad de su propia limitación en ese caso.

La novela utiliza también las zonas de acecho, aunque con menos profusión que el teatro, y casi siempre sin un valor estructural para la construcción espacial. Los diálogos que aprovechan estas posibilidades de los personajes ocultos, de sobrepasar las normas del cara a cara, de decir libres de inhibiciones lo que les parece, etc., suelen utilizarse en la novela más que como elementos sintácticos de construcción, como signos caracterizadores de personajes o de ambientes sociales, tal como hace Clarín en el ejemplo que hemos incluido. El narrador integra los diálogos en el conjunto del discurso narrativo y actúa como comentarista y censor de lo que hablan o hacen los personajes. Clarín en la escena del diálogo de las dos viejas, podría haber informado sobre el carácter de Ana Ozores, sobre su actitud reservada y poco franca con sus tías que la han acogido en su caserón y también del poco amor que les tiene, pero el diálogo con zona de acecho está destinado a cumplir otra finalidad: las dos solteronas se presentan como harpías frente a la sobrina que se ofrece como víctima; los signos concurrentes lo confirman, según se destacan en el discurso mediante ampliaciones de la oposición «victimarias / víctima» apoyadas en los términos aplicados a la sobrina: Ana descansa en su *pobre lecho*, estaba *pálida como una muerta*, tenía *dos lágrimas heladas* en los párpados, tenía las *manos flacas en cruz*... Por mucho desprestigio que se les eche a las zonas de acecho y al personaje que las ocupa, queda superado por los términos de conmiseración que lo cubren, y que contrastan con los que abruman a las viejas con sus repugnantes actitudes, como brujas en aquelarre en *aquella venganza solitaria de las dos señoritas incansables,* con sus chismes, su ferocidad crítica, su hipocresía...

La novela se apoya en estos recursos porque el narrador suele explicar las presuposiciones; el texto dramático, que no puede contar con aclaraciones de un narrador, recurre a una serie de «astucias» para informar al público de la pre-historia que no puede presentarse en su realización. El diálogo rompe con relativa frecuencia los cánones dramáticos para convertirse en diálogo narrativo, es decir, diálogo referido cuyo narrador explica, aclara, completa y adelanta la historia. Uno de los personajes «narra» a otro escenas pertenecientes al pasado, o alejadas espacialmente, a fin de que el público se entere de los datos necesarios para construir la historia completa.

Se transgrede la ley de la informatividad del círculo de los personajes (diálogo textual) para cumplir con la ley de la informatividad del proceso literario. La ley de la cantidad, en el esquema de Grice, queda superada en el sentido de que internamente la información es excesiva, pero en el círculo envolvente, autor-lector, es necesaria.

En un interesante estudio sobre *La cantante calva* en sus escenas de presuposición y de exposición se señalan algunas de las astucias que sigue el texto dramático ampliando el espacio de los diálogos, antes y después de la historia, y también en los espacios latentes y zonas de acecho, a fin de superar las limitaciones del género. Ionesco las pone en evidencia en su artificiosidad cuando transgrede la ley de informatividad del diálogo cara a cara de los personajes, cuando se dirigen evidentemente al espectador. La Sra. Smith se dirige a su marido —que está presente y no habla, sólo gruñe— con frases que no le informan de nada que no sepa ya: «...hemos comido bien hoy. Es porque vivimos cerca de Londres y nos llamamos Smith». Está claro que el público se entera de la historia inmediata de la familia con la cháchara de la señora Smith.

C. Kerbrat-Orecchioni considera que esos personajes que están presentes para recibir en el escenario una información que va destinada al público o que permanecen ocultos, son en realidad el *duplicado especular* del púlico. Ya que éste no puede intervenir en el mundo ficcional de la obra, tiene a veces su representante en ella. (Kerbrat-Orecchioni, 1985).

III

ASPECTOS LINGÜÍSTICOS DEL DIÁLOGO

LOS SUJETOS DEL DIÁLOGO:
SUS FORMAS Y FUNCIONES

El diálogo es un proceso interactivo que da lugar a un discurso caracterizado por una estructura retórica que se organiza complejamente en una cadena de enunciados ajustados a esquemas binarios o alternantes, como pregunta/respuesta, propuesta/aceptación-rechazo, hipótesis/confirmación-falsación, etc., y termina textualmente con enunciados conclusivos. Los temas tratados se categorizan como centrales y marginales, y su apertura o cierre se presenta en forma directa o mediante circunloquios.

La estructura retórica del discurso dialogado está en inmediata relación con los caracteres del proceso interactivo dialogal: es un lenguaje *directo* y, por lo tanto, se articula con la presencia textual de los índices gramaticales de persona correspondientes a la enunciación; es lenguaje *cara a cara* y, por tanto, está sometido a las limitaciones que impone la presencia de un interlocutor (temáticas y léxicas); es lenguaje en *situación* y, por tanto, avanza en presente; es una *actividad social por turnos* y, por tanto, implica la presencia de al menos dos locutores que alternan la emisión y recepción de los signos, por lo que se traduce en un discurso segmentado.

Todas estas circunstancias se dan en el diálogo oral y pasan también al escrito donde se complican aún más al establecer relaciones verticales con el monólogo necesario de un nuevo sujeto: el que trascribe, en la forma que sea, el diálogo. Puede ser uno de los interlocutores en un momento posterior, o puede ser una voz nueva, ajena al proceso dialogado; en cualquier caso se relativizan voces, tiempos y espacios al duplicar las situaciones de emisión con un proceso englobante y otro referido.

En el diálogo directo se da a veces un sincretismo entre las personas gramaticales de la enunciación, aunque en el enunciado aparezcan los índices Yo y Tú correspondientes al emisor y al receptor; los dos índices textuales remiten a un solo sujeto que habla y escucha lo que él mismo ha dicho. Unamuno llama a esta situación lingüística *monodiálogo*, y el *DRAE* la considera *dialogismo* («figura que se comete cuando la persona que habla lo hace como si platicara consigo misma»).

El sujeto puede efectivamente organizar su discurso en una retórica dialogal, con preguntas y respuestas, con argumentos y contraargumentos, asumiendo para ello posiciones relativas en un proceso formalmente interactivo, aunque materialmente sea sólo un proceso expresivo.

Parece que no tiene mucho sentido hablar consigo mismo y parece que aún lo tiene menos hacerlo en forma de diálogo, sin embargo, es un discurso bastante frecuente, que se usa por diversas razones. G. Durand afirma que la idea de «cuerpo con voz» pertenece a las raíces antropológicas de lo imaginario (Durand, 1981); Jung mantiene que la imagen de la voz «hace vibrar algo en nosotros que nos dice que no estamos solos». Parece que la voz o la imagen de la voz evita la sensación de soledad y el hombre discurre interior o exteriormente mediante la voz que lo objetiva y lo acompaña.

La obra literaria sigue la voz interior de los personajes en el llamado «monólogo interior», que puede adoptar forma discursiva de diálogo, o puede integrar en un solo discurso varias voces (polifonía bajtiniana).

Realmente el proceso no se altera, y tiene siempre el mismo esquema, lo que varía es el discurso: se trata de un soliloquio, puesto que es un sujeto único el que usa el lenguaje, no tiene oyente (si lo tuviera, sí sería un monólogo) y reviste su palabra de la retórica del diálogo, total o parcialmente, haciendo que aparezca como un discurso segmentado o un discurso seguido en el que resuenan varias voces. Dostoievski construye muchos de sus personajes con este tipo de voz multiplicada por los ecos de otras voces y consigue dar la impresión de una gran apertura ideológica, de una gran solidaridad entre los hombres, de un amor abierto a todos (Bajtin, 1986).

Aparte de estos casos en que se distorsiona la relación dialogal de los sujetos y el Yo destruye, oculta o sustituye al Tú, lo normal en el diálogo es un esquema en el que están presentes las dos personas gramaticales (la llamada *tercera persona,* es un índice gramatical pero no de persona) y construyen un discurso único con un tema que comparten y un sistema indéxico del que utilizan las variantes del Yo y del Tú, según el turno en que estén situados y les corresponda (Bobes, 1971).

En los análisis del diálogo como forma especial del discurso lingüístico (y podemos extender lo que decimos a todo el lenguaje directo) se ha destacado la presencia y la importancia textual del Yo, en detrimento del papel concomitante del Tú. Russell denomina a todos los indéxicos «particulares egocéntricos», con lo que señala como único polo de referencias temporales, espaciales y personales, al hablante, y olvida, o al menos deja en una posición secundaria y, por supuesto, pasiva, al Tú, a pesar de que está siempre presente (Russell, 1983).

Parret admite la posibilidad de tener en cuenta los dos extremos del esquema básico de la relación interactiva o comunicativa, el Yo y el Tú, pero reconociendoles funciones y participación diferenciadas en los procesos:

une bonne méthodologie déictisante présuppose nécesairement une organisation *ego-centrique* de la déixis, tandis qu'une bonne méthodologie modalisante présuppose au contraire une organisation *interactantielle*, et donc 'ego-fugale': l'organisation de la déixis se fait à partir du moi (de la subjectivité ego-centrique), alors que l'organisation des modalités est orientée à partir d'une communauté (on pourrait dire également: a partir de la subjectivité communautaire (Parret, 1983, 87).

No parece admisible esta diferenciación de las relaciones de las personas de la enunciación: tanto en la deixis como en la modalización las variantes posibles se centran en el Yo. La primera persona es la única que dispone de voz, en los procesos de comunicación sin que cambie el referente, y en los procesos de interacción con cambio de referente, pero en cualquier caso siempre está presente también el Tú. Por tanto, todos los valores del diálogo y de la comunicación, y todas las variantes indéxicas deben establecerse o para el Yo o para el Tú, como extremos de una misma relación, de un esquema total y único.

Podemos, por tanto, considerar al Tú como centro de referencias al igual que el Yo, Puesto que sus respectivos *denotata* son extremos fijos y específicos del proceso: frente a las formas de la primera persona, y en total paralelismo, la lengua reconoce las formas de la segunda persona y sus variantes respectivas de uso.

Jacques afirma que la enunciación no es solamente la actividad del que habla en el lenguaje directo, es también la actividad que está realizando el sujeto que escucha: «quiero decir» es simultáneo de «estoy dispuesto a escuchar», porque no tendría sentido, a no ser en forma convencional de un texto literario, un enunciado sin el otro (Jacques, 1983, 59). Pero habría que insistir y ampliar las correspondencias para el diálogo: el «quiero decir» implica «quiero que me escuches», y «estoy dispuesto a escuchar» implica el turno del «quiero decir y quiero que me escuches», pues son actitudes simultáneas y recíprocas.

El diálogo, por su propia naturaleza, da el mismo tratamiento a los sujetos que en él intervienen y resulta ser, por consiguiente, un discurso logrado por la actividad conjunta y progresiva de hablante y oyente en unidad de sentido y de fin.

Sobre el esquema básico se advierten variantes que alteran las formas de intervención: cuando se da un sincretismo entre los sujetos, cuando se transgreden las normas de los turnos o se impide la unidad del discurso derivando a temas secundarios, cuando no se pasa de la situación previa porque no interesa que se discutan los temas centrales, cuando no se interpretan los signos concurrentes con los verbales, o por alguna otra razón, buscada o por ignorancia o falta de competencia; en todos estos supuestos se impide el diálogo.

La conducta lingüística del Tú, a pesar del privilegio que la filosofía del lenguaje y la lingüística han concedido siempre al Yo, tiene el mismo relieve y está tan precisada como la del Yo. Creemos que *expresar* (actividad del Yo), *significar* (propiedad de los signos y existencia de un código compartido por los sujetos) e *interpretar* (actividad del Tú), son actividades y hechos no disociables en los procesos de comunicación y de interacción, a pesar de que teóricamente puedan separarse y reconocerse incluso en otros procesos en forma independiente.

Es cierto, sin embargo, que el Yo tiene prioridad temporal y abre el proceso con la formulación de un primer enunciado; pero también es cierto que esta circunstancia proporciona al Tú, en el caso del diálogo, la ventaja de actuar sobre algo ya definido, y puede tener información sobre el tono en que se pretende orientar el desarrollo del diálogo, sobre la disposición para hablar, sobre la actitud abierta o cautelosa del interlocutor, etc. El Tú no inicia el proceso (y tiene menor libertad, si es que ha de seguir las pautas iniciadas), pero lo sigue (mayor seguridad, porque tiene mayor información). La competencia para el diálogo de las personas ha de tener en cuenta estas diferentes posibilidades.

No obstante, y para precisar cómo son las intervenciones, hay que pensar que el inicio del diálogo no corresponde necesariamente a la persona que asume el Yo en primera instancia, porque existe un protocolo de presuposiciones previas que limita la libertad de intervención, y suele darse una situación previa que ofrece abundantes informaciones sobre el talante de los interlocutores; de todas depende que se logre o no establecer diálogo, o que se derive hacia otras formas de interacción verbal o semiótica, que bajo apariencia retórica de diálogo sea un monólogo u otro discurso.

El protocolo del diálogo implica, entre otras muchas exigencias pragmáticas ya enumeradas en el capítulo anterior, que los interlocutores compartan presuposiciones del habla y un marco de referencias. En una conversación los interlocutores pueden mostrar desconocimiento de los presupuestos, o del tema, incluso de las formas en que se desarrollará el proceso, y pueden pedir informaciones sobre cualquiera de estos extremos; en el diálogo se supone que los interlocutores «válidos» deben estar enterados de todo lo necesario para intervenir como dialogantes. Y es en este punto donde es preciso subrayar la necesaria igualdad entre el Yo y el Tú: si hace falta que el que inicia el diálogo sepa lo que dice, hace falta que el oyente sepa a qué se refiere y pueda seguir adecuadamente y con la coherencia imprescindible. Los aspectos pragmáticos formales del diálogo se complementan con las disposiciones lingüísticas de los sujetos en referencia a los valores semánticos para no caer en un diálogo de sordos o en un intercambio de monólogos.

Los dialogantes deben compartir también la contextualización y la voluntad de realizar un intercambio verbal con una finalidad única; otra cosa es que se logre o no, pero la búsqueda de un acuerdo, una información de circunstancias determinadas, una aproximación de actitudes en orden a un fin previsto, etc., constituyen la finalidad del diálogo y la de los interlocutores. La conversación puede admitir una desigual participación de los sujetos y un desigual conocimiento de circunstancias y del contexto, el diálogo no lo consiente.

Benveniste afirma que el Yo crea al Tú, y así parece que es en cualquier uso directo del lenguaje: la comunicación, el diálogo, la conversación. Si hay un Yo textual cuyo referente sea el Yo de la enunciación, parece que debe haber un Tú de alguna forma (presente, implícito, expreso, etc.), porque generalmente nadie se pone a hablar solo, si hacemos excepción del soliloquio en los casos de sincretismo de las personas gramaticales.

Pero también podemos volver el argumento y decir que el Tú crea al Yo, puesto que para que alguien se ponga a hablar, es decir, para que un sujeto asuma el Yo, y esto sólo es posible si habla (puesto que Yo es una categoría lingüística que se crea en la enunciación y no tiene referente extralingüístico) debe tener conciencia de que alguien le escuchará, lo leerá, lo interpretará en un tiempo y un espacio compartidos o a distancia. Nadie asume el Yo si no tiene asegurado un Tú; por tanto, el Tú parece anterior al Yo. Estos argumentos pueden parecer ociosos y únicamente los aducimos para rechazar la afirmación de Benveniste, puesto que lo que realmente puede verificarse en forma pragmática es la relación de igualdad entre las dos personas gramaticales de la enunciación y su tratamiento estilístico en el enunciado. Por ejemplo, en el discurso narrativo las variantes textuales de los índices de persona nos permiten clasificar y definir algunos tipos de diálogo (a distancia, referido, interiorizado, superpuesto, telescópico, etc.).

Las normas pragmáticas del diálogo se crean por la repetición de las mismas situaciones, pues si se dispone de un número dado de actos pueden identificarse una serie de regularidades estadísticamente (Thibaut, J. W., y Kelley, H. H., 1959). Pero, a la vez, la repetición de situaciones iguales actúa dialécticamente en contra de la eficacia literaria del discurso y origina una relajación del interés de los lectores, puesto que no ven nada que altere la norma de uso en el lenguaje estándar. Incluso en el mismo diálogo estándar la atención de los interlocutores y, por tanto, la eficacia del discurso puede resentirse de la repetición de los esquemas normativos y pueden llegar a sustituirse los diálogos por monólogos segmentados y alternantes. En tal caso el diálogo estándar o literario son realmente monólogos, pues no avanzan en unidad y en colaboración de los sujetos. La actitud que toman los sujetos es fundamental a este respecto.

En tales supuestos se hace necesario recordar que «la intención del diálogo no es sólo la de intercambiar verdades poseídas. Es el diálogo el que forma las ideas, no el que las comunica» (Forest, 1956). El uso de «estrategias» puede hacer que el sujeto interesado venza la resistencia del otro o de los otros a escuchar o a participar. Suelen utilizarse para conseguir estos fines recursos de tipo fático, como algunas fórmulas que reclaman la atención del oyente *(fíjate, escucha...),* el interés del discurso *(esto es importante, esto destaca...)* o la valoración del que habla *(subrayo lo que voy a decir, llamo la atención sobre este punto...);* estas fórmulas, muy frecuentes en el diálogo, enfatizan la expresión con un metalenguaje que quita dinamismo al discurso. En el diálogo literario suelen suprimirse, a no ser que se utilicen para caracterizar a un personaje muy pesado, o un tipo de habla de clase política, etc. En el diálogo cara a cara, es decir, en el proceso dialogal, los sujetos disponen de multitud de recursos de atención y énfasis, de tipo paralingüístico: se eleva el tono, se altera el ritmo, se cambia la entonación, etc.; de tipo kinésico: un gesto brusco o inesperado hace destacar una frase o un término; de tipo proxémico: un mayor acercamiento, tomar del brazo, inclinar la cabeza sobre el interlocutor aproximándose, etc. Son gran cantidad de fórmulas las que hacen posible que un sujeto actúe sobre el otro, a fin de cambiar su actitud y su participación más allá de los esquemas canónicos, o bien para situarlo en tales esquemas cuando se sale de ellos.

Los indicios que el texto literario emplea para tales fines son interpretados por los receptores para construir su propia lectura particular, y suelen actuar en convergencia formal, o al menos semántica, con determinados signos literarios que subrayan tanto los temas, como determinados motivos *(leit-motivs)* y actitudes (Riffaterre, 1971). El texto literario crea mediante recurrencias formales y semánticas (isotopías) un ritmo interno que afecta a todas las formas del discurso y que se advierte de modo destacado en los diálogos para suscitar interés más vivo en el lector. Riffaterre ha señalado algunas estrategias refiriéndolas al proceso de comunicación literaria, es decir, dirigidas al lector, y por tanto, en nuestro esquema, serían hechos de dialogismo; creemos que también son analizables en los diálogos textuales y su presencia puede ser interpretada como una acción directa de un hablante sobre su oyente. Por ejemplo, la postposición del sujeto gramatical en un enunciado sitúa la imprevisibilidad en un grado máximo, y obliga al interlocutor a una actitud expectante mientras no se le aclare la identidad del sujeto: la distribución de las funciones gramaticales puede convertirse así en un medio para activar la atención de los sujetos de la enunciación; lo mismo podríamos ver, desde este particular punto de mira, en el uso de la metáfora: la introducción en el discurso de un término que rompe la isotopía del conjunto, obliga al lector, y al interlocutor si se trata de diálogo directo, a ponerse en actividad para encajar en un conjunto armonioso el término disonante.

La actividad de los sujetos no se limita a su funcionalidad pragmática, se orienta necesariamente, si siguen el principio de cooperación, hacia una actividad semántica de interpretación suscitada por una actividad expresiva por parte del emisor. Tenemos que advertir la diferente situación en que está el diálogo directo y el diálogo literario en este punto concreto: mientras que la elevación de la voz, la alteración del ritmo o cualquier otro signo no verbal produce un efecto inmediato, o pasa desapercibido también de forma inmediata, y sobre la marcha el sujeto puede acudir a otros medios o intensificar los que está usando, en el diálogo escrito la actividad de los sujetos puede pasar desapercibida o no estar en consonancia o acuerdo: el discurso literario fija el lenguaje y le da relieve en determinadas situaciones que quiere destacar, pero el que las advierta el lector ya es otra cosa.

Y es que el diálogo oral desde el punto de vista lingüístico dispone de unas formas que pasan a su uso literario englobadas en

un proceso de comunicación a distancia, es decir, un texto dialogado es forma de un proceso dialógico. El discurso dialogado no se
diferencia en este aspecto de un discurso monologal; ambas formas
están cerradas para el proceso dialógico que es la literatura. El lector puede activarse o no con lo que hay en el texto, y el autor
no puede añadir ya más: acierta o no, según el lector, de forma
irremediable ya. Los resultados, pues, de la interacción de los sujetos tiene carácter dialógico en el proceso de comunicación literaria,
y tiene carácter dialogado solamente en el mundo cerrado y perfecto de la ficcionalidad.

Los sujetos de la enunciación y del enunciado presentan, pues,
unas variantes de forma y unas variantes de actividad, tal como
hemos podido comprobar y abren unas posibilidades a los textos
que, en concurrencia con otras formas, les dan originalidad o, al
menos, los caracterizan, en el discurso lingüístico estándar de un
modo y en el discurso lingüístico literario de otro.

DIÁLOGO Y CONVERSACIÓN

Diálogo y *conversación* son términos que se utilizan con cierta
frecuencia como sinónimos en el español actual; en muchos usos
son intercambiables sin que se altere el significado de la frase; sin
embargo, en otros casos, la distribución y las combinaciones contextuales que admite el término *conversación*, no son las mismas
que tolera el término *diálogo*, de modo que al sustituir uno por
otro podemos encontrar un cambio de sentido, una frase poco gramatical, o incluso expresiones sin sentido.

W. Mignolo, aceptando la definición de diálogo dada por Murphy
(1986), lo presenta como «género discursivo, de invención medieval, cuya función es la de establecer intercambios de mensajes, sin
intermediarios, entre dos interlocutores no copresentes», mientras
que la conversación es «una manera familiar de hablar fuera de
un escenario institucional, y presupone —junto con la oralidad—
la simetría de roles» (Mignolo, 1987, 7).

Efectivamente, una de las acepciones del término *diálogo* pertenece al lenguaje específico de la historia de la literatura: la exposición de un contraste de opiniones de varios sujetos sobre temas de lingüística, de literatura, de filosofía, etc., da lugar a un texto ensayístico que se manifiesta en un discurso dialogado y que, independientemente del tema que trate, recibe el nombre específico de «Diálogo de...». Pero no surge en la Edad Media, puesto que los diálogos, desde los platónicos fueron género frecuente a lo largo de la historia de la literatura occidental. En el Renacimiento proliferan en Italia, Francia, Inglaterra, etc., sobre los temas más diversos; en el siglo XVI son textos frecuentes en España.

Estamos de acuerdo en que el diálogo en el Renacimiento nace estrechamente vinculado a la dialéctica y a la actividad lógica (Vián Herrero, 1988), ya que es un fenómeno relacionado con el Humanismo: abandonada la referencia última de tipo teocéntrico de los discursos medievales, las opiniones de los hombres deben ser contrastadas para comprobar sus coincidencias intersubjetivas. La paulatina sustitución del criterio de autoridad dominante en la Edad Media por la lógica del discurso humano en el Renacimiento es la causa inmediata del florecimiento del diálogo como forma del texto literario y teórico.

No obstante, esta acepción de *diálogo* pertenece a un lenguaje de grupo limitado a la historia de la literatura. Vamos a ver qué valor tiene el término *diálogo* en el lenguaje común y qué diferencias, si es que las tiene, presenta respecto a *conversación*.

En el mismo campo semántico de la expresión verbal hay una serie de términos que tienen como lexema fundante «hablar», o «decir», es decir, el sema que se refiere a una actividad, pero que se diferencian por el número de sujetos que la ejecutan o por la situación en que están: diálogo, debate, coloquio, monólogo, soliloquio, etc. Todas estas actividades dan lugar a discursos con una retórica particular y pueden ser utilizados como textos literarios cuando se escriben: *El coloquio de los perros, Diálogo de la lengua, Conversación en la catedral*... Por esto nos resulta improcedente oponer «diálogo» a «conversación», considerando que el primero denota un texto literario y el segundo una actividad lingüística, tal como propone Mignolo. Creemos que ambos pueden utilizarse en referencia a obras literarias, aunque «diálogo» dé nombre a una especie de género que prolifera en una etapa histórica, y «conversación» tenga un uso más puntual en este nivel de historia de la literatura, ya que se refiere sólo a los títulos de determinadas obras concretas, no a un género o a un grupo de obras de características comunes. En la lengua estándar se dialoga y se conversa; los textos literarios pueden ser diálogos y conversaciones, o reproducir diálogos y conversaciones. La diferencia entre «diálogo» y «conversación» no opone «literario» / «no literario».

Para encontrar oposición entre los dos términos tendremos que acudir a otros aspectos y considerar otros rasgos.

Si aceptásemos que «diálogo» es un discurso literario, frente a «conversación» que es una actividad verbal del habla estándar, tendríamos que admitir también que el «diálogo» sería un proceso de semiotización secundario que reproduce un proceso de semiotización primario denominado «conversación» y la oposición entre los términos se diversificaría ampliamente en varios aspectos:

1. La conversación se caracterizaría por ser expresión oral, por tener simetría de roles, por inscribirse en un sistema semiótico primario.

2. El diálogo se caracterizaría por ser expresión escrita, por tener asimetría de roles y por inscribirse en un sistema secundario (Mignolo, 1987, 23).

Gregory define la conversación como «la relación con el medio en que hay una posibilidad de intercambio espontáneo entre dos o más personas», y la limita frente al monólogo, ya que «dentro del habla espontánea puede hacerse una distinción importante entre la conversación y el monólogo» por lo que se refiere a ambas actividades verbales (no entra en el lenguaje escrito) (Gregory, 1986, 69).

En la misma línea se pronuncian otros autores, como Benson y Greaves, al comparar monólogo y conversación: «el monólogo es el hablar de un individuo de tal manera que se excluya la posibilidad de interrupción por parte de otros. La *conversación* es hablar de tal manera que se invite a otros a participar. Es muy posible que una persona converse con otra y sea el único hablante; por ejemplo, puede formular una serie de preguntas y no recibir respuesta. Igualmente dos» personas pueden monologar entre sí» (Benson y Greaves, 1973, 82).

Después de la exposición de los diferentes procesos semiósicos que hemos hecho en el capítulo referente a la pragmática, creemos que las razones que pueden apoyar la diferenciación de monólogo, soliloquio y diálogo, han quedado suficientemente aclaradas. Y nos limitamos ahora a la diferenciación entre *diálogo y conversación*, ya que ambas formas de uso de la lengua (en el discurso literario y en el estándar) entran en los procesos interactivos, tienen dos sujetos, al menos, y tienen en común varios extremos: son actividad semiótica, son actividad social, son actividad lingüística, se realizan en directo, por turnos, cara a cara, en presente, y dan lugar a discursos segmentados. Con todo esto en común y reconocido como caracteres de ambas formas de actividad y de texto, tendremos que buscar los rasgos opositivos en otros aspectos.

En el español actual la oposición semántica que se establece entre conversación y diálogo no es equivalente a la establecida entre oral/escrito, o entre sistema primario/sistema secundario; no es cierto que corresponda tampoco a la oposición simetría de roles/asimetría de roles. Por el contrario, hay simetría de roles en el diálogo, exigida por las normas que rigen los cambios de turno, mientras que en la conversación no se respetan tan rigurosamente los turnos, pues no es rasgo pertinente en la conversación.

Hirzel define el diálogo como «una discusión en forma de coloquio» y mantiene que todo diálogo es una conversación, aunque no toda conversación es un diálogo (Hirzel, 1963). La diferencia sería, de admitir esto, la del género a la especie, más o menos.

Más concreto es Morgan cuando afirma que en la conversación hay tantas intenciones como interlocutores; es espontánea y carece, por tanto, de un orden preestablecido; puede tener ocurrencias muy diferentes en su valor; hay improvisaciones, pausas y tiempos muertos; no tiende normalmente hacia un desarrollo predeterminado y no profundiza, ni discute la pertinencia de los enunciados y sus argumentos; en realidad no avanza por argumentos, sino por intervenciones; por último, carece de unidad porque opera sólo por asociaciones (Morgan, 1953, 98-108).

Efectivamente, la conversación tiene todas estas notas características frente al diálogo, y además puede ser aburrida, ampulosa, oscura, porque admite cualquier forma de intervención, mientras que el diálogo exige claridad, pertinencia, orden, y no tolera desviaciones, temas secundarios que suplanten al tema central, de modo que cada ocurrencia de los interlocutores se valora en su adecuación y pertinencia.

Al hacer un análisis léxico y frástico de los dos términos en el español actual vamos a ver confirmados estos rasgos pertinentes y podremos establecer algunos más incluso. Sería extraño que «diálogo» y «conversación» mantuviesen la alta frecuencia de uso en el español coloquial y escrito, si fuesen sinónimos, porque en casos de sinonimia total o parcial, uno de los términos suele especificarse como lenguaje de grupo social o profesional, o de otro modo, así ocurre con «caballo-corcel», por ejemplo.

Los dos términos, diálogo y conversación, pertenecen a un mismo campo semántico, al de la «interacción verbal» o, precisando más, al de la «interacción semiótica», pues son lenguaje directo y la palabra implica en este caso la concurrencia de signos paralingüísticos, kinésicos y proxémicos. No obstante, el diálogo es una forma determinada de intercambio sémico que tiene rasgos de oposición frente a la otra forma de intercambio sémico que denominamos habitualmente conversación. Debido a las coincidencias que indudablemente tienen, y que hemos señalado, es posible que resulten parcialmente sinónimos o que en el uso puedan ser intercambiables los dos términos: «tuvieron una conversación seria / tuvieron un diálogo serio» son frases con el mismo sentido.

Las diferencias vamos a encontrarlas no en los semas intensivos, en los que suelen coincidir los dos términos en su uso más frecuente, sino en los que denominamos «semas contextuales».

El *DRAE* define *conversación* como «acción y efecto de hablar familiarmente una o varias personas con otra u otras», y entre las acepciones que recoge, incluye frases como «dar conversación: entretener a una persona hablando con ella; dirigir la conversación a uno: hablar singular y determinadamente con uno; sacar uno la conversación: tocar algún punto para que se hable de él».

Si repasamos los valores semánticos mínimos que forman la definición, destacan: «hablar» (actividad), «entre sí» (turnos), «varios» (sujetos), «familiarmente» (tono). Los tres primeros pueden entrar también en la definición de diálogo, pero el cuarto no parece que pueda considerarse como nota intensiva de este término. Si intentamos sustituciones en las frases de las acepciones incluidas en el *DRAE,* podremos comprobar que no son posibles algunas de ellas: *dar diálogo (?) / *dirigir el diálogo a uno (?) / *sacar uno el diálogo (?); en todos estos casos la sustitución de un término por otro da lugar a sinsentidos o a expresiones no-gramaticales, por lo que se descarta la sinonimia frásica.

Según las frases rechazadas, podemos deducir que el uso de «conversación» permite el presupuesto «tomar uno la iniciativa», mientras que «diálogo» no tolera entre sus presupuestos esta nota de significado. En el análisis pragmático del diálogo habíamos advertido que el diálogo tenía unas cuantas exigencias previas para que una interlocución fuese admitida como tal diálogo, y algunas de tales exigencias no las comparte con «conversación», ya que ésta surge entre los hablantes de una forma espontánea y por la iniciativa de cualquiera de los hablantes.

Aunque dentro del campo semántico de la interlocución los términos «diálogo» y «conversación» tienen una indudable proximidad, no pueden considerarse sinónimos por varias razones, además de las apuntadas hasta ahora, referentes a los presupuestos pragmáticos. Uno de los rasgos sémicos que se encuentra en «conversa-

ción» es su proximidad al sentido general de «hablar» (emisión),
mientras que «diálogo» parece tener un sentido más orientado hacia el intercambio en igualdad de condiciones y hacia una finalidad
buscada. Y de nuevo lo advertimos en sustituciones en enunciados
que admiten o rechazan uno u otro término:

> dirigir la conversación a uno = dirigir la palabra a uno
> dar conversación a uno = hablar con uno

La generalización que supone «hablar» en las sustituciones por
«conversación», no es admitida por «diálogo». El uso de este término exige unas condiciones previas que han de ser compartidas
por los interlocutores y queda excluida, por tanto, la iniciativa
unilateral.

Se puede decir «iniciar, mantener, terminar un diálogo», pero
no «*dirigir a uno el diálogo». La conversación se empieza en cualquier momento, aunque luego no prospere, por iniciativa de uno
de los interlocutores; el diálogo exige su reconocimiento como diálogo, como condición previa y unas cuantas más en su desarrollo
y finalidad. Por esta razón hay frases en las que puede participar
«conversación» y no «diálogo»; en ellas se muestran las diferentes
posibilidades de distribución y combinación frásica.

Si atendemos a los derivados podemos advertir también algunas
diferencias: se puede utilizar «conversador» (= «dícese de la persona que sabe hacer amena e interesante la conversación»), pero no
existe «dialogador», ya que implicaría actividad individual; tenemos el adjetivo «dialogante» referido a la actitud de la persona
que está dispuesta a mantener un diálogo, es decir, una actividad
compartida. *Conversador* denota una cualidad intrínseca de un sujeto para la actividad interlocutiva; *dialogante* es una cualidad de
un sujeto, pero no intrínseca, sino respecto a una relación; «conversador» no es el que está dispuesto a conversar, sino quien conversa bien; «conversante», no existe en nuestro léxico, aunque no
es ajeno al sistema y, si pasase al uso, sería «el que sostiene bien
una conversación», algo semejante a lo que hipocorísticamente se

dice con «tertuliano»: el que hace perder el tiempo con una conversación banal y entretiene cuando no hace falta, como si estuviese en una tertulia, sin alguna finalidad.

Podemos, pues, deducir aproximadamente lo mismo que hemos podido entender respecto de las combinaciones de los dos términos: conversación incide, o mejor, pone su énfasis semántico, en la actividad de hablar en general y destaca la iniciativa individual; diálogo orienta su sentido hacia un modo especial de interlocución y se somete a unas normas pragmáticas que la garantizan.

El mismo *DRAE* define *diálogo* como «plática entre dos o más personas que alternativamente manifiestan sus ideas o afectos / 2. Género de obra literaria prosaica o poética, en que se finge una plática o controversia entre dos o más personajes /3. Discusión o trato en busca de una avenencia».

Destacamos de esta definición: «plática» / «dos o más» / «alternativamente» / «manifestación de ideas o afectos» / «busca de avenencia», y al contrastarlos con los de *conversación,* observamos la ausencia de algunos de los rasgos nucleares de ésta, como «familiar», «entretener». Podemos así contrastar los dos términos, según sus definiciones en el *DRAE:*

CONVERSACIÓN	DIÁLOGO
familiar	—
entretener	buscar avenencia

Otras notas son compartidas: hablar, dos o más, alternativamente. Sobra de la definicón «manifestación de ideas o afectos», porque ya se refiere a los temas y lo que se trata de definir es la actividad: el *DRAE* cae con frecuencia en este defecto, que no advertimos en el *Diccionario de uso,* al menos tantas veces.

En resumen, hay algunas notas compartidas, otras que aparecen destacadas en forma pertinente o no en una de las definiciones, y otras que sirven para apoyar una oposición entre los dos términos. En las definiciones de «diálogo» suelen destacarse los turnos (alternativamente se dice), y no suele ser así en las definiciones de conversación, que también es actividad desarrollada socialmente y por turnos: al no buscarse la avenencia, es decir, al no tener un fin práctico la conversación, no se exige con rigor el derecho a intervenir o el derecho a ser escuchado y no se impone de modo drástico el respeto a los turnos ni para intervenir con la palabra ni para intervenir con el oído. Así se explica también que en la conversación no se considere descortesía no intervenir con la misma frecuencia que los demás. Si en el diálogo es obra de todos lograr un fin y las intervenciones deben considerarse como colaboración para ese fin, es lógico que se considere descortés no intervenir y que las normas pragmáticas de los turnos sean una consecuencia de formalizar de algún modo esa obligación de participar. Destacamos también que en una conversación puede haber personas que sólo escuchen, mientras que en el diálogo no parece oportuno que las haya, a no ser que se reconozcan como «observadores», situación que puede darse con cierta frecuencia en ciertas formas de diálogo: políticos, religiosos, artísticos, o bien en diálogos dirigidos, aunque éstos muchas veces, bajo la apariencia de diálogos, pueden no serlo.

La conversación es más abierta, no tiene requisitos previos, puede improvisarse y puede tratar sobre cualquier tema que surja espontáneamente, y puede comenzarse, a iniciativa de un sujeto. El diálogo es más cerrado, mantiene la unidad temática, y las condiciones no suelen estar impuestas por los interlocutores sino que son inherentes al proceso dialogal. Podemos verificar estas características del diálogo y de la conversación en algunos usos concretos: puede decirse que se mantiene una conversación sobre el tiempo, pero es difícil que alguien afirme que ha mantenido un diálogo sobre el tiempo.

En la conversación puede haber tantas intenciones posibles como interlocutores y cada uno de ellos puede actuar para introducir su tema, pues no hay un orden rígido o preestablecido, ya que es una actividad espontánea: hay improvisación, digresiones, pausas y tiempos en blanco, puede ser aburrida o viva, puede construirse con frases retóricas acabadas o inacabadas, rupturas, anacolutos, inconsecuencias gramaticales o léxicas, con construcciones incorrectas, porque todo lo justifica la improvisación y la posibilidad de rectificar sobre la marcha. Normalmente la conversación no tiene un desarrollo determinado previamente y no suele profundizar en los argumentos; opera con un discurso en el que son habituales las asociaciones y derivaciones hacia otros temas y, por tanto, suele carecer de unidad (Morgan, 1953, 98-108).

W. Mignolo ha intentado exponer los rasgos de oposición entre «conversación» y «diálogo» y a este propósito afirma que

> el marco de la conversación no necesariamente coincide con la introducción de un tópico y su agotamiento, o con la introducción de un problema y su solución, por ello podemos decir que los marcos de la conversación son de carácter pragmático más que semántico (Mignolo, 1987, 7).

Y efectivamente, frente a esta situación, el diálogo tiene un tema central señalado, y añade a las condiciones pragmáticas, que hemos enumerado en el capítulo anterior, una exigencia semántica: tiene unidad de tema y desarrolla un tópico o más en progresión.

Pero también podemos señalar que el final que se persigue diferencia «diálogo» y «conversación». Una conversación, en general, no se termina porque se agote el tema, se interrumpe en cualquier momento, porque se acaba el tiempo, la oportunidad o las ganas de hablar de los interlocutores, y puede reanudarse en otro momento y por cualquier punto, o puede dejarse en suspenso, sin terminar, lo cual indica que es más importante la actividad interlocutiva que el tema, el intercambio que la información que puede derivarse de la conversación.

Por el contrario, el diálogo se acaba cuando se alcanza la avenencia, o cuando se termina la información solicitada, y si se interrumpe, es preciso reanudarlo en el punto donde se ha interrumpido. Es debido a que es más importante el tema que la actividad interlocutiva.

La conversación es una actividad lúdica, que no tiene un fin transcendente; el diálogo es una actividad en la que el lenguaje sirve de instrumento para conseguir una avenencia.

El diálogo es una actividad interlocutiva en la que el sistema de comunicación (verbal o no-verbal, o ambos) adquieren un carácter meramente funcional al servicio de una finalidad. La conversación tiene un fin inmanente: se habla por hablar, por placer. En el diálogo suele dominar la función representativa del lenguaje y hay una tendencia a la objetividad o, por lo menos, a lograr una intersubjetividad que sirva de base para un acuerdo. En la conversación destaca más la expresividad, la intuición, la brillantez. Puede haber, por ejemplo, un interlocutor duro o correoso para un diálogo, pero sería impertinente, casi absurdo, un interlocutor duro o correoso en la conversación.

Podemos completar este análisis léxico y frásico utilizando el *Diccionario de uso del español,* de María Moliner, donde encontramos variantes para situar mejor los rasgos de oposición entre los dos términos, o los rasgos pertinentes que puedan definirlos con perfiles netos.

Conversación = entablar, trabar, mantener, sostener, tener una conversación, cambiar de conversación. Podemos observar que todas las combinaciones frásicas señaladas en el *Diccionario* son aceptables también para *diálogo,* excepto la última: no sería normal «cambiar de diálogo». La razón hay que buscarla en el hecho de que los sujetos tienen una capacidad de intervención prácticamente ilimitada en la actividad conversacional, pero no en la dialogada, cuyas condiciones previas son más rígidas, y cuyas normas de intervención y de turno se orientan a un fin, que debe alcanzarse, o al menos procurarse. Se puede decir *cambiar de conversación* y seguir en la misma actividad, cambiando el tema, pero no puede considerarse «gramatical» la frase «cambiar de diálogo» pues, en todo caso, habría que decir, *cambiar el tema del diálogo.*

En el mismo *Diccionario de uso* encontramos otros rasgos de oposición: *conversacional* es sinónimo de coloquial; frente a esto, *diálogo* se define como «lenguaje culto, esmerado, literario». También aquí hay diferencias: «tono coloquial», «tono conversacional», son expresiones con las que se denotan valores sociales de los signos utilizados en el discurso y en referencia al sujeto que los elige; sin embargo, «tono dialogante» no denota un nivel sociológico del habla, sino una disposición de los sujetos para una actividad determinada y concreta, de modo que esa disposición dialogante puede alterarse en un momento dado o desaparecer. El buen conversador lo es siempre, por eso, es frecuente oír «disposición dialogante» (transitoria y puntual), y menos frecuente resulta «disposición conversadora» referido a un sujeto. La primera expresión alude a una actitud, la segunda a una competencia del sujeto.

La definición de «diálogo» del *Diccionario de uso* destaca otro rasgo: «acción de hablar una con otra, dos o más personas, contestando cada una de ellas a lo que el otro ha dicho antes». Este rasgo semántico «contestar a lo que ha dicho antes la otra», está en inmediata relación con el que destaca el *DRAE,* «hablar en busca de avenencia», porque ambos apuntan a la finalidad del diálogo, que se alcanzará progresivamente con la colaboración de los interlocutores. Esto supone que el *orden* de las ocurrencias y de las intervenciones es pertinente en el diálogo, mientras que obviamente no lo es en la conversación, o al menos no lo es con la misma intensidad: la conversación puede volver sobre los mismos temas, puede hacer derivaciones, y no se dirige a ninguna parte, se habla por hablar. Por el contrario, el diálogo busca avenencia e impone necesariamente una progresión hacia ella, de donde derivan las normas que Grice denomina «principio de cooperación», como hemos visto, y que exigen que cada interlocutor diga en cada momento lo que se espera de él, y no otra cosa, ni más, ni menos, sin reiterarse y sin adelantar o demorar los temas.

No analizamos las definiciones que los diccionarios ofrecen sobre «dialogismo», porque usamos este término en un sentido específico de la actual teoría narratológica y de la actual teoría del discurso, y en uno y otro caso hemos podido comprobar que se encuentra lejos de las definiciones que han recogido los diccionarios: «hablar consigo mismo», o «incorporar citas de otro en el propio monólogo».

En cambio, sí vamos a completar esta revisión de diccionarios, porque nos parece interesante para justificar algunas acepciones actuales, con el *Diccionario de Autoridades* (Gredos, 1984, ed. facsímil):

> «Diálogo = conferencia escrita o representada entre dos o más personas que alternativamente discurren, preguntándose y respondiéndose»; «dialogar = hablar en diálogo y conversación concertada, ya sea en verso, ya sea en prosa. Distínguese de conversar, en el mayor concierto, orden y disposición que se observa en el diálogo: lo que no se guarda en las ordinarias conversaciones».

Estas definiciones, que parecen apuntar hacia el diálogo como género literario, insisten en la mayor normatividad del diálogo, frente a la mayor libertad de la conversación.

En resumen, podríamos decir que el sentido central de «conversación» está cerca de la actividad del verbo «hablar», mientras que el sentido central de «diálogo» apunta hacia una determinada forma de conversación en la que hay mayores exigencias en el inicio, en el desarrollo, en la forma de intervención de los sujetos, en la finalidad y en el orden. El orden, el concierto, la disposición de los hablantes y la finalidad hacen del diálogo una actividad interlocutiva con mayores exigencias que la conversación, que se caracteriza, sobre todo, por su sentido lúdico.

Ya en el siglo XIX, y en la teoría hermenéutica de Schleiermacher, volvemos a encontrar la distinción entre el «verdadero diálogo», que busca el conocimiento a través de un método dialéctico, y la «conversación libre», que no es más que una actividad verbal entre varios sujetos.

DIÁLOGO DIRECTO. DIÁLOGO REFERIDO

Desde una perspectiva estrictamente lingüística, el diálogo puede ser analizado en dos direcciones: una de tipo horizontal, considerando el diálogo en su transcurso como expresión lineal y progresiva; otra de tipo vertical que considera al diálogo en las relaciones que pueda tener con otros discursos en los que se integra.

Las relaciones horizontales se mantienen entre los enunciados de un diálogo y se manifiestan mediante los signos habituales en todos los discursos: gramaticales, semánticos y lógicos. Los signos gramaticales se concretan en los elementos de conexidad y coinciden en el diálogo con los de cualquier otra forma de discurso verbal; los signos semánticos y los lógicos dan coherencia al discurso en su contenido temático y en su distribución argumental.

Las categorías gramaticales que establecen las relaciones internas del diálogo entre las diferentes intervenciones de los hablantes y entre los enunciados, son las mismas que afectan al lenguaje monologal: preposiciones, conjunciones, concordancias, anáforas, consecuencia de los tiempos y modos verbales, etc. La progresión semántica se organiza en torno a una idea central y avanza hacia una conclusión que cierra el diálogo, bien sea en forma directa o con fragmentaciones, matizaciones, recurrencias, etc.; la unidad de sentido se logra en forma directa unas veces, con desviaciones temáticas otras, que pueden ilustrar, o contrastar, la idea central, pues aunque el diálogo, según hemos dicho en el apartado anterior, no es abierto como la conversación, tampoco es rígido hasta el punto de que su estructuración no admita detenciones en el ritmo o variantes en el planteamiento y extensión de las partes y de los motivos parciales.

Por último, la coherencia lógica se basa en esquemas subyacentes a la expresión: el paso de lo general a lo particular; la inducción desde los datos particulares a un enunciado general; la sucesión de planteamiento, nudo y desenlace; el paso de los datos a su interpretación, de los motivos a sus causas, de la descripción a la historia, etc. Los interlocutores tienen conciencia de que avanzan, de que se estancan o de que retroceden, al contrastar su intervención en el discurso con los esquemas latentes que sustentan la expresión. R. Ingarden señala, después del nivel fónico y del lexemático (unidades sin significado y con significado, respectivamente), el nivel de los esquemas y el de las referencias exteriores en su propuesta de análisis de la obra de arte literario (Ingarden, 1971). Y es que de la misma manera que el hablante advierte la verbalización pertinente o no de sus interlocutores y la suya propia (por lo menos en algunos casos), e interpreta la oportunidad en el uso de las unidades con sentido, también tiene conciencia en sus intervenciones y en las de sus interlocutores de la oportunidad de sus enunciados para el conjunto del discurso.

Mientras que los medios gramaticales de conexión son dictados por la competencia lingüística de los hablantes, la coherencia del diálogo depende de su competencia lógica y discursiva. Hay quien habla correctamente, pero «se pierde» en ideas o en esquemas; hay quien verbaliza mal, o construye mal, pero no pierde de vista los esquemas subyacentes, e interviene oportunamente en el diálogo. El diálogo exige para su coherencia que todos los interlocutores se atengan a las normas gramaticales, pero también que sepan por dónde se está discurriendo.

La lingüística analiza el diálogo en las relaciones de los enunciados y en la estructura discursiva que tienen. Larthomas distingue una estructuración interna de cohesión (coherencia intra-réplicas), o de encadenamientos (coherencia inter-réplicas). Desde esta consideración horizontal, con la cohesión interna de cada una de las intervenciones y en el encadenamiento coherente de unas réplicas con otras, el diálogo va avanzando hacia su conclusión y va diseñando un esquema argumental. El diálogo no es una especie de surtidor incesante, sin estructura interior, como puede ser la conversación, cuyo sentido lúdico es manifiesto, sino que es una especie de corriente que avanza hacia un final. Y destacamos esto porque implica otro aspecto que también ha de tenerse en cuenta: en el discurso dialogado se distinguen signos de entrada y de salida. En cualquier discurso dialogado, y en esto coincide con la conversación, hay además de la fase previa, una parte inicial que suele discurrir con enunciados aloracionales de contacto, en los que el lenguaje desempeña una función a veces exclusivamente fática; réplicas y enunciados conclusivos irán cerrando luego los temas propuestos y se terminará con enunciados aloracionales de cierre.

A estas relaciones horizontales pueden añadirse las que en determinados casos mantiene el discurso dialogado con otros discursos con los que puede concurrir en el habla y más frecuentemente en el texto literario. Un discurso puede tener referencias extralingüísticas o puede referirse a otro discurso: alguien dice lo que se ha hecho o lo que se ha dicho. Cuando alguien habla consigo mismo (dialogismo, según el *DRAE)* desarrolla un diálogo en el que hay sincretismo de la primera y la segunda persona; cuando alguien cuenta lo que otros han dicho, puede desarrollar un dialogismo, según la acepción que recoge el *Diccionario de uso del español* («figura retórica que consiste en citar algo dicho en otra ocasión o por otra persona con las mismas palabras y como si fuese esa misma persona la que habla») y no hay ningún inconveniente en que lo que se reproduce sea un lenguaje directo en primera persona, o sea concretamente un diálogo con la correspondiente retórica propia; pero la reproducción puede mantener el estilo directo y la diferenciación textual de los dos discursos, o puede reproducir el discurso en estilo indirecto o incluso integrado totalmente en el habla del que retransmite. Verdín Díaz define el estilo indirecto libre como «la incorporación del diálogo a la narración con la misma sintaxis que el estilo directo puro, pero independientemente de verbos introductores y nexos que indiquen subordinación y dependencia» (Verdín Díaz, 1970, 80). Los usos muestran una variedad de formas muy amplia en este tipo de relaciones verticales, además de la que es propia del estilo directo, indirecto o indirecto libre; estas tres maneras de dar cuenta del habla de otros en un discurso posterior, son las más frecuentes y las que lingüísticamente son más claras, pero hay un dialogismo, tal como lo entiende Bajtin al explicar la novela de Dostoievski, al que hemos aludido más arriba, que consiste en recoger, como ecos en el propio discurso, las ideas, incluso los términos concretos de otro personaje.

Tradicionalmente se han descrito formas de relación de dos discursos, como la paráfrasis, la parodia o la ironía. En la paráfrasis se da un paralelismo de dos discursos (uno de los cuales, el parafraseado, puede sin inconveniente ser un diálogo); la parodia consiste en la imitación burlesca de un discurso en otro (o de una obra completa) estableciendo una relación de rechazo del primero. El rechazo es aún más acusado con el discurso irónico sobre otro discurso, pues se busca la divergencia para conseguir mayor distanciamiento. Las relaciones en los tres casos suelen establecerse entre un discurso terminado, cerrado, y un discurso que va analizándolo. Por supuesto en ninguno de los supuestos se da un diálogo entre los discursos paralelos, paródicos o irónicos; lo que hay es un dialogismo del primer discurso, que ya está cerrado, sobre el segundo que debe seguir la estructura del primero para conseguir el paralelismo, la parodia o la ironía.

Cuando hablamos de las relaciones verticales del diálogo no nos referimos a los casos anteriores, en los que sin duda puede partirse de un discurso dialogado, y sería totalmente indiferente para establecer las relaciones de paralelismo, de parodia o de ironía. Nos referimos más bien a los discursos, más frecuentes en la obra literaria narrativa, pero también posibles en el lenguaje oral y en otros géneros literarios, en los que un texto monologal incluye en sus términos el diálogo de otros sujetos. Se duplican los sujetos de la emisión (el del monólogo envolvente / los del diálogo transmitido) e igualmente los tiempos y los espacios. En la narración se juega con el desdoblamiento de las instancias verbales y de las coordenadas espaciotemporales para conseguir efectos de mayor patetismo, acercamiento, verosimilitud, realismo, etc.

La inclusión de un diálogo en un monólogo envolvente sitúa a éste en un primer plano y proyecta hacia un segundo término al diálogo, con lo que lógicamente se alteran algunos de los rasgos que lo caracterizan, pues deja de ser un proceso *in fieri* al presentarlo como acabado; no cabe duda de que conserva la forma de un discurso dialogado, pero está ya cerrado, es lenguaje transmitido, referido.

La situación lingüística cambia sustancialmente: en el lenguaje directo el sujeto hace sus enunciados teniendo en cuenta las modalizaciones que el contexto impone al proceso dialogal y que lo convierten en un proceso abierto, dinámico, progresivo, en el que concurren signos verbales y no verbales. Todo esto se manifiesta en el cambio continuado del egocentro, dada la alternancia de los turnos, y todo queda inmovilizado en el diálogo referido que tiene ya unos límites inalterables (lo dicho dicho está) y ha pasado de ser acción, de ser proceso, a ser objeto de narración, a ser producto: el lenguaje vivido se convierte en lenguaje narrado. Al situar en un segundo plano al diálogo, lo que está vivo es el monólogo del narrador que actúa sobre un discurso dialogal fijado en unos términos.

Si el diálogo pierde, por lo que decimos, su naturaleza de lenguaje *in fieri,* ¿qué sentido tiene incluirlo en el discurso narrativo, en el que solamente se conserva la forma (si es estilo directo) y que, incluso, a veces hasta la pierde (estilo indirecto)?

Los dos planos, el del monólogo del narrador con su tiempo y espacio propios, y el del diálogo, situado también en sus coordenadas espaciotemporales propias, establecen una distancia que se extiende a otros órdenes: valoraciones, ideologías, contextos, codificaciones. Las relaciones lingüísticas que establece el monólogo como forma envolvente con el diálogo como objeto referido, se organizan en una amplia red que afecta a todas las circunstancias no sólo lingüísticas, sino también pragmáticas y literarias. El lector se ve impulsado a referir los contenidos al ámbito que coherentemente les corresponda y además debe organizarlo todo en un marco único que es el discurso también único del texto narrativo. Las relaciones entre el monólogo del narrador y el diálogo referido corresponden a un discurso único, solidario para los interlocutores del diálogo y manipulado en su distribución, en su valoración y en sus comentarios por el sujeto de la enunciación del monólogo envolvente, que es el narrador.

Esta circunstancia, que es la habitual del texto narrativo, consigue que el monólogo del narrador sea no sólo el marco envolvente para el diálogo en sus relaciones lingüísticas, sino también para sus referencias morales, sociales, culturales, históricas, etc. La interpretación exige al lector una clara jerarquización de las relaciones verticales de los discursos.

El diálogo referido, que se ha inmovilizado en sus formas, que se ha cerrado como proceso, se ofrece al lector pesado y medido desde el sistema de pesas y medidas del sujeto del monólogo, de modo que podrá no sólo retransmitirlo bajo formas lingüísticas variadas, como ya hemos dicho, sino que puede añadirle información suplementaria sobre gestos, actitudes, movimientos, supuestas intenciones e interpretaciones, etc., es decir, transmitiendo, junto a lo verbal, los signos no verbales concurrentes en el diálogo. La «narración de palabras» (Genette, 1972) puede hacerse en forma escueta o dando también cuenta de los signos no verbales: paralingüísticos, kinésicos, proxémicos, objetuales. También es posible transmitir dos o más diálogos, comentándolos, valorándolos, distribuyéndolos y relacionándolos de formas muy diversas.

Estas y otras muchas razones explican la presencia del diálogo en la novela, a pesar de que se retransmita como una forma cerrada y estática. El discurso monologal que retransmite el diálogo se convierte en un discurso complejo por las formas de conexión y coherencia de cada uno de los discursos que en él se integran, pero también por las amplísimas posibilidades de relación entre los sujetos, los espacios, los tiempos, las distancias que se adoptan, las voces, los contextos, etc.

La posibilidad de incrustar un discurso (dialogado o no) en otro está en el lenguaje ordinario, pero, sin duda, donde se ha desarrollado en toda su complejidad para aprovechar las relaciones como signos literarios, es en la narración, y de un modo particular a partir de la novela realista decimonónica, como veremos, para alcanzar en algunos novelistas actuales formas sorprendentes, que no son posibles en el habla estándar.

No obstante insistimos en que el diálogo puede ser transmitido por un sujeto que lo incorpora a su monólogo, y esta operación es una de las posibilidades que ofrece el sistema semiótico verbal debida a su recursividad: un discurso verbal puede reproducir otro discurso verbal, es decir, volver totalmente sobre sí mismo. Otros sistemas sémicos no tienen esta posibilidad: los sistemas figurativos, por ejemplo, pueden introducir en un texto parte de otro, pero no la totalidad en la totalidad.

La creación literaria, particularmente en el género narrativo, ha desarrollado estas posibilidades del discurso verbal; no estamos ante un recurso específicamente literario sino ante el aprovechamiento de unas posibilidades del sistema lingüístico por el texto literario.

LOS DEÍCTICOS EN EL DIÁLOGO

Los análisis lingüísticos del diálogo se han centrado con preferencia en su naturaleza de discurso directo (rasgo no específico, pues lo comparte con el monólogo), y en su forma de discurso segmentado (rasgo que comparte con la conversación).

El diálogo es un discurso segmentado debido a la intervención en alternancia de los sujetos, y es un discurso directo debido a la situación cara a cara en que se produce. El carácter pragmático, tanto de la segmentación como del discurso directo, muestra la conexión, al menos en origen, de ambos rasgos. La relación entre ellos queda también de manifiesto por el hecho de que los signos verbales que caracterizan al diálogo frente al monólogo, pertenecen

a la categoría de palabras vacías, signos señaladores, y signos evaluativos, cuyo contenido se actualiza sólo en su función denotativa
y en su valor intensivo en la situación concreta, es decir, pragmáticamente, en el uso.

Los signos lingüísticos con los que se suele caracterizar el diálogo tienen uso también fuera de él, en el monólogo, en la conversación, etc., pero su índice de frecuencia es más alto en el discurso
dialogado y le confieren una relativa especificidad. Sin agotarlos,
podemos decir que los índices caracterizadores del discurso dialogado son los siguientes:

1.   El uso, más frecuente que en otro tipo de discurso, de deícticos personales (pues es discurso directo).

2.   La frecuencia mayor de deícticos espaciales y temporales
(también debido a ser un discurso directo).

3.   El predominio de tiempos verbales que pertenecen al mundo
comentado, es decir, los situados en el eje temporal del presente:
presente de indicativo, pretérito imperfecto, futuro y pretérito perfecto (debido a ser lenguaje en situación).

4.   El predominio de índices de dirección al receptor: frases in-
terrogativas, exhortativas, exclamativas, etc., con las que se requiere el conocimiento, la acción o la atención del interlocutor; el modo
imperativo (relación conativa, enunciados performativos directos),
etc., debido a la relación interactiva cara a cara que se establece
con el diálogo.

5.   La alta frecuencia de señales axiológicas: sustantivos y verbos de campos semánticos marcados positiva o negativamente, adjetivos de valor, distribución intencional de la frase para destacar
el término valorativo, etc. (Kerbratt-Orecchioni, 1980) (por ser lenguaje directo).

6.   El uso relativamente frecuente del metalenguaje, pues es fácil rectificar, aclarar, matizar, etc., sobre la marcha al hablar en
directo y precisar lo necesario cuando se observa que el interlocutor
no ha entendido o necesita más información. O sea, uso frecuente
de la función fática.

Los deícticos son *palabras vacías*, que señalan relación y afectan conjuntamente al locutor y al alocutor en la situación interlocutiva, en referencia a las relaciones entre ellos y de ellos con el entorno. Los términos evaluativos, como los modalizadores, son *palabras llenas* que remiten a la competencia cultural, ideológica y lingüística de los interlocutores, y generalmente su uso en una situación concreta está en relación inmediata con la idea que uno tiene del otro: el hablante utiliza los adjetivos, sustantivos y verbos con semas valorativos procurando adaptarlos al sistema que él cree que mantiene el oyente, pues tales términos inciden de un modo directo en la *captatio benevolentiae*, o expresan un deseo de adoctrinar, de convencer, rogar, etc. De este modo podemos decir que corresponden a la situación interlocutiva, pragmática.

El diálogo es un discurso que se organiza indéxicamente con dos finalidades: conseguir cohesión, e iniciar procesos semánticos de ostensión. Estos se basan no sólo en los índices lingüísticos, sino también en el valor deíctico que adquiere el gesto respecto a las cosas y a los interlocutores, a lo que hay que añadir el valor conativo que también puede tener el gesto y que puede iniciar procesos semánticos de ostensión: un movimiento de cejas, el gesto con la cabeza o con la mano puede hacer callar al Yo o puede inducir la actividad del Tú.

Los dos rasgos más decisivos del discurso dialogado, por lo que afecta a su construcción lingüística podemos decir que son el ser discurso directo y el darse en una situación interlocutiva. Es necesario contar siempre con ambos en simultaneidad, pues uno solo no es suficiente: el ser discurso directo no lo diferencia del monólogo que, a veces, es discurso directo también (aunque no lo sea siempre, pues puede utilizar la forma impersonal, o la no personal, la llamada de tercera persona); el darse en situación interlocutiva no diferencia al diálogo de la conversación y para oponer estas dos formas de intercambio verbal habrá que acudir a otros aspectos, como ya hemos visto. Podemos afirmar que el diálogo *debe* usar el estilo directo, el monólogo *puede* usar el estilo directo. El diálogo tiene unidad temática y termina en enunciados conclusivos, la conversación puede tener unidad temática, pero no tiene por qué tenerla y puede quedar abierta.

Los deícticos en el diálogo oral denotan las categorías gramaticales correspondientes, por lo general; en el diálogo escrito y particularmente en el literario, pueden ser manipulados cuando se retransmite y se sitúa en unas relaciones verticales con un monólogo o con otro diálogo.

El lenguaje directo utiliza el Yo como índice de representación real, pero también figurada, del emisor del enunciado. El locutor se inscribe a sí mismo en el enunciado y adopta una determinada distancia afectiva respecto a sus propias palabras. La presencia del Yo en el discurso es el indicio más inmediato del estilo directo, que es un *hecho lingüístico de forma*, pero además es un *hecho semiótico literario* (unidad de construcción y de sentido) que en el conjunto de una obra puede adquirir diversos sentidos en relación con actitudes del narrador, con el juego de voces de la narración, y también en relación con los presupuestos epistemológicos de que parte el autor: a veces deja la voz en directo al personaje porque no admite otra forma posible de conocimiento del interior subjetivo, etc., y así vamos a interpretar algunos discursos novelescos.

El texto literario usa con frecuencia el que hemos denominado «falso estilo autobiográfico» (Bobes, 1971); en este caso el Yo tiene un referente que no coincide con el emisor real de modo que la persona denotada por el YO textual no es el sujeto de la enunciación. El lenguaje literario del *Lazarillo* utiliza un lenguaje directo, un estilo autobiográfico aparente, en el que el índice personal del hablante, no representa al autor y se ha convertido en signo literario de proximidad afectiva, o en índice de protesta ante el olvido en que la sociedad tiene a los pícaros por cuya historia no muestra interés, frente al que tiene por los héroes caballerescos que disponen de un historiador dispuesto a seguir sus andanzas y darlas a conocer al mundo; el Yo es también una unidad de construcción en el relato porque da lugar a una distribución sintáctica en la que la relación sucesiva de espacios (sociales o geográficos) ha sustituido a la relación de escenas con distintos sujetos y anécdotas modélicas: un índice lingüístico se convierte así en un signo literario.

Hasta aquí el diálogo y el monólogo en estilo directo no se diferencian en el uso del índice personal del locutor. Pero el diálogo tiene unas exigencias que lo alejan del monólogo, la más destacada de las cuales es la presencia —o latencia— textual, de un interlocutor, que ocupa alternativamente el papel de locutor.

La presencia del Yo y del Tú en el discurso no es suficiente para que haya diálogo, pues, como ya hemos dicho, ambos deícticos pueden aparecer en procesos expresivos y comunicativos en los que no hay diálogo, pero sí dialogismo. El diálogo es un hecho de discurso, el dialogismo se encuentra en todo proceso de comunicación, incluido el dialogal.

Los índices personales Yo/Tú en el texto pueden considerarse «particulares enfáticos», puesto que informativamente no son necesarios: son categorías lingüísticas que pertenecen al que llamamos «esquema semiótico básico», que subyace en todo enunciado, tanto si se hace en primera, segunda o tercera persona. En este sentido el Yo y el Tú y sus variantes constituyen una «red deíctica» que está en todos los esquemas semióticos generales y en todos los usos concretos del habla. En todos los discursos hay un emisor, un Yo, y un receptor, un Tú, que pertenecen al proceso de la enunciación como una constante. Ambos pueden pasar al enunciado, sin anular nunca su presencia en el esquema del proceso, en cuyo caso el discurso es directo. No obstante, el discurso directo puede manifestarse mediante otros índices, sin que sea necesario, por tanto, el Yo textual, y así son índices del locutor las terminaciones verbales de primera persona, los índices espaciales de situación (aquí), los temporales (ahora), de relación de propiedad (mi), de distancia (éste), etc., y lo mismo podemos decir del Tú cuya ausencia textual se suple con la presencia de los índices de segunda persona paralelos a los que hemos enumerado para la primera. Y esta situación es propia no sólo del discurso dialogado sino también del monologal, como discursos directos.

Por medio de los índices gramaticales de primera y segunda persona, es decir, de los índices de locución y alocución, el discurso sitúa al hablante y al oyente en una relación lingüística determinada, pues crea un espacio tensional, a cuya configuración contribuye también el gesto y el movimiento cuando inician procesos semiósicos ostensivos.

En los procesos expresivos el Yo prescinde del Tú, a pesar de lo cual, puede incluirlo en el discurso como un indicio retórico de apelación directa, de aproximación, de reflexión (si hay sincretismo), así los ejemplos líricos se multiplican: «¿por qué volvéis a la memoria mía, / tristes recuerdos del placer perdido...»). En el proceso de comunicación el Yo se dirige a un Tú, que no tiene ya carácter retórico, sino que tiene una referencia objetiva, un sujeto fijado en la función de receptor. Únicamente el proceso interactivo en el uso dialogado incluye los dos índices personales, el Yo y el Tú, en funciones alternantes de emisor y receptor. El Yo dialogal participa en el discurso directo, pero además establece un juego de alternancias con otro sujeto. Benveniste afirma que el Yo crea al Tú, porque «toda enunciación tiene estructura de diálogo», ya que todo locutor, al tomar la palabra, considera el lenguaje desde su punto de vista y se hace a sí mismo centro de todas las coordenadas pragmáticas (Benveniste, 1970). Es ésta una explicación lingüística inspirada sin duda en una idea filosófica, la «concepción egológica de la conciencia», de Husserl, según la cual el «ego» es el fundamento de todos los actos intencionales.

Sin embargo, no podemos admitir esta explicación para el diálogo, que es un hecho de discurso, sino sólo para el dialogismo que se da en todos los enunciados. Los procesos expresivos y comunicativos admiten también esta explicación. Los procesos interactivos que tienen forma dialogada presentan un Yo y un Tú concurrentes: el Yo no crea al Tú, simplemente lo reconoce, y ambos disponen de las misma condiciones y posibilidades de uso lingüístico. Y ad-

mitiendo esta situación especial del diálogo, no habría inconveniente en dar la vuelta al argumento y decir que el Tú crea el Yo: nadie
dialoga solo, debe hacerlo con un Tú, por tanto, es la presencia
del Tú la que origina el diálogo. Pensamos que esta cuestión de
prelaciones es ociosa, basta con admitir que son simultáneas las
dos personas gramaticales en el esquema básico del diálogo, y que
tienen las mismas posibilidades. Lo hemos visto ya en la pragmática.

La doble actividad del YO (como sujeto de la emisión y como
extremo de la tensión creada) resulta importante para analizar las
modalidades del discurso literario en general, pero particularmente
del narrativo, pues permite reconocer, además del Yo y del Tú de
la enunciación (personas reales en la referencia) (autor/lector), unas
actividades que diseñan y dan entidad a un emisor y un receptor
textuales: el binomio narrador/narratario, cuyas relaciones se articulan de forma especial en cada relato, con ruptura de simetría,
con latencia, porque se desdoblan, porque se presentan en sincretismo, etc. (Villanueva, 1984).

El sistema deíctico tiene una enorme importancia en el discurso
dialogado porque sitúa a los sujetos de la enunciación y del enunciado en una determinada distancia que se concretará en los diferentes procesos semióticos de forma específica, pero además los pone en relación con el tiempo, el espacio y los objetos de la situación
pragmática cuando se trata de lenguaje cara a cara, como es el
caso del diálogo. Los índices gramaticales se convierten en una especie de códigos de señales entre los sujetos y la palabra y entre
los objetos y la palabra a través de los sujetos y debe interpretarse
en cada caso concreto puesto que los índices son siempre palabras
vacías, que sólo tienen semas de relación, no semas intensivos.

Las relaciones «persona/espacio/tiempo/objetos» responden a
una situación real en cada uso y para representarla mimética u homológicamente en el discurso, el sistema lingüístico dispone de categorías gramaticales específicas que forman un esquema de características diferentes a las de los nombres y verbos, que tienen valor
referencial estable, aunque con virtualidades concretas. Todos los

indéxicos tienen centro en el Yo, es decir, la persona que está en el uso de la palabra en cada ocasión. Por esta circunstancia, B. Russell prefiere denominar a los indéxicos «particulares egocéntricos» (Russell, 1983, 97-105).

La novela puede presentar su discurso en estilo directo dirigido a un lector implícito o explícito, y puede presentar un discurso dialogado con dos o más interlocutores. El diálogo de los personajes tiene como sujetos de la enunciación a los personajes, que son alternativamente hablantes y oyentes, y que a su vez pueden emitir enunciados cambiando la referencia del Yo si ceden la palabra a otro, y así en una cadena abierta. El mundo de los personajes es una construcción imaginaria vedada para el lector; la labor de éste es de observación y de interpretación, pero nunca de participación. Y la situación de un diálogo de personajes como forma para el dialogismo general de toda comunicación se traduce en una concurrencia de voces en el discurso: se deja oír el narrador que da voz a los personajes y éstos, constituidos en narradores, pueden dar voz a otros personajes, en una especie de caja china que se abre en sucesivas capas. El diálogo dramático presenta también la posibilidad de que uno de los interlocutores, un personaje, reproduzca la voz de otro, que a su vez diga que le dijeron, etc. Sobre la diversidad de estas posibilidades literarias volveremos en capítulos siguientes.

El sistema de deícticos, formado por signos que cumplen varias funciones, tiene formas distintas, puede establecer relaciones diversas, y recibe nombres también diversos. No hay una nomenclatura fijada y las equivalencias no son, a veces, unívocas. En su estudio sobre la evolución de los demostrativos en las lenguas europeas, Brugmann (1904) llamó la atención sobre la función señaladora que cumplían y la denominó *deixis* (mostración), de donde deriva la denominación de «sistema deíctico». Bühler (1934) adoptó el término y su acepción. Jakobson (1957) divulgó el término *shifters,* que había tomado de Jespersen (1924) para denominar no la función señaladora, sino las unidades lexemáticas que la cumplen (señaladores). Al traducir unos artículos de Jakobson al francés, Ruwet utilizó el término *embrayeurs* para *shifters*, porque consideró que además de la función señaladora, los deícticos cumplían otra: la de conectar el discurso con la situación en que se usaban.

Las dos funciones, señalar y conectar, las cumplen sincréticamente los términos del sistema deíctico y lo hacen en dos direcciones: dentro del discurso, mediante anáforas parciales, y fuera del discurso señalando relaciones entre los sujetos de la enunciación y los objetos y personas del entorno.

Ch. S. Peirce usó el término *índice* y habló de la función *indéxica* en sus teorías sobre las diferentes clases de signos, y fue Morris quien divulgó estos términos que fueron adoptados en varias lenguas. Por último diremos que las denominaciones propuestas por B. Russell, «particulares egocéntricos» y por Reichenbach, «token-reflexive-words» (términos del lenguaje reflexivo) no han tenido difusión en la lingüística, a pesar de que el primero se basa en la relación que toma como centro una categoría gramatical, el Yo, y el segundo pone de relieve la funcionalidad de los indéxicos en el discurso.

El sistema de indéxicos en el español está formado por series de términos que hacen referencia a las tres categorías principales de persona, tiempo y espacio:

a) De *persona*: Yo y sus variantes en la construcción de la frase; los morfemas personales del verbo; los posesivos que expresan relación de propiedad del Yo respecto a personas y cosas; los demostrativos, que señalan distancia relativa a objetos y personas. Todos ellos, desde la primera persona, que se repite con las variantes correspondientes para la segunda y también en serie para la no-persona, llamada tercera por la gramática tradicional.

Benveniste diferencia, dentro de los deícticos de persona, dos tipos de correlación: la de *personalidad,* que opone primera y segunda personas con la llamada tercera, que es realmente el término negativo de la oposición: la no-persona: Yo-Tú // El; y la de *subjetividad,* que opone la primera a la segunda persona: Yo // Tú.

b) De *tiempo:* puede expresarse mediante lexemas plenos: «ahora», «hoy», «ayer»…, o mediante palabras vacías que se llenan pragmáticamente: «antes», «después» (con significado relativo); «primero», «segundo»… (con significado de orden); «mientras», «a la vez» (de simultaneidad en el tiempo). También puede indicarse la temporalidad en el discurso mediante la perspectiva establecida en las categorías verbales. El tiempo lingüístico surge en el límite de la instancia del Yo, pero la temporalidad del discurso mantiene un orden que puede corresponderse, con el del interlocutor, que lo reconozca y lo integre en su propio marco temporal, a pesar de que está concebido para un mundo ficcional. Esto significa que cualquier desorden temporal en el mundo de ficción se tiende a explicar situándolo en el mundo onírico, como proyección subjetiva, etc., y las relaciones relativas y parciales dentro del tiempo ficcional deberán medirse en una secuencia lineal, o circular, o por anulación de toda referencia (atemporalidad) con los mismos índices que son válidos en el mundo de la realidad, que sirve de sistema, o de marco referencial.

c) De *espacio:* los términos que señalan en el texto esta relación son adverbios de lugar: «aquí», «ahí», «allá», y sus variantes. La proximidad relativa del objeto puede señalarse en referencia al sujeto y también a otras esferas, por ejemplo, la de objetos entre sí.

Los deícticos señalan tiempo y espacio relativos en el lenguaje en situación, en el diálogo, siempre que son posibles los procesos sémicos de ostensión. Por esta razón parece que se ha empleado el término «deíctico» como sinónimo de «descriptivo» y se ha propuesto una ontología deíctica que se ocupe no de hechos (o de esencias), sino de «acontecimientos», que tienen lugar en la vida «práctica» del hombre, es decir, en unas coordenadas espaciales y temporales presentes. Desde esta consideración, y para algunos filósofos fenomenólogos, «deíctico» equivale a «ostensivo». Y este concepto, trasladado a la lingüística, puede explicar adecuadamente cómo en el ámbito dramático el mundo ficcional, limitado por el espacio escénico, acoge procesos incesantes de semantización de todo lo que se localiza en situación presente: la ostensión y la deixis generan procesos semánticos que convierten cualquier objeto en signo, con una movilidad y una capacidad de transformación que han puesto de relieve varios semiólogos (Bogatyrev, Honzl).

Los índices de ostensión, según Eco, convierten a los objetos materiales en signos cuya referencia es la clase de objetos a que pertenecen. La expresión *esta mesa* (que Russell denomina «signo señalador») tiene la representación aquí y ahora (en la deixis ostensiva) de la clase de objetos «mesa» (Eco, 1977, 373). Para Russell es el lexema «mesa» («signo caracterizador») el que puede interpretarse como representante de la clase de objetos, de modo que los nombres podrían considerarse como una definición abreviada.

Los procesos semiósicos de ostensión, iniciados a partir de los usos de los deícticos en el diálogo, son explotados particularmente por el género dramático, sobre todo en la representación. En el texto literario, de cualquiera de los géneros, se realizan construcciones imaginarias también a partir de los índices textuales centrados en el Yo, y en toda su diversidad, de una manera más inmediata con el lenguaje directo del diálogo y las oscilaciones que en él se basan mediante la alternancia con el Tú y con las formas no personales.

Por otra parte, los signos deícticos suelen añadir un valor conativo a su función, pues obligan, por ejemplo, al interlocutor a dirigir la mirada hacia un sitio, según la distancia que señale el término indicador y generalmente se subrayan mediante otros signos concurrentes, de tipo kinésico: la mirada, un levantamiento de cabeza, una indicación con la mano, etc., que contribuyen a la ostensión y refuerzan el sentido que ha de darse al objeto señalado. En esta capacidad se basa muchas veces la mirada en el cine que sirve de coordinadora de planos: mirada - lo mirado.

El uso de los deícticos personales tiene, en principio, una función fática, pues establecen interacción verbal dialogada, o al menos dialógica; tienen también una función conativa, como los de espacio, pues pueden impulsar al Tú a la acción, de hablar o de escuchar; y tienen también una función demarcativa, que se aproxima a los conceptos espaciales. Por ejemplo, dice Yerma a Juan:*yo no soy tú*, y se extiende al género humano en su totalidad, dividido por el género: los hombres tienen su vida / las mujeres tienen la suya:

JUAN: (...) quiero dormir fuera y pensar que tú duermes también.

YERMA: Pero yo no duermo, yo no puedo dormir.

JUAN: ¿Es que te falta algo? Dime, ¡contesta!

YERMA: Sí, me falta.

JUAN: Siempre lo mismo. Hace ya más de cinco años. Yo casi lo estoy olvidando.

YERMA: Pero yo no soy tú. Los hombres tienen otra vida, los ganados, los árboles, las conversaciones; las mujeres no tenemos más que ésta de la cría y el cuidado de la cría. *(Yerma)*.

García Lorca hace hablar a sus personajes con los deícticos personales siempre por delante para señalar la tensión en que viven sus relaciones matrimoniales, para contraponer posiciones y también para pinchar con la palabra en la pasividad de Juan; es Yerma la que hace las oposiciones más fuertes y directas mediante los indéxicos y las extiende luego a las palabras plenas: los hombres, las mujeres.

Los signos de espacio crean el marco donde se acogen los valores proxémicos del diálogo, y en este sentido podemos decir que los indéxicos crean el espacio lúdico de los personajes dramáticos. La tensión emocional entre dos personajes puede iconizarse en las distancias a que se sitúan en el escenario. El teatro traduce icónicamente enfrentamientos emocionales en un espacio tensional, como en el caso de *Yerma*; o en un espacio físico que traduce las oposiciones personales, ideológicas o de conducta en *La casa de Bernarda Alba*: dentro/fuera (aquí/allá) se hace símbolo de verdad / mentira, sumisión / libertad, matizados en la creencia de los personajes, que pueden llegar hasta sentirlos como contradictorios: para

Bernarda el mal está fuera de los límites estrechos de su casa, para las hijas el salir es la aspiración.

La *deixis temporal* puede asumir también un dramatismo en el diálogo al enfrentar el tiempo de un personaje con el de otro, y más frecuentemente al contrastar los tiempos sucesivos de un mismo personaje: pasado frente a futuro, o frente a presente; pueden escenificar épocas de ilusión y desilusión, o de juventud dichosa frente a vejez desgraciada.

Suele ocurrir que en estos casos los formantes y signos escénicos actúan en convergencia con los deícticos y con la palabra en general para subrayar el sentido que quiere dársele a las oposiciones temporales. Vargas Llosa en *La señorita de Tacna* traslada al espectador repetidas veces desde un presente escénico hasta un pasado trágico mediante formantes de luz, de objeto, de expresión corporal, etc., que se relacionan con índices temporales como «entonces», / «ahora», o espaciales «allí»/«aquí».

Todas las posibilidades de expresión y de comunicación que tienen los indéxicos se realizan de un modo pleno en el diálogo precisamente por ser lenguaje directo y lenguaje en situación. El contexto inmediato se pone en relación con los sujetos de la situación y en contraste con otros contextos ya pasados o alejados del actual. El diálogo además, como proceso interactivo, da lugar a una tensión que se llena de dinamismo al tener que cambiar las referencias según van cambiando los locutores (el egocentro). La importancia que adquieren los indéxicos en el diálogo se pone de manifiesto particularmete en el género dramático, hasta el punto de que se ha intentado una segmentación del texto representado mediante la dirección que le imprimen los deícticos (Serpieri, 1978).

Una vez más podemos afirmar que unos hechos y unos valores que describimos e identificamos en el sistema lingüístico verbal son explotados en el texto literario y se convierten en signos literarios.

Generalmente el diálogo suele constituir un texto autónomo, bien sea en forma exenta, como ocurre en el lenguaje oral directo, bien sea en el lenguaje literario como una parte de un texto más amplio que explica la situación previa y las subsiguientes al diálogo y a la vez lo envuelve y lo retransmite.

Dressler define el texto como «un enunciado lingüístico concluso» (1974), en el que es posible reconocer un comienzo, una relación solidaria de las partes y un final. La unidad del texto deriva precisamente de esa posibilidad de identificar una progresión conjunta de los enunciados hacia un final único. En este sentido podemos decir que ningún texto es el resultado de una acumulación de enunciados, sino que procede de la voluntad del hablante de relacionar sus frases, y de la voluntad de los interlocutores, cuando se trata de un diálogo, de dar unidad al conjunto.

El principio de cooperación en el diálogo se inicia precisamente con esa voluntad por parte de los hablantes de buscar la unidad, de modo que, aparte de que deben aceptar las presuposiciones comunes, las condiciones previas y el marco de referencias válido para todos, deben seguir las normas necesarias para garantizar la unidad textual. En el caso de un monólogo, como es lógico, basta la voluntad y la competencia del emisor para conseguir unidad; en el caso del diálogo, la voluntad de unidad no puede quedar limitada a las intervenciones propias, sino que pasa también por admitir como propias las intervenciones de los otros, independientemente de que las relaciones que se establezcan entre los diferentes enunciados sean de conjunción, disyunción, alternancia, contraste, etc., es decir, las mismas que puede haber en el discurso monologal (Van Dijk, 1980, 95).

Quiere esto decir que la argumentación que se hace en el monólogo puede establecerse, con los enlaces pertinentes, proponiendo un enunciado o rechazándolo, proponiendo uno alternativo o en contraste, etc., y se puede avanzar contando con todos en la relación en que se sitúen; lo mismo ocurre en el diálogo, si bien, las relaciones concebidas en la forma que sea, deben abarcar los propios enunciados y los de los interlocutores: ninguno de los hablantes puede argumentar haciendo caso omiso de los demás, porque, si hace esto, no entra en el diálogo y se limita a aportar su monólogo.

La unidad del discurso se hace patente mediante signos textuales comunes al monólogo y al diálogo, aunque quizá tengan un índice de frecuencia más alto en el diálogo. Son los *conectivos* que ordenan las frases en un conjunto único.

Por lo general, los conectivos son categorías gramaticales que constituyen, como en el caso de los indéxicos, un sistema propio en cada lengua. Pueden ser conjunciones, tanto las coordinantes como las subordinantes, que ponen en relación dos o más frases; los adverbios sentenciales del tipo «no obstante», «sin embargo», que proponen directamente relaciones de disyunción, de contraste, de alternancia, etc., entre frases, o entre unidades de intervención dialogales; pueden ser también preposiciones que tienen en el texto carácter conectivo; interjecciones, partículas, frases hechas.

Podemos admitir que uno de los rasgos fundamentales de los conectivos es que tienen carácter intensional (Van Dijk, 1980, 82), es decir, se apoyan en el significado de las frases y las relacionan desde un contenido especial, por lo que añaden un nuevo sentido. Como es lógico, los enunciados se conectan si los hechos y relaciones denotados por ellas tienen una relación en alguna situación posible, es decir, extensionalmente, o mejor diríamos extralingüísticamente.

Los elementos conectivos tienen un valor semántico porque establecen las relaciones apoyándose en el sentido de los enunciados que unen y porque añaden una parte del sentido relacional que tienen; y también tienen un valor pragmático porque implican una relación en los referentes exteriores al texto.

Las *normas de coherencia* tienen carácter lógico o semántico y se manifiestan en el texto en formas diversas. Con frecuencia no disponen las lenguas de signos directos de coherencia y su manifestación textual descansa en la distribución de las partes. Sacks habla de *coherencia de distribución* en algunos casos, por ejemplo, cuando los enunciados, por el hecho de ir seguidos en el texto pueden relacionarse en el esquema general «causa-efecto», a pesar de que el texto no recoja entre uno y otro una conjunción de valor causal. El emisor piensa en esa relación y el receptor la induce por su parte dentro de su propio esquema de coherencia. El hecho de que dos enunciados vayan seguidos es una oferta para la interpretación de una relación, la que sea lógica en el texto, entre ellos. Con frecuencia el esquema formal «antes-después» se traduce en el esquema causal «causa-efecto» en cualquier lectura. La coherencia es así entendida como una especie de esquema previo que comparten los interlocutores y en el que están dispuestos a situar los enunciados que se vayan formulando.

R. Ingarden (1971) propone un análisis de la obra de arte literario en varios niveles: empezando por las unidades fónicas, se pasaría luego a las unidades lexemáticas con sentido y en un tercer momento a los esquemas. Creemos que precisamente en este nivel de análisis se sitúan las normas de coherencia que carecen de lexemas propios, pero tienen una eficacia notable para lograr la unidad del texto. El diálogo concretamente reconoce los esquemas subyacentes en el conjunto o se pierde en monólogos superpuestos. El teatro cómico utiliza con cierta frecuencia la discordancia textual de la coherencia entre las diferentes intervenciones para conseguir efectos de ironía o distanciamiento entre personajes, o de ellos respecto al público.

Mignolo afirma que

> la conversación, a diferencia de otras formas de interacción oral con intercambio de turnos, exige menos la coherencia que la conexidad. En la conversación pueden intercambiarse turnos y pasar de un tópico a otro sin que necesariamente el primero esté concluido (...). La

libertad con que los participantes alternan la palabra impone como condición necesaria que la libertad no llegue al caos, que haya cierta conexidad en el desarrollo de un tópico y en el pasaje de uno a otro, aunque no se espera una fuerte coherencia (Mignolo, 1987, 8).

Efectivamente, en la conversación se pasa de un tema a otro, se dejan a veces los temas incompletos, se repiten o se recrean intermitentemente, e incluso pueden suplirse los índices de coherencia mediante signos no verbales: un tono de voz especial puede indicar el paso de un personaje a otro citado, un gesto, un movimiento, etc., pueden señalar relaciones que se han omitido verbalmente.

El diálogo, como texto más formalizado en sus turnos y en sus exigencias, a pesar de ser oral también, observa con más rigor las normas de coherencia, entre otras razones porque en la conversación cabe el cambio de tono, la ironía, el sarcasmo, etc., mientras que el diálogo muy raramente admite tales modalidades.

Los elementos lingüísticos que dan coherencia al texto fueron analizados por T. Van Dijk (1980), el cual define la coherencia como «una propiedad semántica de los discursos basada en la interpretación de cada frase individual relacionada con la interpretación de otras frases», y señala hasta cuatro clases de coherencia textual, todas las cuales pueden encontrarse en el diálogo como texto autónomo:

La *coherencia superficial o cohesión*, que se logra mediante recursos gramaticales como las referencias anafóricas, las concordancias, etc.

La *coherencia global*, o macroestructural, que permanece subyacente al texto y podríamos concretarla en la frase que lo resume. Van Dijk considera que esta coherencia macroestructural procede de la estructura abstracta subyacente en todo texto, pero puede ser, una estructura semántica subyacente. En cualquier caso es un conjunto lógico de distribución estratégica de las partes para lograr una significación única entre todas.

La *coherencia pragmática* que el lector o cada hablante proyecta sobre el discurso material, en su forma y en su sentido, en relación a la situación pragmática en que se desarrolla.

La *coherencia interna*, que se construye sobre una isotopía única, es decir, sobre la permanencia de una base clasemática que luego se va desarrollando en las diferentes unidades de significado que se orientan hacia el mismo sentido, es decir, en un conjunto redundante de categorías semánticas. Es una coherencia intratextual que se basa en la redundancia, la reiteración o incluso la repetición directa de lexemas o de semas. Eco llama, por esta razón, a la isotopía coherencia de recorrido de lectura. Este tipo de coherencia permite seleccionar en cada uno de los lexemas del discurso aquellas acepciones que convienen en aquel contexto concreto, de modo que el lector o el interlocutor actualiza, entre todos los semas de la estructura semántica de los términos, solamente aquellos que son pertinentes al sentido global. La unidad de sentido permite la orientación de todas las partes hacia las mismas isotopías, por eso el texto puede resumirse siempre en una unidad de contenido (Lang, 1972, 75-80).

Para terminar la descripción de los aspectos lingüísticos del diálogo hemos de insistir en que muchos de los rasgos que hemos destacado no son específicos del discurso dialogado, pero sí advertimos una mayor frecuencia de uso o bien unas relaciones matizadas en ellos. Al pasar a los usos literarios de esta forma de discurso dialogado vamos a encontrar una situación semejante. La lengua literaria explota, según los géneros, algunas de las formas de los signos lingüísticos y al repetir los usos las convierte en signos literarios que suman a su significado un nuevo sentido literario.

LA DOBLE VERBALIZACIÓN, CODIFICACIÓN
Y CONTEXTUALIZACIÓN EN EL DIÁLOGO

Como final, y a la vez resumen, del análisis de los aspectos pragmáticos y de la descripción de las formas lingüísticas del diálogo que venimos realizando, vamos a precisar cómo se produce la *verbalización* (uso de los términos y de las construcciones gramaticales por cada uno de los sujetos hablantes), la *codificación* (paso de los contenidos semánticos a las secuencias verbales y no verbales de los enunciados) y la contextualización (relaciones pragmáticas con los sujetos y con la situación) en el lenguaje del diálogo y las diferencias que presenta respecto a lo que suele ocurrir en el monólogo con estas mismas operaciones.

Un texto monologado tiene la razón de su unidad en la emisión, independientemente de que alcance también unidad de interpretación en la lectura de cada uno de sus receptores. A lo largo del texto monologal permanecen inalterables las presuposiciones, el marco de referencias, el modo de verbalizar, de codificar y de contextualizar, puesto que permanece el sujeto de la emisión. Esto es lo habitual en cualquier texto monológico del lenguaje funcional o del lenguaje literario. Si fuese necesario, por ejemplo, y para entender un texto, cambiar de marco de referencias de unas partes a otras, se hablaría de una contradicción del emisor, o si se advierten cambios de verbalización, podría pensarse en la existencia de dos emisores. Recordemos que, por ejemplo, el problema de la doble autoría de *La Celestina* se ha abordado desde la contextualización, concretamente desde la intertextualidad (Castro Guisasola, 1924), o desde la verbalización (Criado de Val, 1958), a pesar de la lograda unidad de estilo de la obra, que lleva a Menéndez Pelayo a la afirmación de que hay un autor único (Menéndez Pelayo, 1947).

El diálogo cuenta por su estructura con la presencia de al menos dos emisores, y aunque estén de acuerdo en los presupuestos y en las condiciones previas, el desarrollo del texto se realizará teniendo en cuenta que cada uno de los interlocutores tiene unos modos propios de verbalizar, hace una codificación personal y tiene unas competencias determinadas para contextualizar. Por tanto, podemos hablar respecto del diálogo, de una doble verbalización, de una doble codificación y de una doble contextualización.

La actividad de los sujetos en el diálogo transcurre en dos fases principales:

1) la previa al diálogo, que en principio más que una actividad es una situación, aunque algo tiene de dinámico: cada uno de los hablantes tiene una competencia propia que proyectará unas formas de actuar. Las disposiciones pre-dialogales de los sujetos proceden de las modalizaciones (poder, querer y saber dialogar), cuentan con las presuposiciones (referentes a los grados de conocimiento sobre el lenguaje y sobre la conducta de uno mismo y de los demás) y establecen un marco de referencias común para dar sentido por concurrencia o por contraste con lo que se toma por canon. Cada uno de los hablantes, a pesar del acuerdo inicial (lo cual es ya una actividad del diálogo), actúa con sus propias condiciones personales, de modo que en ningún caso los enunciados que puedan emitir han de considerarse intercambiables. La unidad del texto dialogado se apoya en el fin que se busca, no en la existencia de una instancia emisora única. Las condiciones de la situación previa referentes a las competencias discursivas y verbales de los sujetos son diferentes para cada uno de ellos y darán lugar a enunciados marcados por su origen individual: en el diálogo EEUU-URSS, por más que se llegue a un acuerdo, los enunciados de Bush tienen un sentido diferente del que puedan tener los de Gorbachov y no serán intercambiables.

La unidad textual del conjunto de un diálogo no impide la distinción entre los enunciados por su origen: el diálogo es construido por dos hablantes que conservan sus características propias; los dos contribuyen, pero lo hacen de modo diverso, a la unidad textual.

2) En segundo término se sitúa la fase propiamente dialogal. El texto dialogado es un discurso fragmentado, efecto de un lenguaje en situación cara a cara, que tiene, por tanto, un uso especial de los deícticos al señalar la relación entre los sujetos y la de éstos con la situación, un uso también especial de la gestualidad, del paralenguaje, del movimiento y de las distancias entre los hablantes. Las circunstancias en que se desarrolla el diálogo dan lugar a un

hecho que destacamos: *el orden de las intervenciones resulta pertinente en el discurso*, puesto que las relaciones entre los hablantes se alteran a lo largo del diálogo y las situaciones que se van creando no permanecen estáticas, por el contrario avanzan hacia un final en un texto progresivo en su desarrollo.

Los enunciados de un diálogo, a pesar de la unidad del texto en su conjunto, están marcados por el origen personal (el emisor), por el orden que tienen en el texto y además por las relaciones que en cada momento se dan entre los hablantes.

No se trata, como en otros textos, de la pertinencia del espacio en un esquema lógico con principio, medio y fin, sino de la adecuación del discurso a su origen (emisor más o menos competente y dispuesto) con la distinción en los procesos de verbalización, codificación y contextualización; de la adecuación del discurso a la trayectoria que siguen los argumentos en su progresión hacia el acuerdo final; de la adecuación del discurso en cada momento a las relaciones personales que se establecen dinámicamente entre los hablantes.

El diálogo, al revés de lo que ocurre en la conversación, es un texto ordenado y progresivo. En él las normas de coherencia y el esquema lógico subyacente a cualquier historia (diálogo informativo) o a cualquier argumento (diálogo discursivo), se sitúan complementariamente en una vinculación continuada con los sujetos de la emisión en un orden impuesto por los cambios de relaciones que puedan producirse a lo largo del proceso.

La doble verbalización, codificación y contextualización que aportan los sujetos del diálogo y que dan lugar a enunciados marcados en la emisión, se manifiesta en un orden que resulta pertinente también por relación al sujeto emisor, y se completa con las circunstancias que proceden de la misma naturaleza del diálogo y que se concretan en el hecho de que cualquier enunciado mantiene siempre relaciones con los enunciados de todos los demás hablantes.

Esto quiere decir que no basta diferenciar la verbalización, la codificación y la contextualización por el origen, en relación a las

condiciones previas del emisor, y por el desarrollo textual del diálogo, hay que tener en cuenta además las implicaciones conversacionales que surgen y se van imponiendo a medida que la palabra
crea nuevas situaciones o modifica más o menos las existentes. Aunque cada uno de los sujetos conserve sus propias formas de actividad verbal, aunque el orden resulte pertinente por la naturaleza
progresiva del diálogo, es preciso añadir a esto *la posibilidad de
que un marco de referencia nuevo vaya construyéndose con las intervenciones de todos.*

Y es importante destacar este modo de actuación porque es la
nota más característica del diálogo. Este es un proceso *interactivo*
que impone como marco general unas relaciones entre varios sujetos hablantes: cada uno de ellos actúa por sí mismo con sus circunstancias personales y situacionales, pero además está colocado
en una posición respecto a otros, en un conjunto que actúa en unidad de fin. La situación personal está enmarcada en la situación
relativa respecto a todos los hablantes de un diálogo.

El diálogo se inicia con sujetos en situaciones diversas, se desarrolla de acuerdo con las posibilidades y competencias de cada uno,
y se adapta en cada momento a las relaciones que se van creando
en su desarrollo mediante la actividad verbal y no verbal de todos.

La diferencia del diálogo respecto al monólogo se asienta en
la emisión (uno/más de uno), en la concurrencia de formas de verbalizar, codificar y contextualizar diferentes (cada uno se expresa
de modo distinto), y en la interacción que se autogenera a lo largo
del diálogo. Las dos primeras condiciones podrían dar lugar a un
discurso o dos discursos y éstos podrían incluso manifestarse alternativamente, pero no serían propiamente un diálogo. Este exige además que cada uno de los hablantes en su intervención tenga en
cuenta todo lo que se ha dicho hasta ese momento.

Un monólogo refiere historias, construye argumentos, da cuenta
de situaciones pero no las crea. El diálogo crea en su transcurso
situaciones y relaciones nuevas, incluso imprevistas al principio. Tiene
razón plena Veltruski al afirmar que el diálogo no es sólo un hecho

de discurso en el drama (y además como tal y en esos límites puede estar en el relato y en el poema lírico), sino que es la esencia del drama (Veltruski, 1977). El rasgo específico del relato es la presencia de un narrador que da lugar a un discurso monologado, aunque transcriba diálogos, porque cualquier diálogo «referido» ha sido filtrado por la voz del narrador que cede la palabra bajo control siempre. La esencia del drama es el diálogo en el que la unidad textual va progresando mediante la actividad de varios emisores en unas relaciones y unas situaciones cambiantes y dinámicas: la relación entre los hablantes es tan fundamental que su dependencia dramática queda fijada en la palabra que la manifiesta.

Vamos a verificar esta tesis que formulamos con unos pasajes tomados de *Yerma*. Un motivo único, el que la mujer pueda o no salir a la calle, se trata en varios diálogos entre Juan y Yerma. Cada uno de ellos sigue su propio modo de verbalizar, de codificar y de contextualizar de acuerdo con sus condiciones anteriores a todo diálogo; cada uno de ellos realizará sus enunciados en forma diferente a medida que avanza la obra, y cada uno de ellos reaccionará frente a lo que el otro dice y en forma coherente con las relaciones que en cada momento hay establecidas en la pareja.

Cuando el tema se discute en el primer acto, las relaciones son cordiales; en el segundo acto hay ya unas relaciones tensas que modificarán las expresiones dialogales y en el tercer acto hay un enfrentamiento abierto que es el efecto de toda la historia transcurrida. En el tercer diálogo están acumuladas todas las implicaciones derivadas de las acciones y reacciones de los protagonistas que se han manifestado en los diálogos (interacción verbal).

Los problemas del comienzo se planteaban como un tema personal: el ansia de maternidad de Yerma está patente desde el principio, y también lo está la indiferencia de Juan por este tema; a él le interesa la honra y la riqueza. Y en relación al tema de la honra surgirá el subtema de la reclusión de Yerma en casa. El tiempo y el orden espacial en la obra irán intensificando la tensión y el enfrentamiento. Se puede verificar que las palabras amables del primer diálogo se convierten en metáforas degradantes en el segundo y llegan a ser términos insultantes en el tercero. La actividad y las reacciones verbales de los sujetos adquieren nuevo sentido en el marco de referencias a que remiten y es un sentido que se acumula al que puedan tener por su origen (emisor) y por las formas personales de verbalizar, codificar y contextualizar de los interlocutores.

En el Acto I, Cuadro 1º, hay un diálogo en el que manifestándose con una verbalización, codificación y contextualización propias, que lo caracterizarán a lo largo de todo el texto, Juan es amable, y lo mismo puede advertirse respecto a Yerma; ambos hablan, ambos escuchan y llegan a un acuerdo: él traerá todo lo que ella necesita y ella estará en casa, sin salir a la calle. El diálogo transcurre en un marco de referencias aceptable para los dos, es decir, los dos saben de qué hablan, coinciden en el sentido que corresponde a las palabras «honra», «casa», «calle», etc., los dos interpretan perfectamente el lenguaje, aunque sea metafórico. El tema de las salidas a la calle, que se perfila como un conflicto, se resuelve en el primer diálogo con armonía, por el asentimiento de Yerma a las propuestas de Juan. Pero en el diálogo y con signos no-verbales, se preludia la discusión que se manifestará a lo largo del texto, a medida que las relaciones entre los esposos se hagan tensas y el enfrentamiento crezca:

JUAN: Si necesitas algo me lo dices y lo traeré. Ya sabes que
          no me gusta que salgas.
YERMA: Nunca salgo.
JUAN: Estás mejor aquí.
YERMA: Sí.
JUAN: La calle es para la gente desocupada.
YERMA *(sombría):* Claro.

Los enunciados verbales del texto escrito (la interpretación escénica les añade otro tipo de signos paraverbales, kinésicos, proxémicos), se complementan al final con la actitud «sombría» de Yerma al asentir. Puede advertirse que Juan es el único que aporta temas y explicaciones y que Yerma sólo los acepta sin llegar en ningún momento a confirmarlos con argumentos o datos. El marco en que hay que interpretar el diálogo es para Juan su idea de la honra y del papel de la mujer en la pareja y puede resumirse en la identificación de unos términos y en la oposición de otros en el esquema siguiente:

casa = laboriosidad/calle = desocupación

La oposición espacial «casa / calle» todavía no se plantea sobre el término de la «honra», sino sobre una valoración personal («no me gusta» y social (valor de la generalización «la calle es para la gente desocupada»); en tal generalización reside el valor ilocucionario de la afirmación formulada por Juan, que suscita la actitud sombría de Yerma. Al valorar en un campo positivo el estar en casa, el trabajo frente a la valoración negativa de salir y estar desocupado, la voluntad de Juan se convierte, o pretende convertirse, en norma de conducta para Yerma. Yerma lo entiende así y reacciona «sombría».

Es evidente, pues, que las ideas de Yerma difieren de las de Juan, pero en todo caso, en este primer diálogo, asiente a las palabras de su marido, sin prestar otra colaboración dialogal: «no salgo. / Sí. / Claro». No parece que Yerma esté muy entusiasmada con el tema de no salir. Si, por ejemplo, hubiese sido ella la que aportase al discurso la idea de que la calle es para la gente desocupada, el diálogo tendría, sin duda, otro sentido y remitiría a una coincidencia inicial de los interlocutores, pero no es así, y quedan desde ahora manifiestas las actitudes de uno y otro, a pesar de que el acuerdo se alcanza en el diálogo.

En el Acto II, Cuadro 2º, vuelve a tratarse el mismo tema y por los mismos sujetos, que lógicamente conservan sus actitudes iniciales. Pero han cambiado las relaciones y hay implicaciones conversacionales que han ido apareciendo en el discurso a medida que transcurre el texto. Juan cambia sustancialmente su modo de verbalizar (usa frases más apasionadas: de las afirmaciones que presenta-

ba como aceptadas, pasa a un esquema retórico de preguntas y
de imprecaciones directas); de codificar (las mujeres igual que las
ovejas); y de contextualizar (está irritado por tener que repetir las
órdenes: «¿no me has oído...?»). Yerma ha abandonado la actitud
sumisa y esperanzada del primer acto, contesta con aspereza, opone
a las afirmaciones de Juan las suyas propias y los enunciados que
formula cobran pleno sentido en el marco de su irritación y de
su desesperanza. La verbalización, codificación y contextualización
se han adaptado, en el orden textual, a las nuevas relaciones que
hay entre la pareja:

JUAN: ¿Es que no conoces mi modo de ser? Las ovejas en el redil
          y las mujeres en su casa. Tú sales demasiado. ¿No me
          has oído decir esto siempre?

YERMA: Justo. Las mujeres dentro de sus casas. Cuando las casas
          no son tumbas...

JUAN: No me gusta que la gente me señale. Por eso quiero ver
          cerrada esa puerta y cada persona en su casa...

Yerma se subleva porque no consiente que su caso particular,
su dolor personal, pueda codificarse en frases generales: «cada persona en su casa...». Juan incluye ahora en su discurso la relación
de la «honra» con el estar recluida la mujer en casa, pero incluso
en este punto trata de generalizar para dar mayor fuerza a sus argumentos: «cada persona» tiene un referente inmediato, que es «Yerma»; de este modo la fuerza ilocutoria de sus frases bordea de cerca la normatividad. Han cambiado las equivalencias de la oposición
espacial «casa / calle», que antes se establecían con «laboriosidad
/ desocupación», y ahora se organizan en torno a «honra / des-
honra» para Juan, y en torno a «tumba / desahogo» para Yerma
(«las casas son como tumbas, déjame andar y desahogarme»).

Por último, el tema reaparece en el Acto III, Cuadro 1º. Yerma
no sólo ha salido de casa, sino que ha salido de noche. Juan sale
en su busca y cuando la encuentra, el diálogo se convierte en enfrentamiento de una violencia verbal terrible:

JUAN: ... se necesita ser de bronce para ver a tu lado una mujer...
que se sale de noche fuera de su casa, ¿en busca de
qué? !Dime!, ¿buscando qué? Las calles están llenas de
machos...

YERMA: No te dejo hablar ni una sola palabra. Ni una más...

La verbalización de Juan son puras interjecciones, preguntas retóricas, imprecaciones directas, enunciados insultantes, es la bruta-
lidad de ese «machos» que hiere profundamente a Yerma. Lo que
estaba latente desde el primer diálogo se hace por fin expresión:
Juan identifica la honra con el encierro e identifica la calle con
el peligro; las oposiciones espaciales que se advierten en *Yerma* coinciden con las que podemos encontrar en *La casa de Bernarda Alba,*
aunque toman forma diferente en los diálogos debido a la personalidad de los sujetos y a las circunstancias que en cada caso sirven
de marco de referencias, así como el orden textual relativo, las relaciones de los personajes, etc.

Podemos, pues, afirmar que la doble verbalización, codificación
y contextualización del diálogo se prolonga en varios órdenes: no
basta considerar que hay una actuación doble que va paralela en
sus líneas de desarrollo textual, es preciso situar la doble actividad
en una interacción y esto significa que cada paso que da uno de
los interlocutores está en relación con el último que ha dado el
otro: el avance del diálogo hacia su acuerdo o desacuerdo final
es conjunto para todos los interlocutores, cuya acción verbal y no-
verbal, situacional, logra la unidad del texto. Por tanto, la información del diálogo no es sólo la que corresponde a un lenguaje
referencial y monologado, sino la propia de un «lenguaje situado»
textualmente (cotexto y contexto) y situacionalmente (paralenguaje,
kinésica, proxémica); y a esto se añade el valor de un lenguaje marcado por diferentes sujetos con su correspondiente verbalización,
codificación y contextualización personal, que se sitúa en un orden
relevante y en relación a unas circunstancias cambiantes, *in fieri,*
que, a su vez, modifican los marcos de referencias, las presuposiciones y las modalizaciones iniciales.

Quizá este último hecho resulta ser el más difícil de conseguir en el diálogo y puede comprobarse que es así al ver el espectáculo que frecuentemente ofrecen los interlocutores que en realidad son buenos mensajeros (defienden lo que les mandan defender), son buenos habladores y tienen todas las condiciones modalizantes necesarias, pero carecen de la flexibilidad oportuna para adaptar sus argumentos a las situaciones que el mismo diálogo va creando. En este punto suelen estar desprevenidos y se limitan a repetir las consignas iniciales una y otra vez. El espectáculo es propio de las fuerzas sociales —así llamadas— cuando prometen diálogos de buena voluntad, porque en otros casos los diálogos quedan anulados hasta en las condiciones previas. Saber dialogar es una asignatura pendiente en la sociedad democrática.

DIÁLOGO EN LA OBRA LITERARIA

EL DIÁLOGO LITERARIO: DESCRIPCIÓN

Una vez que hemos considerado los valores pragmáticos y algunos aspectos lingüísticos del diálogo, vamos a estudiarlo en el discurso de las obras literarias para conocer qué posibilidades tiene como signo literario, si es que tiene esta naturaleza.

Los diferentes géneros literarios tienen en su discurso, total o parcialmente, y en este caso con frecuencia mayor o menor según épocas y autores, diálogos directos o indirectos de los personajes que alternan con monólogos de los mismos personajes o se integran de modo diverso en el monólogo envolvente de un narrador o en la expresión de un sujeto lírico.

El mundo de la ficción literaria se propone utilizar la palabra en forma semejante a como la usa el mundo de la realidad en los intercambios sociales de tipo verbal, pero a este propósito (desarrollado mimética o creativamente) hay que añadir una circunstancia que impone el texto literario, todo texto literario, y es la existencia de un sujeto añadido que transmite el diálogo, y que puede asomarse al discurso (sujeto lírico, narrador textualizado), o puede permanecer latente, es decir, no tiene signos directos en el discurso pero está en el esquema semiótico. Sea cual sea su modo de relación con el texto, el sujeto transmisor del diálogo es un elemento del texto literario, está en él, expreso o latente, con su tiempo, su espacio, su mundo y su ideología, desde donde establece unas relaciones concretas con el tiempo, el espacio y el mundo de los sujetos del diálogo, los personajes.

La duplicación de los mundos ficcionales es un rasgo característico de todo texto literario en el que haya diálogo de personajes. No lo es del texto literario en el que hay una sola voz, la del autor en su representación textual de sujeto lírico o narrador, aunque se manifieste con dialogismo interior, porque en este caso el mismo sujeto hablante filtra en su propia palabra para el lector todos los mundos de ficción posibles, es decir, alude a los mundos ficcionales de los personajes después de haberlos reducido a su propio mundo y cuando los ha asumido en su palabra: todas las relaciones espaciales, temporales, verbales e ideológicas que pueda haber entre el transmisor y sus personajes, han sido organizadas dentro del mundo del que tiene la palabra. Por el contrario, si el sujeto de la enunciación cede la palabra a sus personajes, ésta arrastra su propio tiempo, y habrá que ver en qué relación se sitúa respecto a la palabra del sujeto narrador, y arrastra su propio espacio y su mundo que establecerá relaciones específicas con el espacio y el mundo del narrador.

Es, pues, fundamental para caracterizar el diálogo literario reconocerle esa capacidad de desdoblamiento de los mundos ficcionales en la lírica y en el relato; y frente a esta situación hay que señalar que en el discurso dramático, del que convencionalmente se ha eliminado el sujeto enunciador, se encuentra un mundo ficcional único, el de los personajes (que podrá desdoblarse en tantos mundos como sea, pero siempre sin traspasar el nivel de «personajes»).

Cualquiera de las formas de discurso literario: el monólogo del narrador, el diálogo exterior o interiorizado de los personajes, sus monólogos y soliloquios, pueden aparecer en los textos de cualquier género, solos o mezclados, pero es indudable que existe una tradición de uso y una frecuencia de algunas formas que puede, si no especificar, si caracterizar hasta cierto punto, a los textos en relación al género literario en que se manifiestan.

El discurso del drama es generalmente un diálogo de personajes, pero puede incluir monólogos o soliloquios de los mismos personajes; el relato y el poema construyen su discurso con monólogos de un narrador o con la expresión directa de un sujeto lírico, y en los dos supuestos se pueden intercalar diálogos de personajes.

Generalmente la aparición del diálogo en los textos líricos o narrativos se ha interpretado como una aproximación al género dramático y a la vez como un signo de dinamismo o de estilo realista. Pero también el monólogo puede presentar una gran cantidad de variantes textuales por lo que se refiere a la forma en que usan la palabra los locutores y a la forma de dirigirse a los alocutarios, y puede dar lugar a un discurso dinámico, realista o dramático. No parece que sea necesario reconocer una relación directa y estable (más o menos codificada) entre el diálogo y la movilidad del texto, o sus valores realistas o dramáticos.

En cualquiera de los géneros puede encontrarse diálogo, y cuando aparece hay que remitirlo a los personajes de ficción, entre los que está incluido el narrador del relato o el sujeto lírico de un poema. El autor, como tal, pertenece al mundo de la realidad y no puede tomar directamente la palabra en el discurso literario, pues para entrar en el mundo de ficción debe, a su vez, ficcionalizarse, es decir, hacerse narrador o sujeto lírico.

El drama ofrece directamente los diálogos de los personajes y suprime de su ámbito el mundo del narrador, cuya voz elimina del texto representado o la deja reducida a las acotaciones en el texto escrito. De todos modos sigue habiendo un «narrador» en el subtexto, que sirve de centro referencial para conseguir la unidad de todos los elementos sintácticos, semánticos y pragmáticos de la obra (Veltruski, 1977).

Los diálogos en la lírica o en el relato son siempre lenguaje referido y en la obra puede identificarse un sujeto que los trasmite, y que puede ser uno de los interlocutores del mismo diálogo, que luego lo cuenta, o puede ser un sujeto ajeno al diálogo, que convencionalmente lo ha oído y lo retransmite, incorporándolo a su propio discurso o respetando su autonomía. En el caso de una incorporación pueden darse grados de identificación sucesivos: puede reconocerse algún término procedente del idiolecto de uno de los interlocutores, puede ser una idea, que se contrapone a otra, ambas en estilo indirecto y, por tanto, en enunciados que dependen de *verba dicendi* en relaciones sintácticas de subordinación, o bien en estilo directo, directo libre o indirecto libre.

El diálogo, fuera del discurso dramático, no es una forma de expresión exigida por el género, por el tema o por un estilo determinado; es una forma elegida, y a esto se debe el que se interprete como índice de acercamiento al teatro, que tiene al diálogo como forma tradicionalmente obligada. Con frecuencia se encuentran juicios e interpretaciones en este sentido, por ejemplo, leemos:

> «en la narrativa medieval la inserción de diálogos proporcionaba la oportunidad de dar corporeidad a los personajes y de acentuar la expresión dramática». (Chaytor, 1980, 38).

Y sin descartar las interpretaciones anteriores, también es frecuente encontrar otras que relacionan al diálogo con el tiempo literario: los enunciados en lenguaje directo implican la simultaneidad convencional del tiempo de la enunciación y el tiempo del enunciado, de donde se deriva un acercamiento espacial y temporal del narrador a los personajes y un primer plano de la historia que desplaza al discurso.

A partir de estas interpretaciones más o menos intuitivas y bajo cualquiera de ellas, parece claro que la presencia del diálogo se considera como un signo literario que tiene un sentido en el texto y que puede situarse más allá del mismo discurso, con repercusiones en la sintaxis narrativa y sus unidades (tiempo, espacio, personajes, funciones), en la semántica e incluso en aspectos pragmáticos de referencia extraliteraria, como puede ser el marco general de valores sociales que sirven de base a la concepción de la persona-personaje, de la conducta, de los procesos de conocimiento, etc.

El diálogo, como hemos visto en el capítulo anterior, es un hecho del discurso lingüístico caracterizado por la segmentación, la situación cara a cara, por el tiempo presente progresivo, etc., y, al ser utilizado como forma de expresión literaria añade a sus rasgos característicos unos modos de significar, o mejor de crear sentido, que afectan a todos los niveles de la obra literaria.

La interpretación del diálogo se mueve así en un amplio abanico de posibilidades, siempre en dependencia con el contexto literario y con las relaciones con otros signos convergentes, que se organizan en la unidad de lectura en concurrencia, en contraste, o de otra forma, para alcanzar un sentido determinado.

El signo literario se diferencia del signo lingüístico porque actúa como un «mediador intersubjetivo» no convencional, es decir, sin una relación estable entre forma (el discurso dialogado) y sentido (variable de un contexto a otro). Por ello carece de codificación, ni siquiera parcial. Es más, si un signo literario llega a codificarse, pasa a ser signo lingüístico, y dejaría de ser signo literario, como ocurre, por ejemplo, con las metáforas que se lexicalizan.

Normalmente el signo literario forma parte o genera procesos sémicos en los que convergen formas creadoras de un ritmo fónico o léxico, incluso sintáctico (es decir, físico) mediante isomorfías, y sentidos creadores de ritmos semánticos en isotopías, que en otros contextos pueden ser interpretados de otro modo. Este rasgo proporciona a los signos literarios una gran movilidad y les permite integrarse fácilmente en conjuntos diversos, precisamente porque no son convencionales, no están fijados con anterioridad a su uso concreto en un discurso literario.

Partiendo de esta idea básica, hay que pensar que cada texto literario puede incluir signos recurrentes que convergen hacia un mismo sentido y permiten la unidad de lectura. El consenso pragmático literario depende de su propio contexto, mientras que el consenso pragmático lingüístico, que cuenta con la convencionalidad de las unidades verbales, tiende a la estabilidad, independizándose hasta cierto punto del contexto de uso a fin de garantizar, al menos un mínimo, de significado estable codificado. Esta es la causa de que los signos literarios sean circunstanciales, inestables, originales y carezcan de «significado» propio, pero en cambio sean capaces de originar sentidos diversos (polivalencia semántica de la obra literaria). Los signos lingüísticos tienen un significado virtual, con márgenes de dispersión a veces muy amplios que dan lugar a acepciones realizadas en cada uso. La posibilidad de reconocer una zona, aunque sea pequeña, de significado estable, permite la codificación, la organización en sistemas y, en último término, la comunicación social.

Consideramos que el diálogo es un signo literario, o quizá podríamos hablar con más propiedad de un *formante* de signo literario, capaz de integrarse en contextos variados con sentidos que dependen del contexto pragmático y en convergencia con otros signos lingüísticos o literarios en unidad de lectura.

El hecho de que un discurso literario incluya diálogos obedece en cada obra a unas razones diferentes y adquiere valores distintos en cada caso. Podremos comprobar cómo la novela realista, cuando trató de incluir diálogos en su discurso para lograr ciertos efectos (traslado directo de situaciones «naturales» al texto literario), se encontró con la sorpresa de que una forma de discurso, copiada miméticamente, repercutía en las formas sintácticas de construcción de la obra, en los valores semánticos y hasta en las condiciones pragmáticas en las que era preciso interpretar el concepto de persona sobre el que se troquelaban los personajes, o las funciones de la historia por relación a unos principios éticos de conducta y de responsabilidad: las formas dialogales del discurso producían ecos sorprendentemente amplios. Podremos incluso verificar cómo las intervenciones del diálogo (extensas o cortas, rápidas o demoradas, emotivas o argumentadas, etc.) se ponen en relación directa con presupuestos ontológicos, epistemológicos, y antropológicos, que son el cañamazo necesario para dar coherencia a las anécdotas, a veces dispares, del texto literario.

Por otra parte, la presentación del diálogo como un texto autónomo (discurso dramático), o integrado en el discurso de un narrador, responde también a razones determinadas, o por lo menos puede explicarse por razones diversas en cada texto. No se puede admitir que el diálogo sea un signo estable en el que concurra una forma (segmentación, turnos, cara a cara, etc.) y un significado (relaciones de igualdad verbal de los dialogantes, actitud dialéctica, tensión dramática, dinamismo, etc.). El modo de presentar el discurso dialogado y sus relaciones con el monólogo envolvente puede responder a razones objetivas o subjetivas que casi siempre quedan manifiestas para un lector en el conjunto semántico en el que en su lectura sitúa al diálogo. A veces tendrá que ver con las ideas manifiestas por medio de los signos lingüísticos sobre los objetos, la persona, la sociedad, las posibilidades del conocimiento humano, las formas de entender o valorar la literatura, etc. Un novelista que crea en las posibilidades de comunicación humana por medio del lenguaje verbal tratará de usar el diálogo como la forma más adecuada de intercambio social; un autor que crea en la capacidad de convencimiento de la palabra tratará de buscar las razones de un acto de habla imperativo; un autor que tenga una idea clara sobre la prepotencia de las cosas sobre el hombre llenará sus páginas de objetos, etc.

El discurso dramático, siempre dialogado, ha neutralizado la posibilidad de un contraste textual con otras formas de discurso: no es posible establecer oposiciones entre el ámbito dialogado (personajes) y el ámbito del monólogo de un narrador. Las relaciones que se pueden reconocer en el drama son las que pueden darse en la realidad entre personas; por el contrario, en el discurso lírico y en la novela estas relaciones reales (horizontales entre personajes) se incrementan con otras literarias (verticales, establecidas con palabras entre los personajes y el narrador o el sujeto lírico). Respecto de la lírica, por ejemplo, se ha dicho que los deícticos irrumpen

en el texto a partir del Renacimiento (Benítez, 1963) y debido al
Humanismo (entendido en el sentido que le da Burckhardt: «descubrimiento del hombre como hombre»), que centra en el individuo
su interés. Los intercambios verbales de los hombres con su actitud
peculiar y propia que defienden con la palabra darán lugar a los
diálogos sobre el amor, sobre la lengua, sobre los nombres de Cristo, etc. La aportación del individuo sobre un tema se contrasta
con las ideas que pueden tener los demás y la literatura del renacimiento se llena de diálogos, o al menos de pronombres personales.

En la novela es frecuente que los diálogos coincidan con los
momentos de mayor tensión y con ellos se busca un contraste con
el discurso monologal del narrador para dar énfasis o intensificar
una escena, un pasaje de la historia. En *Fortunata y Jacinta* encontramos el primer diálogo directo precisamente en la escena del encuentro de Juanito Santacruz y Fortunata, es decir, justo en el momento en que se inicia la «historia» y cuando el discurso lleva ya
muchas páginas. Hasta esa escena discurre el monólogo del narrador en un tono monocorde, a pesar de que incluye resúmenes de
diálogos entre los padres de Juanito, incluso semidiálogos que recogen una voz directa que contesta a otra referida por el narrador,
etc. (Bobes, 1986).

Pero también es posible encontrar en cualquier relato diálogos
en pasajes «vacíos», para rellenar el discurso con escenas de espera,
si se pretende situar el clímax en un monólogo del protagonista,
o en el del narrador. Lo que nos interesa destacar ahora es la posibilidad de establecer contrastes discursivos entre el diálogo y el
monólogo.

Insistimos en que los juegos de contraste «diálogo / monólogo», no pueden lograrse en el discurso dramático en el que todo
es diálogo de personajes. Lógicamente nos referimos al diálogo de
personajes y monólogo del narrador o del sujeto lírico, porque sí
es posible la misma oposición en el mundo de los personajes. Por
ejemplo, el monólogo famoso de Segismundo, o el no menos famoso de Hamlet, se incluyen como tiempo de reflexión en medio de

escenas dialogadas con varios interlocutores. Parece que iría en contra de la naturaleza misma del drama el que el punto álgido de la historia se manifestase con un monólogo del protagonista. Pero hay para esto una explicación: el proceso de comunicación que genera el drama, por muy convencional que sea, cuenta con el «actante envolvente», es decir, el público, al que hay que informar de todo, de la misma manera que el relato cuenta con un narratario que aparece o desaparece del texto, que a veces se desdobla, pero que está siempre en el esquema semiótico básico del género. El protagonista de un drama dirige su monólogo, como indicio de su soledad, al público, al igual que el protagonista de un relato discurre en su soliloquio interior (llamado monólogo interior) cuando no tiene con quien dialogar, en situaciones de introversión, de aislamiento social.

Es también frecuente que el drama explore en su discurso otros modos de contraste dentro de la forma general única del diálogo: diálogos desflecados, con interrupciones, puntos suspensivos, esquemas abiertos, etc., que encubren un subtexto trágico, como hace Chéjov en su teatro; o diálogos circunstanciales sobre temas sin ninguna trascendencia que encubren una historia determinista, como ocurre en el teatro naturalista, etc. Son modalidades que veremos al analizar algunas de las obras dramáticas que marcan estilos, épocas, orientaciones nuevas, etc.

En resumen, podemos decir que las posibilidades de forma y de sentido que tiene el diálogo en el texto literario son muchas, tanto en los géneros que combinan monólogo y diálogo, como en aquellos que están escritos solamente con diálogo. Esta circunstancia convierte al diálogo en un signo literario, es decir, un formante sémico no ligado a un contenido concreto, con unas posibilidades de adaptarse a un contexto muy diverso para integrarse en una lectura determinada.

Es posible que en el discurso literario el diálogo no tenga en ocasiones otra finalidad que la estilística de romper la monotonía de una expresión en primera persona, o la enunciación objetiva no personal de un narrador extradiegético, para dar paso a las voces alternantes de los personajes en primera y segunda personas que se integran en un discurso envolvente en tercera; es posible también que el diálogo se utilice con una finalidad mimética para conseguir una impresión de realismo y una apariencia de lenguaje tomado de la realidad social. Otras veces el diálogo podrá trascender su propio valor en el discurso y podrá adquirir una funcionalidad sintáctica: la construcción de una novela prescindiendo de la presencia textual del narrador *(Realidad*, de Galdós, por ejemplo). También puede denotar el diálogo la necesidad de acceder al conocimiento de la persona a través de su propia palabra, cuando se niegan otros caminos de acceso al interior del hombre. Puede usarse el diálogo para presentar escénicamente unos sentimientos que, expresados en un monólogo lírico, no alcancen la inmediatez que les da la palabra contrastada de dos personajes en una simultaneidad verbal: así podemos entender, por ejemplo, la primera *Égloga* de Garcilaso, que desdobla a los sujetos para presentar como simultáneos dos episodios que fueron sucesivos en la vida real del poeta: el desdén de doña Isabel Freyre y su muerte. Si el texto hubiese recogido en sucesividad esa historia, uno de los episodios podía ofrecerse en presente y el otro tendría que pasarse al recuerdo. Garcilaso les da un presente temporal y convierte la sucesividad en un panel de simultaneidades mediante el artificio de presentar bajo la forma parcial de diálogo (en realidad son dos monólogos que se suceden textualmente y que suceden simultaneamente) *el dulce lamentar de dos pastores, Salicio juntamente y Nemoroso*.

Clarín, al hacer la reseña de algunas de las novelas de Galdós, sobre todo de las dialogadas, interpreta el diálogo como una forma de acercamiento convencional a los personajes vivos y al mundo de la realidad y, en algunos casos, como un recurso literario naturalista destinado a captar directamente la naturaleza, tal como se muestra en la vida cotidiana (Alas, 1912). Bajtin insiste también en la posibilidad de ver relaciones entre el discurso literario y las situaciones sociales:

«en la base de nuestro análisis está la convicción de que toda obra literaria tiene internamente, inmanentemente, un carácter sociológico. En ella se entrecruzan fuerzas sociales vivas, y cada elemento de la forma está impregnado de valoraciones sociales vivas...» (Bajtin, 1982, 191).

Y efectivamente, la historia de la literatura española nos muestra que el diálogo prolifera en obras de períodos históricos en los que la sociedad procura huir de posiciones dogmáticas y busca puntos de vista contrastables y diferentes que se manifiestan con eficacia por medio de escenas en diálogo.

Todas estas circunstancias hacen que las posibilidades semióticas, lingüísticas y, sobre todo, literarias del diálogo sean muy amplias, pues al no ser más que una forma, sin una vinculación directa a un significado, puede manifestarse en relaciones textuales, contextuales e intertextuales muy diversas. En cada uso habrá que considerar sus posibles modos de integración en la unidad del mismo texto, sus relaciones con las circunstancias del contexto literario y social, y sus ecos intertextuales.

El diálogo en sí mismo, independiente de su concurrencia con otros signos en el texto literario, al ser un discurso en el que intervienen dos o más hablantes y al reconocer la igualdad de oportunidades verbales de los interlocutores, parece responder, en principio, a una actitud no dogmática del autor, ya que éste, bien sea en forma directa, o por medio de la figura ficcional de un narrador, es el dueño de las palabras (discurso) y del montaje de la obra (historia-argumento). Si da entrada en el discurso a otras voces, las de los personajes, renuncia, sin duda, a sus privilegios de creador y artífice de la palabra; particularmente en el texto dramático, cuyas voces son exclusivamente las de los personajes, el autor desaparece totalmente del texto, aunque se conserve en el esquema semiótico básico de la comunicación literaria: Autor-Obra-Lector (Espectador) como figura latente de la que sigue dependiendo la unidad de emisión de la obra (la unidad de interpretación se desplaza al lector-espectador), y también el montaje sintáctico desde el que da y quita primeros planos figurativos o verbales a los personajes, es decir, el autor mantiene el control de la materia y de la palabra y, en último término, se refugia en los términos valorativos del discurso (Kerbrat-Orecchioni, 1980).

El diálogo, incluso el que se extiende a todo el discurso de una obra, puede ser una reproducción icónica de la concurrencia real de ideas, visiones, distancias, voces, etc., de varias personas que exponen lo que piensan o creen sobre un tema o sobre una conducta, y a la vez se manifiestan a sí mismos como un modo de ser, con el que el autor latente está o no de acuerdo; aunque no pueda expresarse directamente el autor en tales supuestos, conserva desde la latencia el control de la obra. El diálogo de apariencia espontánea, única forma de discurso textual, está tan controlado por el autor como cualquier otra forma de discurso que recoja su voz directamente. Sin embargo, la novela objetivista, la dialogada, o el texto dramático, parecen dar la impresión de que no hay un filtro interpretativo de la realidad, de que el texto ha eliminado toda instancia mediadora y que el discurso fluye con independencia y por sí mismo, sin nadie que esté detrás. Las ideas, las conductas, las valoraciones se van contrastando aparentemente por sí mismas y parece que se pueda establecer una relación inmediata entre la actitud dialéctica y la estructuración de un discurso literario en forma dialogada. Cuando interviene el narrador o el sujeto lírico para anunciar, dirigir, moderar o valorar las voces del texto, el lector recibe una interpretación del conjunto necesariamente; cuando no hay narrador o sujeto que refiera los diálogos, el lector se ve obligado a realizar por su cuenta una organización y una síntesis coherente de las distintas posiciones que se le han ofrecido, que pueden ser matizaciones de una visión única sobre el tema, o pueden ser contrastes bastante alejados ideológica o axiológicamente, pero que en cualquier caso habrá que interpretar en armonía. Podemos decir que la presencia del diálogo en el discurso literario tiende a convertir al lector en intérprete activo; el narrador y su expresión monológica se orientan más a la comunicación, y por tanto, a la pasividad del lector, que a la interacción interpretativa. La obra dialogada, en diversas proporciones, tiende a activar la figura del lector que se ve obligado a jerarquizar el texto y sus personajes, totalmente cuando la obra es sólo diálogo, o parcialmente cuando el diálogo alterna con un monólogo explicativo de un narrador o de un sujeto lírico.

El importante papel que el lector se ve obligado inexcusablemente a asumir en estos casos tiene relación con el relieve que la teoría literaria actual da a su figura como consecuencia de un nuevo modo de entender la obra y el proceso sémico literario. La novela abierta, que se presta a varias interpretaciones, como texto literario polivalente, pero además como texto que ofrece varias alternativas de comprensión y de interpretación, está muy alejado del relato cerrado y concluso que presentaban las novelas de tesis, o en general, la novela realista, cuyo desenlace era siempre el punto de partida para interpretar el valor de los personajes y de sus conductas y palabras. Había personajes que eran presentados favorablemente en su fisonomía, en sus acciones, en sus formas de expresión, y además acaparaban los términos de valor positivo del narrador: el lector debía ir preparándose para verlos triunfar en el desenlace, por muy mal que les fuese a lo largo de la novela; eran los *buenos* en una concepción maniquea de la sociedad, que hoy consideramos un tanto simplista. A los personajes así concebidos no les hace falta palabra directa y, si la tienen, no la usan más que para ilustrar su bondad o maldad.

La novela, y lo mismo podemos decir de los otros géneros, huye de los narradores omniscientes y del dogmatismo textual demasiado visible. La desaparición textual del narrador omnisciente ha obligado a buscar otras fórmulas de construcción de la novela y del discurso: se acude a a la voz directa de los personajes o a la figura de un narrador-observador (no creador), no influido por las posiciones de los personajes que trata de no dejar huella visible en el devenir de la historia y de eliminar todo vestigio subjetivo en el discurso.

Desde una perspectiva formal, no material, el diálogo se considera como un discurso no dogmático respecto a temas, ideas, y voces en concurrencia, y a la vez como reflejo de una actitud analítica que organiza los argumentos presentándolos progresivamente (el diálogo exige el presente en su devenir); de la misma manera, la presencia del diálogo en el discurso obliga a una forma específica de construcción de los personajes, que se manifiestan en forma discontinua y se caracterizan a sí mismos a medida que van hablando, no en la forma monolítica en que solían ser descritos por un narrador omnisciente.

De todo lo anterior podemos deducir que el pensamiento analítico y la actitud dialéctica de un autor puede encontrar en el discurso dialogado una forma de expresión adecuada convencionalmente. Pero, como en aspectos y valores que hemos ido analizando anteriormente, debemos verificar hasta qué punto esto es así en el discurso literario, y de qué modo el diálogo, que ofrece tantas posibilidades teóricas de interpretación las realiza o las consigue en el uso.

Como signo, o formante literario, el diálogo tiene unas posibilidades muy amplias para integrarse en el sentido propuesto en una lectura del texto literario, a partir de otros signos concurrentes, y sería contrario a esta idea (que hemos verificado para otros valores propuestos) que el diálogo se vinculase permanentemente con la actitud dialéctica o el pensamiento analítico.

El diálogo puede presentarse como una secuencia de argumentos alternativos o de enunciados que pretenden dar una información referencial (diálogo informativo, objetivo) dirigida recíprocamente a los interlocutores, o bien dirigida a ese «actante envolvente» que convencionalmente no existe, y que puede ser el espectador del drama o el lector no explícito del relato o del poema. Pero igualmente el diálogo puede presentarse como una secuencia de argumentos coincidentes que corroboran una misma idea defendida dogmáticamente, por más que sea a través de un discurso dialogado.

Es más, el discurso dialogado puede, en tales casos, llegar a ser más cerrado y dogmático que el monólogo porque ofrece una coincidencia de subjetividades, es decir, una intersubjetividad que se convierte en garantía o puente de la subjetividad a la objetividad.

Los diálogos literarios se apartan considerablemente de los diálogos funcionales en este punto: mientras éstos son concurrencia de distintos pareceres y posiciones y ofrecen espontáneamente una información que circula entre los interlocutores, sin más pretensión que proporcionar datos para fundamentar argumentos, el texto literario convierte al discurso dialogado en recurso manipulable a favor de una tesis o de una historia o de una concepción del personaje. De este modo, sin perder la convencionalidad de autonomía, de espontaneidad, que hace verosímil la actitud abierta y objetiva del narrador, el diálogo literario puede ser tan dogmático como el monólogo.

Puede interpretarse también el diálogo como forma de otros sentidos literarios, que son también propios (aunque no buscados) del diálogo estándar.

Además de informar sobre el mundo exterior o interior del personaje, el diálogo puede ser indicio relevante de la forma de ser y de actuar. La conducta lingüística en un diálogo puede remitir a formas de actuar y puede proporcionar información sobre el personaje: su modo de articular da noticia de su extracción social, su modo de expresarse remite a su educación, su cultura, sus sentimientos, etc.; la presencia de determinados elementos léxicos que se repiten en el habla de un interlocutor puede informar sobre su ideología o la de una etapa histórica (palabras-clave, palabras-testimonio), al igual que la defensa o rechazo de unos tópicos, vengan o no a cuento, o simplemente el ardor o la desgana de las intervenciones verbales, pueden ofrecer datos inacabables sobre el hablante.

El diálogo, por su forma, puede ser expresión de cortesía, de enfrentamiento social; puede ser indicio de autenticidad o hipocresía, si se contrastan las intervenciones en diversas circunstancias de un mismo hablante, etc. Y puede, trasladando la interpreta-

ción del texto al esquema, ser interpretado como una postura
del autor sobre problemas de conocimiento, de comunicación, de
ética, etc.

Podemos comprobarlo directamente sobre algunas formas de diálogo dramático: el teatro del absurdo construye diálogos sin sentido
porque parte de unos presupuestos gnoseológicos que desconfían
y hasta niegan las posibilidades del conocimiento (no podemos conocer a los otros), o las posibilidades de comunicación por medio
del lenguaje verbal (aun suponiendo que pudiésemos conocer a los
otros, no podríamos transmitir nuestros conocimientos sobre ellos
por medio del lenguaje). Los diálogos del texto dramático absurdo
son, por otra parte, signos icónicos de situaciones sociales de incomunicación *(Rinoceronte)*, de vacío cultural *(Las sillas)*, de violencia *(La lección)*, etc., que son temas tratados en la obra y a la
vez ideas estructurantes de su sintaxis.

Y a parte de su contenido, lógico o absurdo, los diálogos pueden ser expresión de relaciones humanas de todo tipo. Las mismas
obras que hemos citado no construyen una historia, una fábula con
un principio, un nudo y un desenlace, no se preocupan de alcanzar
verosimilitud o de construir mundos ficcionados cerrados, sólo representan figurativamente mediante los diálogos relaciones humanas de dominio, de violencia, de incomunicación y crean mediante
la palabra una tensión *in crescendo* que lleva a la muerte o al terror
ante la fuerza bruta *(La lección, Rinoceronte)*.

Pero no es necesario renunciar a la anécdota y hacer diálogos
absurdos para expresar mediante la palabra directa de los personajes contenidos que transcienden la historia y son independientes de
ella. El teatro ha utilizado, cuando lo utiliza con propiedad, el diálogo que informa más allá de lo que referencialmente les corresponde a las unidades que usa. Ya hemos dicho en la «Introducción»
cómo el diálogo de Ibsen remite a una especial concepción del hombre como ser histórico, y cómo los diálogos de Pirandello dan cuenta de una concepción de la persona como un ser que carece de
unidad interior.

El diálogo va construyendo la historia e informando referencialmente de las circunstancias en que transcurre, y a la vez remite a situaciones que se plantean de acuerdo con determinados principios ideólogicos, lingüísticos, filosóficos, psicológicos, etc., que también son sentidos de la obra, y se hacen manifiestos en ella, aunque sea en forma indirecta.

Según épocas y autores, el diálogo literario ha sido manifestación de muy diferentes relaciones y contenidos. Los ejemplos, en cualquiera de los géneros, saltan a la memoria y se concretan en procesos muy diversos y conocidos. Por ejemplo, es frecuente que el diálogo clásico se ofrezca como un proceso de conocimiento, y así ocurre de una forma destacada en *Edipo Rey*. A medida que transcurren los diálogos de Edipo con diversos interlocutores, él va situando los datos que le llegan por diferentes caminos, y a la vez el público (aparte la «ironía sofocleana» que ofrece grados diferentes de conocimiento y de información entre el público y los personajes para lograr el desequilibrio emocional) va enterándose de algunos aspectos de una historia pasada, que la harán cambiar de modo total en su sentido. Los diálogos en este modo de estructurar la obra sitúan la responsabilidad de Edipo en unas coordenadas nuevas, insospechadas en principio. No puede admitirse que los diálogos construyan una fábula, puesto que la historia a que remiten está acabada antes de empezar el texto, y es en realidad el pre-texto de la obra. Lo que hacen los diálogos es establecer un nuevo modo de mirar esa historia pasada, un nuevo ángulo de interpretación. Por esta razón, los diálogos no son «palabra en acción» en esta obra maestra del teatro clásico, son «procesos de conocimiento», y la tragedia no queda estructurada textualmente como una fábula con un planteamiento, un nudo y un desenlace, sino como la progresiva consciencia, tensionalmente dosificada, de la responsabilidad del protagonista en lo que ha hecho en el pasado, es decir, el texto es la historia de un conocimiento, un proceso de anagnórisis completo.

Aparte, pues, de los valores que pueda tener ese diálogo como medio de información al espectador (diálogo referencial) que no conozca la historia de Grecia y sus mitos, y como medio de caracterizar a los personajes (por ej., la irritación de Edipo al contestar a Tiresias da indicios sobre su carácter violento), el diálogo remite a un marco social, histórico y cultural en el que son válidos unos determinados presupuestos morales y jurídicos acerca de la responsabilidad del homicidio en defensa propia, el asesinato del padre, la libertad del hombre sometido a un destino proyectado por los dioses antes de su nacimiento, etc.

Los personajes dialogan, y a través de sus palabras expresan opiniones, comentan, juzgan, etc., y se descubren en su ser y su modo de estar en el mundo ficcional en el que participan también como criaturas de ficción que representan homológicamente a la humanidad.

Y lo que parece claro en todo esto es que el diálogo, que en principio es un hecho de discurso, tiene, sin embargo, una proyección que afecta a la estructura de la obra, a sus unidades sintácticas (actantes, funciones, tiempo y espacio) y a los presupuestos que le dan sentido. En resumen, nos confirma la unidad total de la obra de arte literaria.

Los aspectos que hemos analizado hasta ahora en el diálogo literario los remitíamos a su naturaleza de discurso lingüístico con unas especiales características de concurrencia de voces, de segmentación, de tiempo presente, de progresión en el texto, etc.; ahora vamos a considerar otros aspectos que están más en relación con su naturaleza de actividad pragmática, como interacción verbal cara a cara.

Un lenguaje realizado cara a cara añade a los signos verbales toda una serie de signos no-verbales concomitantes. Y tratamos de ver cómo el texto literario acoge en su discurso tales signos a través, necesariamente, de la palabra del narrador o del sujeto lírico, o en el discurso de las acotaciones del texto dramático.

Los signos paraverbales, kinésicos y proxémicos son emitidos por los hablantes e interpretados por sus interlocutores antes de pasar a su turno, pero así como los signos lingüísticos se manifiestan en sucesividad y deben esperar el turno, y lo mismo podemos decir de los paralingüísticos, ya que se articulan a la vez que los lingüísticos, las otras series, los kinésicos y proxémicos, pueden ser simultáneos a los lingüísticos, de modo que mientras habla el primer locutor, el oyente no puede hablar (a no ser faltando a las leyes de los turnos de intervención y al principio de cooperación), pero sí puede emitir signos de interés o aburrimiento, de ánimo o de cansancio, de displicencia, de superioridad, etc. Y estos signos producen un efecto *feedback*, dialógico, inmediato sobre el hablante. La palabra se sitúa en un tiempo rodeada por todos esos otros signos que van y vienen de un interlocutor a otro y que *condicionan sus palabras.*

Esto significa que no puede interpretarse el diálogo limitándolo a las ocurrencias verbales, ya que no se tendría en cuenta la totalidad de la situación pragmática, ni siquiera la totalidad de lo verbal en sus motivaciones directas y en el tiempo que dura el diálogo. La interacción verbal está situada en una interacción semiótica más amplia. Y para que se desenvuelva normalmente el intercambio verbal, los interlocutores están obligados a interpretar también los otros signos. Un hablante que se limite a las palabras del otro no puede seguir en forma eficaz la comunicación ni el intercambio de palabras.

El diálogo escrito se presenta en ocasiones como autosuficiente; sobre todo suele usarse este adjetivo en referencia a los diálogos de la novela, pero realmente casi nunca es así. El narrador explica los antecedentes de situación, de ser, de carácter de los personajes y apostilla las formas de intervención aclarando cómo es el tono, la distancia, los movimientos, etc., mientras hablan. El diálogo dramático, como lenguaje convencionalmente directo, sin manipulación literaria, y sin presentación textual, recoge en el texto espectacular (principalmente las acotaciones) los indicios necesarios para su realización en la escena, o bien los deja a la libre interpretación de los actores que necesariamente al hablar estarán situados a una distancia, harán gestos, se moverán... La representación de los actores tiene en este punto concreto un campo amplio para desarrollar su creatividad escénica: el texto les proporciona la palabra de un personaje y el actor deberá situarla en un cuerpo que habla a la vez que está, se mueve, gesticula y articula.

El monólogo envolvente del narrador o del sujeto lírico suele ofrecer informes continuos sobre el modo de decir, sobre actitudes personales, sobre gestos y movimientos, sobre distancias, etc., antes, mientras o después de que se realiza el diálogo de los personajes. Si el narrador quiere desaparecer del texto y se limita a transcribir las palabras, como si fuesen grabadas automáticamente sin intervención humana, entonces el lector deberá interpretar lo que dicen en un contexto pragmático conveniente. La referencia a cada uno de los interlocutores quedará siempre clara por su modo de codificar, de contextualizar y de verbalizar sus intervenciones, y las demás circunstancias pragmáticas se deducirán, si son necesarias para entender las palabras.

Si subrayamos los elementos no verbales recogidos por Clarín en este corto diálogo del capítulo XIII de *La Regenta*, podremos comprobar que el monólogo del narrador destaca los detalles significativos de los signos paraverbales y kinésicos, y deja en latencia textual los signos proxémicos que podía haber manifestado y que, quizá por su carácter trivial, no incluye, ya que el lector puede inducirlos fácilmente. El tono o el gesto que necesariamente hace la marquesa para llamar a Ana, que está situada en otro ámbito, no se explicitan, son uno de tantos «vacíos» del texto literario, que exigen la colaboración del lector si quiere dar forma imaginaria a toda la escena:

> La Marquesa, sin malicia, como ella hacía las cosas, llamó a su lado a Anita para decirle:
> —Ven acá, ven acá, a ver si a ti te hace más caso que a nosotras este señor displicente.
> —¿De qué se trata?

—De don Fermín, que no quiere venir al Vivero.

El don Fermín que ya tenía las mejillas algo encendidas por culpa de las libaciones, más frecuentes que de costumbre, se puso como una cereza cuando vio a la Regenta mirarle cara a cara y decir con verdadera pena:

—¡Oh!, ¡por Dios, no sea usted así! Mire que nos da a todos un disgusto. Acompáñenos usted, señor Magistral.

En el gesto, en la mirada de la Regenta, podía ver cualquiera, y lo vieron De Pas y don Álvaro, sincera expresión de disgusto; era una contrariedad para ella la noticia que le daba la Marquesa.

El diálogo de los personajes, directo, libre unas veces, regido otras por verbos *dicendi (decirle, decir),* exige por su propio contenido un tono determinado, es decir, unos signos paralingüísticos al repetir por ejemplo «ven acá, ven acá»; exige gestos de cabeza, es decir, kinésicos, para señalar en concurrencia con los indéxicos textuales): *a ti te / nosotras / este señor / no sea usted así / acompáñenos usted...* Pero los gestos más significativos los recoge el monólogo del narrador y sobre ellos se permite ironizar, es decir, no se limita a transcribirlos y dar cuenta objetiva de lo que está viendo, sino que los modula, los matiza, los interpreta ironizando, etc., y proyecta sobre ellos, a pesar de la apariencia de diálogo objetivo y aséptico, una mirada omnisciente que da cuenta de hechos alejados en el tiempo, que no pertenecen a aquella situación: *sin malicia, como hacía ella las cosas*, refiriéndose a la actitud de la marquesa al llamar a Ana, pero también a su conducta a lo largo de toda la novela; don Fermín *vio a la Regenta mirarle cara a cara y decir con verdadera pena*; y, sobre todo: *en el gesto, en la mirada de la Regenta (...) sincera expresión de disgusto,* son datos sobre formas de hablar, entonación, ritmo, gestos, distancia, actitudes, y hasta colores de la cara, que se relacionan con el modo de ser de los personajes, con su disposición anímica, con la interpretación que la persona interpuesta del narrador hace de sus criaturas de ficción, al transcribir su discurso dialogado.

Genette afirma que el narrador hace «relato de palabras», en estos casos (Genette, 1972), pero en muy pocos casos podemos limitar a las palabras el relato; por lo general, al referir las palabras, el narrador tiene en cuenta también los signos no-verbales presentes en la situación que pueden añadir sentido a las palabras, o que pueden conseguir una distancia irónica del lector, apoyada en las implicaciones textuales creadas anteriormente. Así, por ejemplo, en la frase referida a la marquesa: *sin malicia, como hacía ella las cosas,* no se puede ver sólo una observación inmediata, quizá ni siquiera una observación, porque cómo es una llamada sin malicia, ¿qué signos pueden señalar la malicia o su falta en una frase como la que dice a continuación la marquesa?; tampoco sería irónica esa frase, si el lector no hubiese leído ya los doce primeros capítulos de *La Regenta* y no tuviese ya conocimientos sobre el carácter de la señora marquesa y sobre su modo de actuar con sus invitados.

El texto literario contó siempre con estos signos no-verbales al transmitir los diálogos en el texto narrativo y en la realización escénica del texto dramático. Pero, lo mismo que a las palabras del diálogo, el tratamiento que se da a los signos no-verbales, cambia en el tiempo y según los presupuestos ontológicos y epistemológicos de la obra. Podemos advertir que una nueva forma de ver al hombre en el mundo lleva a la novela objetivista y a determinadas formas de teatro moderno a valorar los signos no-verbales de modo semióticamente distinto. Se les da, o se les pretende dar, un estatus semejante a la palabra y se llenan las páginas de descripción de apariencias externas de los personajes y de objetos que se presentan, hasta donde es posible, vistos con mirada no semántica, es decir, sin interpretación. El teatro del siglo xx atiende con preferencia a los signos no verbales en un prurito de no privilegiar la palabra en la escena, donde quiere presentarse como un signo más, incluso en su materialidad, sin significado y únicamente con el sentido que puede adquirir en el conjunto sémico, en el que se integran con la misma eficacia otros signos.

Quizá habrá que interpretar esta actitud como una reacción al predominio que la palabra había tenido en el teatro realista; la oposición que se establece entre «teatro / palabra», y la identificación entre «palabra / literatura», que no es válida, hace que dramaturgos como A. Artaud pretendan desterrar la palabra de la representación, porque no la consideran teatral sino literaria (?). La anécdota, que era creada, casi en exclusiva, por la palabra de los diálogos, deja de tener excesivo relieve en determinadas formas de teatro actual, que da mayor entrada a los signos no verbales, y hay un verdadero deseo de demostrar que es posible crear sentido con tales signos, si no independizados totalmente de la palabra, sí al menos en igualdad con ella. El diálogo de los objetos y en general de los signos no verbales se busca como propio del teatro, frente a un diálogo verbal que sería propio del texto literario.

El diálogo de *Yerma* muestra una tensión creciente entre Juan y Yerma; ambos personajes están ya suficientemente caracterizados desde sus primeras intervenciones, en su contexto, su codificación y su verbalización; la anécdota se conoce desde el primer acto, desde la primera escena, porque el tema es único: la falta de hijos y la anécdota se reduce a una proyección del tema en el tiempo (un año, dos años, cinco años). El diálogo es el camino hacia el desenlace, que se producirá cuando la tensión entre los protagonistas se hace insoportable, según van manifestando las palabras, el tono, las actitudes, gestos, distancias, etc. Yerma cada vez más desesperada, Juan cada vez más acorralado. Sea cual sea el motivo en cada escena: el riego, la poda, el agua, la compra de corderos, la despedida de Víctor, etc., siempre conduce a lo mismo, al enfrentamiento de los esposos y siempre con la misma actitud: las quejas de Yerma, la desesperación de Juan. Y esta tensión deberá quedar expresada en el escenario por medio del cuerpo de los actores, como si de un «teatro pobre» se tratase, en el gesto, la distancia, los gritos, hasta el punto de que podría suprimirse la palabra después de las primeras escenas y dejar oír gritos, cada vez más estridentes, inarticulados.

Creo que el éxito de las representaciones que prescindieron del color local (la de V. García, por ejemplo) se debe a la capacidad de creación de sentido que han tenido los signos no-verbales, pues la escenificación se apoyaba en todos los signos escénicos que denotasen o connotasen simbólicamente tensión y enfrentamiento. La desesperación de Yerma crece y no es posible manifestarla sólo con palabras: este drama de «situación única» desarrolla la tensión *in crescendo*, no una historia, que no la tiene en realidad.

La cantante calva nos ofrece una escena de reconocimiento de los señores Martín con la oportunidad de ver cómo pueden actuar casi en forma independizada y autónoma, los signos paraverbales. Ionesco construyó el diálogo para que fuese interpretado «con voz lánguida, monótona, un poco cantante, nada matizada», y así lo indica en las acotaciones. Interpretamos que el tono de salmodia repetitivo debía mostrar icónicamente la forma desgastada, por tan repetida, que tienen las escenas de anagnórisis en el teatro desde la época clásica. Sin embargo, al estrenar la obra en París, el director se empeñó, en contra de la opinión del autor, en darle a esa escena un tono rápido «sinceramente trágico», para representar una divergencia semántica entre los signos lingüísticos y los paralingüísticos y evidenciar el absurdo. Mientras el autor pretendía para su diálogo un sentido revolucionario frente a una tradición, el director de escena lo insertó en una corriente estética, la del absurdo, haciendo del paralenguaje un signo convergente con otros que hay en el texto.

Es importante en este momento destacar que, al igual que ocurría con otros valores y aspectos del diálogo, los signos paralingüísticos (más bien formantes paralingüísticos) pueden integrarse perfectamente en las dos lecturas debido a sus amplias virtualidades de significación y sentido. El tono de las intervenciones, el ritmo de las respuestas, la distancia y el alejamiento de los personajes en el escenario, sus gestos de rechazo o asentimiento, crean un sentido que se suma al de las palabras en la unidad de las lecturas propuestas y que depende, como es lógico, de la competencia de los lectores, del director de escena y, en último término, de los espectadores, que sepan captar las diversas posibilidades.

Los diálogos narrativos suelen delegar en el narrador la expresión de tensión, la apatía, el apasionamiento de las intervenciones de los personajes que dialogan, porque es el narrador quien las retransmite al lector después de haberlas interpretado él. Todas las circunstancias que acompañan a la palabra pueden ser recogidas en el texto y valoradas, o pueden ser simplemente presentadas para que la actividad imaginaria del lector las tome como elementos materiales para su interpretación.

Parece, pues, ingenuo creer que el diálogo literario, tanto el dramático como el narrativo y el lírico, es simple traslado de unos usos lingüísticos reales y de unas circunstancias pragmáticas dadas, a fin de conseguir «naturalidad». Es posible que esta fuese la primera intención en el uso narrativo, y de hecho sabemos de escritores que han recogido apuntes directos de conversaciones reales, para lograrlo. Pero la complejidad que descubrimos en el diálogo literario sobrepasa esa primera intención.

Y no podemos perder de vista que uno de los rasgos más destacados en el discurso lírico y en el narrativo es precisamente que puede elegir diálo o monólogo; y puede elegir diálogo de una forma o de otra. El diálogo es siempre el efecto de una elección por parte del autor: descubrir el porqué de esa elección, desde las relaciones que el diálogo mantiene con el conjunto de los signos del texto, es darle un sentido en concordancia con una lectura total.

La unidad que procede de la emisión, al ser todo obra de un autor, a pesar de que el texto incluya voces diversas, se corresponde con la unidad de lectura en cada caso, es decir, la unidad de recepción en cada uno de los lectores, directores o espectadores.

La forma dialogada presenta una apariencia textual de doble argumentación, y parece que dará lugar a un perspectivismo y una falta de unidad, pero no es así, ya que, aparte de la unidad de emisión y de recepción, hay una unidad textual que se pone de manifiesto mediante diversos recursos. Generalmente uno de los argumentos se hace prevalente; la unidad semántica se extiende a los campos positivo y negativo del argumento, decantándose en un sentido o en otro, de modo que si el tema es la responsabilidad, se rechaza la irresponsabilidad, y si el tema es la libertad, se considera que debe eliminarse la imposición, etc. Y aunque textualmente el discurso proceda de diferentes hablantes, se encontrará la unidad referencial en el monólogo textual del narrador o del sujeto lírico o bien en el subtexto del discurso dramático. Y esto se extiende a las palabras y a todas las circunstancias pragmáticas en que se pronuncian.

Nos falta aludir a algunas formas de manipulación del diálogo literario en sus relaciones verticales, y a las apariencias que puede adoptar en el texto.

Incluso el monólogo interior, sobre todo si se trata de un monólogo interior directo, puede aproximarse mucho, incluso formalmente, al diálogo: el sujeto se plantea en lenguaje directo preguntas que él mismo se contesta, o se propone a sí mismo argumentos que van contra su propio modo de argumentar, a fin de rebatirlos inmediatamente y reforzar su postura; a veces sopesa, como si fuese en diálogo con otro, los pros y los contra, las dudas que se le presentan, etc., y avanza mediante un diálogo consigo mismo. La apariencia formal y la distribución material de un discurso así se aproxima a la que tiene un diálogo con dos o más interlocutores.

Cuando el naturalismo experimenta con una retórica que dé forma adecuada a las ideas «científicas» y utiliza conscientemente la introspección y el diálogo como formas naturales, encontramos diálogos que alternan con monólogos en una distribución experimental. *La desheredada* de Galdós nos presenta una situación de interacción verbal, en presente, cara a cara, en situación, etc., es decir, con todos los requisitos formales de un diálogo, entre Isidora y su padrino Relimpio, en la que él dialoga y ella monologa. Relimpio va diciéndole a su ahijada cómo se cose a máquina; Isidora va discurriendo sobre sus preocupaciones y el narrador sitúa el discurso alternativamente en uno y otra: no hay diálogo, aunque lo parece.

Clarín, al hacer la reseña de *Realidad*, rechaza un discurso semejante al de *La desheredada* precisamente por esa mezcla de lenguaje interior y diálogo, ya que lo considera «un absurdo plástico»: no es lógico que ambos tipos de lenguaje tengan el mismo tratamiento retórico, pues son por naturaleza diversos. Volveremos sobre este tema al analizar el diálogo narrativo, y aquí nos resulta suficiente el destacar que el texto literario utiliza el diálogo en alternancia con el monólogo de los mismos personajes, sin que por ello se quiebre la unidad de la obra.

Esto pone en entredicho la interpretación generalizada del diálogo como la forma de acercamiento máximo a los personajes, como expresión de la objetividad narrativa o como proceso dialéctico. Todos estos valores del contenido, puntos de vista, modos de narración, etc., resultan no ser exclusivos del diálogo, ya que pueden alcanzarse mediante otras formas de discurso; no están ligados al lenguaje directo en primera persona (estilo autobiográfico, real o falso y aparente), ni al diálogo (interacción de primera y segunda personas gramaticales). Insistimos en la interpretación general que venimos analizando por partes, del diálogo como formante literario, más que como un signo en el que una forma está vinculada a un sentido. El diálogo literario es una unidad sémica que crea sentido en el texto en sus relaciones con el contexto; es una *forma dispuesta* para recibir sentidos de acuerdo con el contexto: sus virtuales significados se concretan en el uso por relación con otros signos y formantes concurrentes y en relación al conjunto de la obra en cada lectura. El receptor de la obra recibe un material que él debe armonizar en una lectura.

Será, pues, el lector, el que organice en su lectura las relaciones pertinentes de los formantes, el que actualice los sentidos concretos entre las posibilidades de significación de los signos, para hacer de la obra abierta una lectura cerrada, coherente y en unidad semántica.

La capacidad semiótica del discurso se ha basado casi siempre en la estructura lógica y en los valores referenciales de sus enunciados, pero cualquier forma y cualquier relación textual puede participar y ser tenida en cuenta en la creación de sentido, ya que éste se crea pragmáticamente, por la concurrencia de todos los signos y formantes que se identifiquen en el texto.

No parece posible considerar el diálogo de personajes, en sus valores lingüísticos o en las circunstancias pragmáticas, o en sus relaciones contextuales con el monólogo o con cualquier otra forma discursiva, como un signo con un contenido codificado, pero sí como un formante literario que se semiotiza en el conjunto en el proceso de comunicación que es la literatura.

Todas las interpretaciones, más o menos consagradas, de las formas literarias van generando su propio código y simultáneamente el texto actúa en contra. Como todos los signos literarios, el diálogo es un signo dinámico que dispone de unos virtuales valores derivados de las interpretaciones hechas hasta ahora y con los cuales o contra los cuales concreta sus usos en el relato, en el drama o en el poema.

El discurso literario dialogado resulta ser una expresión muy compleja porque suma a la interpretación lingüística y pragmática, la literaria en su codificación, en su uso y en su tradición, y la posibilidad de realizarse en contra de esas mismas interpretaciones. Por eso, sólo el análisis de las relaciones textuales pragmáticas, lingüísticas y literarias podrán dejar de manifiesto en cada obra el sentido que adquiere un diálogo determinado. Esto no evita que para lograr una competencia de lectura sea necesario un conocimiento teórico de las posibilidades del diálogo como forma, como unidad textual, como recurso literario.

La capacidad para originar relaciones y sentidos que tiene el diálogo en el relato al introducir un nuevo nivel en el discurso (de los personajes / del narrador) fue advertida por Platón *(La República*, VIII); la posibilidad de reproducir directamente el diálogo *(mimesis)* o de subordinarlo al monólogo del narrador *(diégesis)* la explica Platón sobre un conocido pasaje de la *Ilíada:* la súplica de Crises por la libertad de su hija Criseida, ante Agamenón.

Las relaciones de la forma dialogada con determinadas formas de visión (directa / mediatizada), con determinados modos de presentación *(mimesis / diégesis;* escénica / panorámica, etc.) han sido descritas por la teoría literaria, que ha ampliado las primeras nociones platónicas. Genette diferenció en el relato el «discurso de acciones» frente al «discurso de palabras» (Genette, 1972); M. Rojas propuso una tipología del discurso de personajes en sus relaciones con el discurso del narrador barajando dos criterios, que dan lugar a cuatro clases: «discurso directo / indirecto», «discurso regido / no regido», según el habla sea directa o no y según se subordine o no un discurso a otro (Rojas, 1980-81), etc. En todos los casos, las clasificaciones se han hecho siguiendo criterios lingüísticos. Insistimos en la conveniencia de tener en cuenta también las condiciones pragmáticas en que se realiza el discurso y los valores literarios que puede adquirir en el texto, en su distribución respecto al monólogo de personajes o de narrador, y por sus relaciones verticales respecto al monólogo envolvente del narrador, del sujeto lírico y del sujeto latente que es el autor dramático respecto a su obra.

Sobre estos supuestos de relación y de valores generales en el discurso literario, el diálogo tiene unas formas concretas de manifestarse en el texto narrativo, en el lírico y en el dramático. Intentaremos precisar en cada uno de los géneros qué formas adopta y qué sentido adquiere.

1. DIÁLOGO LITERARIO: EL RELATO

Las posibilidades generales de expresión y de relación que tiene el diálogo se realizan de un modo particularmente complejo en el discurso de la novela y del relato en general. Y quizá el hecho más decisivo para tal complejidad sea la existencia en el texto único del relato de dos discursos diferenciables, pero fundidos en unidad: el monólogo del narrador y los posibles diálogos de los personajes, con variantes muy numerosas. Las relaciones entre los dos discursos se han planteado y se han resuelto de modos muy diferentes, según épocas, estilos y autores, y se han semiotizado parcialmente hasta convertirse en formantes literarios que se integran, por su forma y por el sentido que adquieren, en el conjunto de signos de la obra en que se encuentran.

A los caracteres propios de cada uno de los discursos monologales o dialogados, que los oponen o, por lo menos, los distinguen, hay que añadir los que originan las relaciones entre ambos, que no son solamente espaciales, es decir, de contigüidad o concurrencia en un mismo texto, sino de muchos otros tipos: de subordinación gramatical o lógica, de contraste semántico o formal, de intensificación, etc. La palabra del narrador, en general, envuelve, distribuye, interpreta, comenta y valora las palabras de los personajes y llega a fundirse con ellas cuando con actitud irónica o simplemente dándoles una función caracterizadora, traslada a su propia expresión términos que son propios de la verbalización de los personajes y que han sido marcados como tales.

Es cierto que las relaciones verticales entre discursos se encuentran también en el habla estándar, pues en ningún caso hay que pensar que son exclusivas de la expresión literaria. Un hablante puede transmitir los diálogos que ha oído o en los que ha intervenido y puede poner comentarios, interrumpir, aclarar, resumir, etc., las palabras de los otros, y esto siempre en otro tiempo, nunca en el del diálogo transmitido. La determinación de todas las circunstancias y relaciones en que se hace la transmisión es siempre difícil:

> uno de los más intrincados problemas del análisis del discurso es el referente a las relaciones entre el diálogo y el monólogo. El punto de vista que suele adoptarse es que son dos discursos relacionados, pero de estructuras autónomas (Longacre, 1983).

Desde la perspectiva lingüística es notable la dificultad del análisis de las relaciones, a pesar de que el sujeto que transmite el diálogo de otros no suele pretender otro fin que la fidelidad del testimonio, sin pretender alcanzar sentido con la manipulación de las formas de presentación y ·de relación entre los diferentes discursos.

La riqueza de significados y la complejidad de las relaciones, sus valores miméticos y semánticos, se amplían considerablemente en el discurso narrativo literario cuando el monólogo del narrador y los diálogos de los personajes se convierten en signos textuales de relaciones extratextuales y, en convergencia con los restantes signos del discurso, adquieren sentido o contribuyen a crearlo.

El narrador realiza su monólogo para un lector ausente, aunque pueda representarlo de algún modo en el texto, y abre un proceso dialógico, siempre a distancia. Como ya hemos advertido, en este circuito de comunicación se origina siempre un efecto *feedback*, pero nunca una respuesta dialogal. Ni el autor, ni el narrador de una novela pueden, por medio de la obra, entablar un diálogo con el lector, que quede recogido en la obra. La relación lingüística autor (narrador)-lector, que tiene un indudable carácter interactivo, no puede pasar del dialogismo: el mundo ficcional no admite interferencias con el mundo de la realidad, a no ser que ésta se haga ficcional. Puede ocurrir que convencionalmente se presente como real un diálogo entre el autor y los personajes o entre el narrador y el autor, pero en todo caso hay por medio una ficcionalización.

En la convencionalidad general del relato, el diálogo se produce y funciona solamente entre personajes, y en su ámbito de ficción deben ser interpretadas las unidades del texto y en ese mismo ámbito deben regir las normas conversacionales de los diálogos que contenga, tanto en lo que se refiere a la verbalización, como a la codificación y a las posibles contextualizaciones. Y en este punto no resulta indiferente que lo que dice un personaje sea interpretado en su propio marco y no sea extrapolado a los contextos de los otros personajes o del autor. Ha ocurrido, en ocasiones con cierta frecuencia, que al extraer una cita de un discurso, y al dejarla sin su correspondiente marco, se le hace decir algo diferente a lo que realmente dice en su lugar; cuando esto ocurre y se pasa, en la interpretación, de unos planos a otros, puede llegarse a un absurdo y caer en la falacia de atribuir al autor ideas que son de sus personajes y que en la unidad del texto se contradicen con las de otros para rechazarlas o para matizarlas.

El monólogo del narrador crea una historia en la que tienen cabida las acciones y las palabras de los personajes que él comenta, valora y transcribe desde afuera, pues, como narrador, no puede intervenir en los diálogos. Si el narrador se introduce en el ámbito verbal de los personajes, se convierte en un ser de dos caras, con dos funciones, la de narrador y la de personaje, que nunca son simultáneas: mientras habla con los personajes comparte su tiempo y su espacio, y cuando actúa como narrador dispone de otro tiempo y de otro espacio, y lo que es más importante para su caracterización por medio de la palabra y su uso: no está sometido a las normas del diálogo (presencia, cara a cara, turnos, etc.). Un narrador puede interrumpir la palabra de sus personajes en cualquier momento para comentar el tono, la construcción, el sentido, o cualquiera de los signos paraverbales, kinésicos o proxémicos que concurren en simultaneidad con la palabra, y esto no puede hacerse en el diálogo, sino en su transmisión.

Vamos a verificar cómo en el momento en que la novela realista incorpora el diálogo de personajes a su discurso, la participación del narrador, que en principio ahoga las palabras de los personajes, va depurándose poco a poco para no desvirtuar desde una visión y actitud condicionada (la del mismo narrador), las visiones y actitudes de los personajes, cuya figura y cuya palabra se quiere retransmitir en directo.

El narrador tiene posibilidades de introducirse en el mundo de los personajes, como hemos apuntado, pero en el supuesto de que así sea, él funcionará como personaje y estará sometido a las mismas leyes que afectan a todos los interlocutores del diálogo. Como narrador, posteriormente, podrá opinar y decir lo que quiera de sí mismo y de los personajes, incluso lo que no podría decir en una situación cara a cara; igualmente como narrador puede interrumpir la palabra del personaje cuando crea conveniente, sin someterse a la alternancia de los turnos, pues le basta inmovilizar el diálogo. Todo esto es posible sencillamente porque el narrador, como tal, participa en un proceso de comunicación necesariamente alejado en el tiempo y acaso en el espacio de sus personajes. Un ejemplo puede confirmar lo que venimos exponiendo.

El narrador omnisciente de *La Regenta* transmite un diálogo entre don Fermín y don Víctor; describe la situación espacial: están en el despacho del regente; también precisa el tiempo y otras circunstancias, y se inicia el diálogo; en un momento determinado, el narrador deja en suspenso la palabra para contar una acción: don Fermín pide agua y pasará ocho páginas bebiendo un vaso de agua polvorienta. El personaje queda inmovilizado, como el vizcaíno con la espada en alto, mientras el narrador se engolfa en su propio monólogo, hasta que vuelve a dar movimiento a la figura del canónigo y a la vez le restituye la voz.

Es frecuente el sincretismo de narrador-personaje en una sola persona de ficción, sobre todo en determinados géneros, como el picaresco, el epistolar, la novela intimista, etc., en cuyo caso se ve sometido a un doble estatuto, que permite diferenciar sus funciones en uno y otro aspecto. Y es interesante destacar que un hecho de forma, el uso de la primera persona gramatical para participar en el discurso de la novela, se haya interpretado no sólo como un rasgo de estilo que permite presentar los objetos y las acciones en un enfoque próximo y en un primer plano directo, sino también como un signo que remite a situaciones sociales determinadas, y así se ha dicho que mientras el caballero andante, en su calidad de héroe, tiene siempre un cronista dispuesto a dar cuenta de sus hazañas, el pícaro, que no es más que un marginado social, no dispone de nadie que esté atento a sus movimientos y recoja para la posteridad su mísera vida, de modo que, si quiere dejar memoria de sí, debe escribir él mismo. La convencionalidad de identificar autor-narrador-personaje se explicaría así en relación a una situación social que se olvida de los sujetos marginales.

Desde esta somera presentación de los discursos monologado y dialogado, podemos advertir la existencia de un doble plano en cada uno de los círculos de comunicación que se generan: acciones y palabras, que son vividas y pronunciadas de modos diversos por los personajes y los narradores. Las posibles combinaciones no tienen más límite que el derivado de su propia naturaleza.

Las acciones pertenecen a los personajes, y si algún narrador cuenta su propia actividad lo hace en referencia a su modo de conocer los hechos y realizar el discurso sobre ellos: cómo y cuándo él se enteró de la vida y milagros de sus personajes (al comprar unos papeles viejos, al hacer un viaje donde conoció a alguien que a su vez conoció a otros, al compartir pensión con uno que suscita su interés, etc.). Pérez de Ayala en *La caída de los Limones,* y también en *Belarmino y Apolonio,* crea un narrador que entabla diálogo con unos personajes, que viven la historia o que, a su vez, dialogan con los que la han vivido. El narrador de esta primera envoltura discursiva se siente interesado por lo que están diciendo o haciendo unos personajes y su interés es reflejo del interés del lector; luego procurará preguntar, indagar por otras fuentes hasta completar la historia que transmitirá al lector en un argumento ordenado de acuerdo con un perspectivismo ético y estético, a la vez que narrativo, para seguir unos principios estructurales propios de una novela en un estilo no cerrado y basada en unos presupuestos epistemológicos que no reconocen la posibilidad de un conocimiento subjetivo verdadero y total. Y así podríamos ir considerando otras formas de transmisión de acciones y palabras en relación con estilos narrativos y con presupuestos de conocimiento.

La palabra es patrimonio, al menos en principio, del narrador, que inicia un proceso de comunicación con los lectores, sometido a las normas que rigen la comunicación a distancia. Cuando no se pasa de esta situación, el texto no suele justificarse en sí mismo, no siente la necesidad de explicar cómo se conocieron los hechos y cómo se van a contar: alguien que conoce o crea una historia, la cuenta, sin preámbulos metanarrativos o metahistóricos. El narrador adoptará la distancia que crea oportuna (será testigo de conversaciones que retransmite, sin explicaciones); dará cuenta de palabras o añadirá observaciones sobre otros sistemas de signos (gestos, paralenguaje, proxémica, objetos, etc.); se limitará a presentar lo que ve y lo que oye o lo dará interpretado al lector, etc., tiene toda la libertad que se conceda a sí mismo dentro de las convenciones que él proponga y no necesita más que ser coherente con ellas.

Podemos afirmar que el narrador es el dueño del discurso, tanto si se deja oír como si se deja oír y ver, y en cualquier caso, cuando cede la palabra a sus personajes, él actuará como retransmisor de un discurso «referido». De la misma manera que el narrador no tiene acceso al mundo de los personajes, si no es introduciéndose como un personaje más en su ámbito (lo que da lugar a su doble estatuto, como hemos visto), el personaje no puede entrar en el ámbito del narrador, si no es de la mano de éste, por mucho que avance hacia el primer plano: su palabra es siempre discurso referido sobre el que el narrador comenta, dispone, presenta, valora, etc., pues en ningún caso en la novela deja de aparecer el narrador, y éste es su límite con el discurso dramático.

Las acciones, lo vivido, lo que los críticos y novelistas decimonónicos denominan «naturaleza», pertenece al mundo cerrado de los personajes; el discurso, es decir, la palabra y sus artificios técnicos y artísticos, pertenece al mundo, también cerrado, del narrador. El conjunto, con interferencias que se convierten en signos icónicos de relación, se constituye en una obra narrativa concreta, en un elemento del proceso de comunicación que es la obra literaria conocida como «relato».

Todo lo que constituye los ámbitos de la acción y de la palabra, el mundo de la ficcionalidad y el mundo del discurso, puede ser utilizado como forma manipulable por el narrador para dirigirse de modos previstos al narratario y conseguir una comunicación (interacción) con el lector.

El mundo de la ficción literaria, constituido por la materia narrada, es el de los personajes, y respecto a él muestra el narrador un grado de conocimiento que puede ser total o parcial, con omnisciencia temporal, espacial y psíquica, y con equiesciencia o deficiencia respecto a los personajes. El mundo del discurso literario, susceptible de manipulación pragmática y lingüística, es el del narrador y en sus límites quedan establecidas las relaciones con el narratario; es también un mundo de ficción, ya que sus dos sujetos son criaturas de ficción propuestas por el autor real.

La actividad del narrador (que es a la vez su funcionalidad) se concreta en un discurso que presenta las acciones de los personajes y retransmite sus palabras, integrándolas en una fábula y en un discurso manipulado a su gusto con unas estrategias adecuadas al modo de recepción que pretende (efecto *feedback)*.

El mundo de la realidad acoge los procesos de comunicación literaria establecidos entre el autor y los lectores a través del objeto intersubjetivo que es el relato en su totalidad, desde el título y la presentación, hasta el final, con todas las envolturas ficcionales que lo integran: la realidad de la obra se abre con el ámbito ficcional de una relación comunicativa entre el narrador y el narratario, que a su vez abre el mundo de ficción de los personajes, en capas sucesivas.

El lector, desde su situación en el esquema semiótico de este proceso de comunicación, hace su lectura y su interpretación, más o menos acertada, más o menos completa, en serie con los lectores sucesivos en el tiempo y en el espacio.

El estatus del autor se cierra con el del lector, y no hay ningún obstáculo para que un mismo sujeto real ocupe los dos roles: la crítica, según épocas y tendencias, ha considerado al autor de una obra como un lector más o bien lo trata como a un lector privilegiado que dispone de la interpretación «verdadera». Pero no es raro encontrar críticos que admiten, con toda facilidad, que el autor no tiene mayor competencia que cualquiera de sus lectores, si es que se pasa al lado del lector y, a veces con la misma facilidad, se consideran a sí mismos como lectores más competentes.

Los lectores y críticos que están más o menos decididos a negar autoridad al autor —y quizá puedan tener razón, ya que la autoridad del autor está en el ámbito autorial, no en el lectorial—, se atribuyen a sí mismos sin más título que el de lector una autoridad casi sacra. Esto es frecuente particularmente en referencia al texto dramático literario entre directores de escena que reconocen y proclaman su derecho a leer el texto literario en contra incluso de las indicaciones de teatralidad del escritor, cuando lo realizan en el escenario. Sacralizan así su lectura, frente a la sacralización de las «intenciones» del autor que había defendido la crítica historicista. No suele ocurrir esto en la lectura de los relatos, o por lo menos no suele ser tan llamativo cuando se da el caso, porque no se pasa a una realización escénica. El lector del relato interpreta como puede, como sabe o como quiere y su lectura es para sí mismo, en ningún caso puede realizarla objetivamente como lectura escénica.

El narrador del relato es un diseño del autor de la novela en el que éste delega los modos de presentar la historia (discurso, distancia, visiones, tiempos y espacios); es el emisor del monólogo narrativo que envuelve todas las voces; es la voz principal, aun cuando su figura no pase al texto y permanezca latente. El monólogo del narrador se dirige siempre a un narratario (su extremo en el esquema semiótico de la comunicación, en su círculo), que puede también aparecer en el texto o permanecer latente (Villanueva, 1984). Las relaciones entre estas dos figuras se manifiestan bajo formas textuales muy variadas, que sin duda admiten todavía muchas ampliaciones, pero siempre constituyen un proceso cerrado, con su tiempo y espacio propios. Por convención discursiva puede abrirse tal proceso y acoger a los personajes o a los lectores reales, y cuando esto ocurre hemos de pensar en una manipulación buscada para algún fin: dar una impresión de realismo, de apertura ideológica, de falta de límites claros entre ficción y realidad, etc.

El narrador, como tal, tiene vedado el mundo de los personajes, pero se convierte a sí mismo en personaje para penetrar en el mundo ficcional dando un salto desde el ámbito del discurso al de las acciones. Las puertas de comunicación entre ambos mundos son abiertas por el autor que dispone materia y discurso en unas relaciones convencionales. El narrador de *Niebla,* la novela de Unamuno, recibe la visita de su personaje, Augusto, que actúa de puente entre los dos ámbitos literarios: el de la historia y el del discurso. En este caso resulta lógico el diálogo narrador-personaje, que de otro modo es inverosímil.

El narrador de *La cuesta de las comadres,* el relato de J. Rulfo, es a la vez personaje que actúa; el narrador de *Lazarillo* sigue el falso estilo autobiográfico y actúa como si la escritura fuese automática; el narrador de *Fortunata y Jacinta* se presenta como un testigo de lo que pasa y retransmite lo que oye, atribuyéndose a sí mismo el estatuto que les da a sus personajes, de modo que puede decir: «tenía Juanito entonces 24 años. Le conocí un día en casa de Federico Cimarra...» (12). Cualquiera de estas formas de actuación del narrador genera unas convencionales relaciones con los personajes a las que no suele ser difícil reconocerles un sentido en el texto. La manipulación que hace la novela realista al poner codo con codo a los personajes y al narrador no persigue otro fin que el de presentarlos como «personas»: la realidad del que cuenta, el narrador, está a la par de la realidad de los personajes que él dice haber conocido y con los que ha hablado, aunque no se textualice el diálogo.

La convencionalidad puede seguir una dirección u otra: el mundo de la historia de los personajes puede adentrarse en el mundo del discurso y éste, a su vez, presentarse como mundo real del autor. Todos estos cambios son convencionales en cada relato y arrastran consigo hechos y relaciones que tienen repercusión en el lenguaje, como puede ser el uso de la expresión impersonal, o la de una de las personas gramaticales, primera o segunda: las convenciones de la misma narración exigen del discurso una coherencia interna y una justificación de las formas que adopta.

Desde el ángulo del autor está claro que el narrador es creación suya y que sus formas de relación con lo narrado deben seguir la coherencia textual que ·se proponga.

La situación es también cambiante desde el ámbito del lector, aunque de otro modo y por razones muy diversas: al cambiar las circunstancias históricas, sociales y culturales, en las que están los lectores para enmarcar los valores referenciales de la obra (a pesar de que en ella construyan su propio mundo ficcional), puede adquirir un sentido lo que en principio respondía a un proceso mimético. Quiero decir que, por ejemplo, la aparición de un narrador que ceda la palabra a sus personajes puede interpretarse como una actitud objetivista, o como plasmación de unos principios estéticos realistas, o puede entenderse como una actitud abierta del novelista, o una concepción dialéctica del mundo, etc.

Un personaje puede expresarse mediante soliloquios (el llamado «monólogo interior» es un soliloquio), pero no suele usar monólogos en la novela; en cambio sí los dice en el teatro, en cuyo proceso de comunicación se cuenta con la presencia de un público, que está integrado en el espectáculo como sujeto alocutivo, es decir, como un Tú, oyente previsto y real en la realización escénica. El monólogo de un personaje implica la presencia de otros dispuestos a escuchar (si no los hay, es un soliloquio) sin intervenir (si intervienen se convierte en diálogo). En la convencionalidad de la narración todos los personajes tienen posibilidades de hacerse oír y de que el narrador retransmita su voz.

La novela es realmente un monólogo del autor para su lector, expresado bajo formas discursivas diversas. No obstante, la palabra del narrador es la que denominamos «monólogo», ya que se dirige a un narratario textual (explícito o implícito). Aunque se reconozcan en el discurso narrativo variantes sin cuento, suele hablarse del monólogo del narrador y de diálogo de los personajes, pero está claro que no siempre se plasman en un discurso de esta forma.

La situación canónica puede ser alterada y de hecho lo es en la mayor parte de las novelas.

El narrador, en su monólogo, sigue la forma de una comunicación a distancia para los lectores reales, bajo un proceso ficticio de comunicación con el narratario. El dialogismo que se establece entre el narrador y el narratario se concreta en un efecto *feedback* que llega a textualizarse en algunos relatos en una figura de lector: el inteligente, el avispado, el bienintencionado... lector, que en ningún caso excluye a todos los demás lectores, torpes, romos o malintencionados, pero que justifica la expresión inteligente, astuta o bienintencionado del narrador, pues queda clara la relación de dialogismo y el efecto *feedback*.

Si el personaje no dispone de oyente (monólogo) o de alguien que intercambie palabras con él, se limita a pensar y convencionalmente el discurso adopta la forma de «monólogo interior». Es éste una forma de discurso elegida por el autor, y suele responder homológicamente a una sociedad en la que las relaciones humanas no son fáciles, bien sea por el desinterés de unos por otros, bien sea por la incapacidad de la lengua para la comunicación, o por otra causa. La tesis de Bajtin de que las formas artísticas son reflejo de hechos sociales se confirma una vez más: no se hace un tratado sobre la marginación, pero se pone en primera persona el relato de la vida de un pícaro, al que se le concede la palabra del discurso totalmente porque se dice con ello que nadie se interesa por contar sus trapacerías. El personaje que se ofrece como paradigma del hombre incomunicado se manifiesta mediante monólogos interiores, porque no tiene con quién hablar, o si alcanza que alguien lo escuche, no podrá decir lo que quiere, y si logra decir lo que quiere, no será entendido: todo resulta convencional en ese llamado monólogo interior narrativo, que no es más que la expresión literaria de la «corriente de conciencia» (Bobes, 1985, 257).

La convencionalidad, sin embargo, tiene también sus límites: sería inverosímil que el sujeto de esa locución interior fuese no el personaje, sino el narrador; un narrador puede tener acceso al interior de su personaje (omnisciencia psíquica) y recoger sus pensamientos a medida que se manifiestan y nacen («corriente de conciencia») y puede darles forma convencionalmente interior (monólogo interior), pero ¿quién tiene acceso al interior del narrador?, ¿podría ser otro narrador omnisciente y seguir las envolturas discursivas, proyectando hacia un centro de personajes los sucesivos narradores? Este artificio no se ha dado en la novela probablemente por su excesiva artificiosidad.

Podríamos decir que tan convencional es escribir un monólogo interior de un narrador como transcribir los pensamientos y sentimientos no manifestados de un personaje, pero hay convenciones que entran en el juego del género novelesco y las hay que no, quizá no desde un planteamiento teórico, sino en la práctica textual del género: unas aparecen y se realizan, otras, no, con razón o sin razones.

Estamos, pues, describiendo y teorizando sobre hechos de frecuencia, que señalan el monólogo del narrador y el diálogo de los personajes como formas diferenciadas en los circuitos de comunicación en el discurso de la novela; y estamos ante un lenguaje interior de los personajes, que, en cualquier caso puede ser alterado y adquirir nuevos modos de presentación.

Esto significa que el narrador habla, deja hablar a sus criaturas y puede seguir, de acuerdo con las atribuciones que él mismo se conceda, el discurso interior de los personajes. De estas tres posibilidades derivan distintas relaciones entre el hablar de unos y otros y surgen discursos de muchos tipos.

Tenemos que advertir también que en ocasiones el discurso puede ofrecer apariencias que no responden a la estructura locucional cuyos tipos estamos tratando de identificar: puede presentarse un discurso segmentado, con turnos de intervención, es decir, con la apariencia de un diálogo y, sin embargo, puede tratarse de dos monólogos entreverados: se siguen turnos espaciales o temporales, se alternan los locutores, pero falta la unidad temática y la voluntad de fin: se hace lo que se denomina vulgarmente «diálogo de sordos», porque no se escuchan uno a otro y lo que cada uno dice no tiene en cuenta lo que ha dicho el otro, y sin esta exigencia, no hay diálogo, aunque lo parezca visualmente en el discurso.

En cualquier caso la novela es un monólogo de un narrador que, desde una presencia textual o una situación de latencia textual (que no es lo mismo que ausencia) envuelve, dándoles unidad discursiva y verosimilitud narrativa, a todas las variantes que proceden de la interacción de su propio discurso y el de sus personajes.

Todos los usos del habla y las correspondientes relaciones entre los discursos del narrador y los personajes, permiten una amplia gama de variantes en el texto narrativo, que han sido explotadas por los autores e interpretadas en sus sentidos posibles por la teoría de la narración. Lo que queremos destacar, no obstante, no es la existencia de esas variantes; tampoco pretendemos su descripción, que sólo nos sirve de apoyo; ni siquiera pretendemos una clasificación, si fuera posible y se repitiesen algunos de los rasgos, sino que nos interesa precisar su valor de formantes literarios. Queremos comprobar, después de haber analizado los aspectos pragmáticos y lingüísticos del diálogo, cómo es posible que las formas de discurso alcancen el ser de signos o formantes literarios.

Las distintas formas de discurso dialogado (interior o exterior; entre personajes o traspasando los ámbitos de los mundos ficcionales) se fueron incorporando a la narración con plena conciencia de que arrastraban un sentido, que podía integrarse en unidad con el de otros signos literarios concurrentes. El diálogo de personajes, en alternancia con el monólogo del narrador, lo encontramos en las novelas de todos los tiempos en las diversas formas que hemos precisado y en otras más , pero creemos que sólo a partir del realismo el novelista toma conciencia de las posibilidades que tiene esta forma de discurso y sus relaciones con otras formas locutivas para expresar contenidos como la distancia afectiva, el dramatismo, una determinada concepción de la persona o del lenguaje o unos determinados presupuestos epistemológicos. Sólo a partir del realismo, según creemos, el uso del diálogo y su alternancia con el monólogo,

se realiza con la plena conciencia de que la forma adquiere un sentido; algo parecido a lo que ocurre con la medida de los versos
o la presencia de los acentos en el lenguaje de la lírica: para el
poeta no es solamente un hecho de forma, sino que existe una vinculación a determinados sentidos. Y en uno y otro caso se trata
de sentidos no codificados, es decir, no vinculados unívocamente
a las formas y variantes, es decir, se trata de signos o formantes
literarios, que son ocasionales.

Considerado el diálogo como un formante literario, se enriquece
en las posibles lecturas, cuando se sitúa en convergencia con otros
signos literarios o lingüísticos hacia sentidos globales ordenados en
el conjunto de la obra. El valor semiótico del diálogo y sus relaciones con otras formas de discurso quedará de manifiesto si podemos
advertir esa convergencia semiótica con otros signos.

Desde esta afirmación de carácter general hemos de recordar
lo que ya hemos advertido al principio de este apartado: hay dos
situaciones bien diferenciadas. Una de ellas supone la existencia del
diálogo en el lenguaje estándar y su traslado a la novela por motivos miméticos. La otra implica una voluntad de estilo para hacer
del diálogo y sus relaciones con otras formas de discurso un signo
literario que exprese icónica o simbólicamente un sentido.

El uso del diálogo en el discurso narrativo como efecto de una
actividad mimética lo encontramos en la novela de todos los tiempos. La novela realista lo incluye en su discurso como reflejo del
uso en el lenguaje estándar y así lo interpreta generalmente la crítica:

> qué bien sabe Galdós hacer hablar a los niños y a los locos (...).
> A mí, oyendo a menudo conversaciones de este género se me ha
> ocurrido que sorprendía a la Naturaleza hablando consigo misma
> (Alas, 1912, 179).

Con igual entusiasmo alaba Clarín la propiedad del lenguaje de
Pereda, destacando su «verdad» en «el diálogo más vivo, más exac-
to y humano que es posible imaginar», y a propósito de *Sotileza*
pondera:

parece mentira que todo aquello no lo haya copiado un taquígrafo... y ni eso sería tan verdadero, porque «el diálogo de Pereda es la quintaesencia de lo característico» (Beser, 1972, 218).

Las calificaciones de Clarín respecto a los diálogos de Pereda remiten a un concepto «realista» del arte narrativo cuyo mayor mérito consiste en reproducir la realidad directamente:

> sus diálogos populares son (...) modelo de verdad, de gracia y fuerza. (íd., 217).

No obstante, creemos que precisamente a partir del movimiento realista, la función del diálogo en el discurso narrativo no puede limitarse a la de copia de la realidad: la explicación no es completa al admitir que el diálogo está en la novela porque está en la vida y el mérito de un autor consiste en copiarlo o reproducirlo con maestría. No dudamos de que el motivo inicial por el que el diálogo se incorpora al texto realista haya sido el deseo de reproducir con verdad la vida y la naturaleza, pero parece indudable que rápidamente se advirtió que su presencia en el texto removía hasta los cimientos del género narrativo, en sus formas, en sus sentidos y hasta en sus presupuestos.

La aparición del diálogo en un texto narrativo, en alternancia con monólogos y otras formas de discurso, originaba procesos semiósicos que afectan a varios frentes. Limitándonos a los más inmediatos, diremos que repercutía directamente en las voces y daba lugar a una polifonía estructurada en formas bien diferenciadas de las que pueden incluir el texto lírico y el dramático; también repercutía en los modos de narración y en los tiempos literarios, y obligaba al lector a seguir con atención el discurso para saber quién habla en cada caso, cómo eran los discursos de cada personaje, a quiénes se dirigen, en qué marco contextual había que situar las frases de cada hablante, etc.

Rápidamente se deduce, al plantear las repercusiones del diálogo en todos los ámbitos de la novela, que también el espacio adquiere, o puede adquirir, un gran dinamismo por relación a los cambios de voces y tiempos de los sujetos de la locución. Y también se deduce que los personajes, que son unidades fundamentales en la sintaxis del relato (no como «caracteres», es decir, semánticamente considerados; ni como «funciones» que entran a formar parte de los cambios de relación en el esquema de actantes, sino como unidades de construcción), determinan las formas de distribución de la materia narrativa mediante sus relaciones con la palabra: si habla el personaje se reduce la distancia a las cosas, por tanto se podrán ver más detalles en un enfoque próximo; se podrá seguir el transcurso del tiempo desde una subjetividad *(durée)* y no sólo como medida de los cambios generales; el tono cordial, agresivo, frío, o como sea, podrá ponerse en relación con el carácter del personaje y darle la dimensión adecuada y relativa, etc. Así podríamos ir revisando muchos de los aspectos de la narración que acogen los ecos y repercusiones de las formas de discurso que se sigan.

Por eso suele quedar claro en una novela quién y cómo habla (narrador / personajes; interior / exterior) incluso en referencia a los términos que se deslizan del habla de unos a otros: si el personaje y el mismo narrador se hacen con sus palabras, será necesario advertir a quién corresponden en cada caso. Así, por ejemplo, el narrador de *La Regenta* tiene mucho cuidado en advertir que un término, al que él sin duda considera cursi, no es suyo:

> Obdulia se acercó al dignísimo Pedro y sonriendo le metió en la boca la mismísima cuchara que ella acababa de tocar con sus labios de rubí (este *rubí* es del cocinero) (200).

El rechazo de una palabra se convierte en signo de ironía literaria, que se suma a un tono, que tiñe toda la escena, por obra y gracia de la distancia a la que se sitúa el narrador para oír el diálogo de sus criaturas de ficción.

El lenguaje interior o exterior no son meras formas, pues se llenan de sentido por relación a otros signos: las palabras que dirige don Álvaro a Anita están medidas con mucho cuidado y su pudibundez contrasta con la grosería de los términos en que piensa: en su narración tuvo que alterar la verdad histórica, porque a la Regenta no se le podía hablar francamente de amores con una mujer casada —«tan atrasada estaba aquella señora»—, pero vino a dar a entender como pudo que él había despreciado la pasión de una mujer codiciada de muchos... (691).

El narrador no cede la palabra a don Álvaro Mesía para retransmitir el diálogo con la Regenta, pero da cuenta de cómo altera su lenguaje interior cuando pasa a ser exterior, y diferencia palabra y pensamiento, expresando éste con comillas, de modo que el lector sepa con claridad que lo del atraso de Ana lo piensa el cínico don Álvaro, no el narrador. El contrastar textualmente lenguaje exterior y lenguaje interior tiene el sentido literario de expresar indirectamente el cinismo del dandy, su doblez, su falta de escrúpulos, su vanidad de don Juan, como más adelante dirá directamente el narrador. El doble plano del lenguaje exterior/interior se puede leer en el texto mediante el análisis de las formas de discurso combinadas, y podemos comprobar que cuando el narrador censura directamente a don Álvaro después de la seducción de la Regenta, el lector ya sabía bastante acerca de la doblez, falsedad, cinismo y demás cualidades del don Juan provinciano.

La competencia de un lector de novela es suficiente para advertir las alternancias y los cambios y para interpretar adecuadamente su sentido. No resulta indiferente que el tono irónico se sitúe en el habla de un personaje o en la del narrador, y no es lo mismo que un enunciado se presente como dicho o como pensado por un personaje, porque en cualquier caso el cara a cara impone normas que no son pertinentes en el lenguaje interior: D. Álvaro no puede decir nada, pero sí pensarlo, sobre el atraso de Ana, y el narrador no puede decir nada directamente en una novela que no sea de tesis —y *La Regenta* no lo es— sobre las cualidades morales del personaje, al menos no es frecuente que se haga, pues resulta más eficaz el uso de medios indirectos. En relación con la interpretación de las referencias o actitudes, y también con una interpretación ética de la narración, es muy diferente que un término —no ya un juicio enunciativo— proceda del narrador o de los personajes. El personaje tiene, por su misma naturaleza, un ámbito de referencia más limitado que el narrador, pues en ningún caso la unidad de la obra depende directamente de él: los personajes pueden contradecirse sin que el sentido pierda unidad, pero el narrador no puede hacerlo porque resultaría desconcertante. Por eso interesa mucho saber quién habla; generalmente el narrador presenta a los hablantes y conduce al lector por la vía segura de las presentaciones, pero cuando no es así, el lector debe tener en cuenta los modos de verbalización, la codificación y la contextualización de lo que se dice para deducir con seguridad a quién debe atribuírselo y a quién va dirigido el texto.

En relación inmediata con los sujetos de la enunciación y del discurso ha de quedar fijado el tiempo y el espacio, el orden, la sucesividad y las simultaneidades que puedan darse entre el monólogo y los diálogos.

Queda descartada la simultaneidad de la historia y de la escritura, por tanto la coincidencia del tiempo del narrador y de los personajes, a no ser los casos de homodiégesis, a que hemos aludido. Por lo general, la identificación de las voces arrastra la del tiempo que les corresponde y la del espacio que las acoge.

No es de extrañar, pues, que cuando se introduce el diálogo de una manera sistemática y consciente en la novela realista, aunque el móvil primero haya sido la mimesis, rápidamente empezasen los análisis y las interpretaciones sobre su repercusión en todos los ámbitos narrativos.

En general podemos admitir como marco de referencia para la interpretación de los discursos narrativos que el diálogo se realiza con voz de los personajes y es, casi siempre, lenguaje referido (directa o indirectamente) y suele implicar dos hechos: *a)* el tiempo en presente, y *b)* la visión directa y la proximidad psíquica al conflicto. El enfoque próximo a través de la palabra de los mismos sujetos que viven la acción, acerca las cosas a los lectores y les hace entrar más fácilmente en el mundo ficcional, de ahí la frecuencia del diálogo en la novela objetivista y el relieve que tienen los objetos en ese tipo de novela; el enfoque panorámico, a través de la palabra del narrador, presenta una visión más amplia, de perfiles más difusos, pues al ser más abarcadora es menos nítida, y no sólo en referencia a los objetos, sino también respecto a la historia, y sobre todo respecto a la palabra de los personajes, es decir, respecto al diálogo.

Puede resultar ilustrador para aclarar los conceptos que venimos repasando, y que pueden parecer sesgados o sutiles, revisar los pasos que recorre la novela realista en la incorporación del diálogo en su discurso: cómo se empezó interpretando los diálogos como «lenguaje verdadero» (con valor icónico respecto a la «naturaleza», según hemos visto que hace Clarín respecto a Galdós y Pereda), y cómo se pasó a relacionarlos con hechos lingüísticos (interior / exterior), de tiempo (pasado / presente), de visión (escénica / panorámica), etc.; el monólogo del narrador se hizo signo literario acumulativo de impersonalidad, generalización, organización discursiva y racional, visión panorámica, seguridad en el conocimiento de la historia, omnisciencia, etc.; por contraste, el diálogo de personajes se fijó como signo acumulativo de particularidad, visión escénica, tono subjetivo, relativismo, inseguridad del conocimiento, etc.

Si en principio el diálogo es incorporado al discurso realista por alguna razón única: expresividad dramática, acercamiento al modo escénico, intimismo, familiaridad, emotividad, etc., pronto derivará a otros valores, que podemos identificar en el diálogo y en las relaciones de éste con el monólogo, es decir, en las relaciones horizontales del discurso y en las verticales de la narración. La novela actual llevará experimentalmente el diálogo a otros objetivos y tratará de romper las vinculaciones de las voces con los tiempos y los espacios, como tendremos ocasión de comprobar en algunos textos de Vargas Llosa.

DIÁLOGO EN LA NOVELA REALISTA

Los novelistas realistas y sus críticos —frecuentemente también novelistas— fueron descubriendo, a medida que usaban el diálogo, unos valores que lo situaban más allá de lo lingüístico y lo acercaban a los signos y formantes literarios de la obra. Descubrieron también con el uso del diálogo que, al introducir una convención determinada en el discurso a fin de lograr un efecto, se arrastraban otros imprevistos, que se escapan a un control inmediato como el que puede proyectarse sobre los signos lingüísticos y en general sobre los signos de los sistemas codificados, que tienen una estabilidad, al menos relativa, entre su significado y las formas de su significante.

Es un hecho que en ocasiones la novela realista utiliza un diálogo que carece de una funcionalidad lingüística y hasta literaria: son diálogos que no hacen avanzar la acción (carecen, por tanto, de funcionalidad sintáctica), no caracterizan a los personajes (no tienen función semántica), no remiten a una realidad extraverbal (no tienen funcionalidad pragmática), porque son solamente una expansión o una ilustración de las palabras del narrador y no tienen más valor que el de un doblete expresivo de lo que ya se ha dicho de otro modo. Estos diálogos son frecuentes en las primeras novelas y resultan innecesarios, prolijos, son meros ensayos de un autor que tiene voluntad de incluirlos en la novela y no acierta muy bien a determinar para qué: Clarín no se cansa de advertirlo una y otra vez:

> lo malo de *Miau* está hacia el medio, en ciertos pasajes que son, si no meras repeticiones, amplificaciones innecesarias, está, sobre todo, en ciertos diálogos prolijos y poco simpáticos de Cadalso, padre, con su cuñada, la insignificante... (Alas, 1912, 117).

> *Torquemada en la cruz*, aparte de cierta prolijidad inútil en algunos diálogos, empieza perfectamente...

> En *Halma* (...) lo que sobra es aquella prolijidad de muchos diálogos..., etc.

Podríamos pensar que son los primeros intentos de manejar el diálogo como forma que dé variedad al estilo y como ensayo para
los empeños más altos que seguirán: era necesario aprender a hacerlos para conocer sus posibilidades en la obra literaria narrativa.

El diálogo empieza a considerarse como un rasgo de estilo en
las relaciones que necesariamente tiene con el monólogo del narrador. Y es muy ilustrativa en este sentido, la opinión que expresa
Clarín a propósito de la novela de Palacio Valdés, *El idilio de un
enfermo*:

> en el diálogo acierta las más de las veces, pero suele pecar de proli-
> jo, y esto porque convierte en escenario el texto y deja que los inter-
> locutores se digan lo que es probable que en tal caso se dijeran.
> Los diálogos, para que sigan siendo naturaleza, sin ser pesados e
> insignificantes, han de ser interrumpidos por el autor cuando convie-
> ne; ha de dialogarse *oportune*, como se puede observar que hace
> Zola, Daudet y hasta Galdós en sus últimas novelas (no en otras
> que pecaban del defecto que censuro) (Alas, 1912, 27).

La «verdad» del diálogo realista y naturalista, la medida de su
frecuencia para que no resulte prolijo, y la funcionalidad (por lo
menos semántica) para que no resulte ser innecesario en la estructura de la obra, son las primeras cualidades que se le exigen. Rápidamente se pedirán otras, que lo relacionen con el monólogo del narrador. El diálogo debe ser utilizado *oportune* y ha de ser interrumpido por el autor (narrador) «cuando conviene». Pero empiezan
los problemas de relativismo: ¿quién decide cuándo conviene? ¿Quién
decide si el uso se hace *oportune*? ¿Se deja a discreción del autor,
o es cosa del lector? ¿Qué sistema de valores se aplicará para decidir la oportunidad y la conveniencia del diálogo en un discurso?
Si lo ponemos en relación con otros elementos del texto y se integra
en concurrencia con otros signos en el sentido literario de la obra,
estamos sin duda ante un signo literario. Son problemas de valor
que cada novelista deberá resolver, arriesgándose a acertar o a equi-
vocarse, como ocurre con todos los signos literarios que, como tales, carecen de codificación, son circunstanciales. El lector puede

advertir la corrección o propiedad de los términos lingüísticos y de las construcciones gramaticales, puede saber también si tal o cual forma de lenguaje figurado está conforme con lo que exige la retórica, pero ¿qué canon usará para saber si el diálogo es oportuno o prolijo, o si las relaciones con el monólogo del narrador son adecuadas?

Podremos intentar un conocimiento de la situación del diálogo en un determinado *corpus* narrativo, y podremos describir sus formas y sus relaciones internas y externas con otras formas de discurso, pero difícilmente podremos entrar en cuestiones de valoración sobre la oportunidad y conveniencia. Dada la ambigüedad semántica del texto literario, es posible que en una lectura determinada resulte prolijo el diálogo o insignificante, pero puede que otra lectura lo justifique. Más adelante aludiremos con detenimiento a las valoraciones que la crítica hizo sobre los diálogos «insignificantes» de Chéjov.

Vamos a seguir con la descripción de los usos y las críticas que del diálogo y sobre el diálogo se hicieron en la novela realista cuando se tomó plena conciencia de que era un signo literario (un recurso literario, solían decir) que condicionaba y concurría con otros de la misma naturaleza para organizar el sentido de las obras. Esta descripción nos permitirá disponer de unos modelos y proponer un metalenguaje que dé lugar a una competencia de lectura más amplia que la estrictamente lingüística. No podemos esperar que sea una medida de valor objetivo, pues el signo o formante literario no lo es fuera del texto. Nada hay estabilizado, nada hay codificado en este tipo de signos circunstanciales. Pero, en todo caso, no es ocioso conocer cómo se presentan y cómo funcionan.

En el Prólogo a la primera edición de *La Hermana San Sulpicio* (1889) (que reproduce en parte L. Bonet en el prólogo a *Ensayos de crítica literaria,* de Galdós, de donde tomo la referencia) se plantea en torno al tema de la verosimilitud artística el problema del conocimiento del hombre y la consecuente actitud del narrador para construir y presentar a sus personajes:

...el hombre sólo puede ser conocido por sus obras o sus palabras, esto es, por la exteriorización de su conciencia; el carácter no puede mostrársenos en su totalidad simultáneamente, sino por una serie de actos sucesivos y determinados.

Los motivos que desarrollan la anécdota de una novela son las oportunidades que el narrador se ofrece a sí mismo para construir y mostrar el carácter de su personaje. Estamos en una época en la que empieza a resquebrajarse la seguridad que ofrecía la omnisciencia del narrador: unas veces, como es el caso de Clarín, se renuncia, porque parece poco verosímil, a la omnisciencia espacial, porque parecía ilógico que se relatasen dos escenas que habían sucedido en simultaneidad en dos lugares alejados, pues si el narrador estaba en uno de esos lugares no podía estar en el otro; sin embargo, seguía pareciendo aceptable el conocimiento del interior de los personajes, porque eran criaturas del autor, y la omnisciencia temporal que permitía recorrer su pasado sin buscar razones de verosimilitud a ese conocimiento.

En el momento en que se rechaza la omnisciencia psíquica, es decir, la posibilidad de acceder al interior de otro para conocerlo, y se rechaza también la posición de creador para bajar a la de una persona, el narrador deberá situarse en las nuevas convenciones y tendrá que seguir otros caminos para el conocimiento de sus personajes: tendrá que dejarlos actuar para observarlos y escribir lo que ve, y tendrá que dejarlos hablar para escuchar sus palabras y retransmitirlas a los lectores.

Se trata, en resumen, de buscar procedimientos de creación y presentación de los personajes que puedan dar lugar a un discurso narrativo verosímil desde las convenciones que se admitan en el texto o que estén latentes en el discurso. Si se rechaza la posibilidad de generalizaciones («el carácter no puede mostrársenos en su totalidad simultáneamente»), un narrador consecuente habrá de seguir la sucesividad de unos actos que permitan conocer al personaje en sus acciones y se librará, como hemos visto que hacía Clarín respecto a su don Álvaro, de calificaciones globales; y si se rechaza la omnisciencia, habrá que acudir a la inducción tomando los hechos en su manifestación fenomenológica para lograr el conocimiento del hombre interior a partir de sus manifestaciones externas, entre las que el habla resulta, sin duda, la más pertinente y significativa.

El narrador baja de su olimpo creativo poco a poco hacia la tierra y en sucesivas renuncias va ajustando sus prerrogativas de creador a las posibilidades reales del hombre: puede observar, escuchar, seleccionar acciones, interpretarlas, y siempre desde afuera. La atención a las cosas (el mundo de los objetos) y a las palabras (el mundo del discurso) desde la posición reconocida a la persona humana, colocan al narrador en unas coordenadas de verosimilitud de tipo realista, y tales principios y presupuestos abren la puerta con amplitud a la novela y al drama.

No obstante, no es ésta la única puerta que se abre. Simultáneamente se presentan otras dificultades procedentes de la quiebra de algunos principios ontológicos que habían servido de marco referencial estable y común para el autor y sus lectores, de modo que podían garantizar la interpretación de los datos y motivos que se presentaban en una aparente heterogeneidad. Galdós fue muy consciente de esta dislocación producida en los niveles de la ontología y lo manifiesta con claridad en su discurso de ingreso en la Academia Española: «lo primero que se advierte en la muchedumbre a que pertenecemos, es la relajación de todo principio de unidad...».

La novela soportará la situación insegura y la crítica ideológica que le sirve de marco real y procurará superarla para alcanzar la inteligibilidad y proporcionar al lector una seguridad que no encuentra en el mundo real. Forster afirmará que la función primordial de la novela, donde se asienta su éxito precisamente, estriba en ofrecer a los lectores la seguridad que no encuentran en el mundo (Forster, 1983): las cosas, que se muestran en forma caótica, y las conductas, que son desconcertantes muchas veces, se ordenan en el mundo de ficción y quedan explicadas por relaciones y límites que no pueden verse en el mundo real. La novela trata de representar lo que el narrador observa y oye, pero situándolo en unas expresiones y unos límites que no están en el mundo de la realidad ni en el discurso, sino en la unidad de visión que les proporciona el autor. Será la visión de éste la que señale límites y ámbitos de seguridad, la que dé sentido a su propia interpretación y sirva de canon para describir las cosas o seguir las líneas de conducta de los personajes que resultan coherentes y lógicas, o incoherentes e ilógicas, pero siempre explicadas. Para ello se seleccionan los hechos y se descubren las líneas de la historia a través de los datos. El narrador actúa con una competencia que le permite descubrir caminos en el mar, o lo que es lo mismo, señalar en el caos social los trazos de una historia.

Poco a poco, y movido por esa crisis de identidad de las cosas y por esa quiebra de la organización del mundo real que debió afectar muy directamente al hombre urbano y lo convirtió en un lector de novelas, el hombre decimonónico fue aceptando también en el mundo ficcional la misma situación y fue aceptando que la novela renunciase progresivamente a lo narrativo, a la fábula cerrada, de tal modo que la unidad de visión del narrador pudo ser sustituida por la unidad de visión del lector. Éste se vio en la necesidad de interpretar el mundo de la novela siguiendo los caminos que se vio obligado a seguir cuando trató de interpretar el mundo caótico y deshumanizado en el que le toca vivir. La seguridad que primero tenía el mundo de la realidad y que recogía la novela miméticamente de modo que unos mismos principios eran válidos para el autor y para el lector, es decir, para codificar y descodificar la obra de arte narrativo (objetividad), y esa misma seguridad que después estaba en la unidad de visión del narrador que selecciona, organiza y explica lo caótico aparente (subjetividad), pasará, al filo del siglo XX, a ser el objeto de búsqueda del lector: la unidad de la novela se traslada a la lectura.

Por la misma razón por la que que se rechaza lo narrativo, se evitará también lo descriptivo, porque, al introducir en el discurso

elementos estáticos (las cosas que se describen), se crea una falsa
sensación de seguridad, ya que ni los objetos permanecen estables
(al menos en la valoración que de ellos hacen los hombres), ni la
visión que de ellos tiene el sujeto que se mueve a su alrededor permanece en el tiempo. Tanto en la narración como en la descripción,
el narrador realista se transforma en el filtro estático de una realidad que en su ser y en su apariencia es un constante devenir. La
función del narrador en este sentido se desplazará también hacia
el lector, que ha visto llegar su hora y ha perdido su actitud pasiva
necesariamente, en la nueva función que desempeña.

Después de la seguridad inicial del realismo, el narrador va sin-
tiéndose incómodo con la responsabilidad que él mismo se ha concedido y trata de ir soltándola, como un lastre: quiere presentar
las cosas y los personajes como son, no como él los ve; quiere
alcanzar una distancia y una impersonalidad que lo liberen de su
función de filtro de las historias ordenadas y de las conductas es-
tructuradas. La necesidad de recoger testimonios directos va cre-
ciendo a medida que el narrador no quiere compromiso ni con las
ideas ni con la realidad; la pretensión de actuar como un espejo
plano o como un cristal transparente que no distorsionen la realidad, *lleva inexorablemente al uso del diálogo de personajes,* de modo que su palabra va abriéndose paso en la novela decimonónica
en una proporción inversa a la seguridad. La presencia del diálogo
es cada vez más firme y las razones de ello no son el gusto o el
capricho, ni siquiera el estilo discursivo de un autor, sino que responde a cambios profundos en el modo de entender las relaciones
del hombre con el mundo social y el mundo natural. Y tales cambios repercuten en todas las manifestaciones artísticas, y de un modo directo en la novela.

En un primer momento el diálogo se filtra —al igual que la
visión de las cosas, porque las palabras son también «cosas»— a
través de la palabra del narrador, que deja oír términos, asume
juicios o resume enunciados; luego se amplía cada vez más hasta
llenar en ocasiones todo el discurso de algunas novelas, por ejem-

plo de Galdós, de Baroja, de Yvy Compton-Burnett..., en las que
el narrador pasa a ser técnico de montaje.

Por otras razones, que se suman a las anteriores, el diálogo
se afianza y se extiende como forma de la narración y en la novela actual adquiere unos valores propios como recurso para expresar no sólo modalidades discursivas, sino también superposiciones
temporales y espaciales, y hasta ideológicas. Y, para verificarlo,
revisaremos el comienzo del proceso, en algunas de las obras de
Galdós, y la situación actual en alguna de las obras de Vargas
Llosa.

Fortunata y Jacinta (1887) tiene en su discurso diálogos de personajes que ofrecen una amplia gama de variantes. Podemos afirmar que en principio Galdós parece utilizar los diálogos con una
finalidad pragmática: con ellos quiere dar al lector una sensación
de realidad; junto con otros recursos literarios, que pretenden trasladar al texto la realidad, el diálogo será valorado por la crítica
por su «verdad», tal como hemos visto que hacía Clarín. El narrador señala fechas concretas y hechos históricos en los que dice que
tomaron parte sus personajes: revueltas reales, algaradas estudianti-
les madrileñas censadas, nombres de ministros conocidos, de personajes públicos, etc., enmarcan las presencias de las criaturas de ficción para dar a la obra verosimilitud realista. Con ello, el narrador
las presenta no como creación suya, sino como «personas» a las
que tuvo la oportunidad de conocer realmente y, si es así, no resulta extraño que las haya oído hablar y, como un paso más, no es
inverosímil que reproduzca sus diálogos, tal como los ha oído. La
convencionalidad del texto realista es total en frases como: «diez
meses pasaron de esta manera (...) hasta que allá por mayo del
70...» (67), que más bien parecen frases de una crónica.

Los diálogos que el narrador oye a tales «personas», con las
que coincide continuamente en el espacio real del Madrid contemporáneo, son muy numerosos; la forma en que los retransmite al
lector es muy variada, por lo que se refiere a las relaciones con
su propio discurso.

La existencia de un diálogo «real» se advierte en el monólogo del narrador a través de indicios, a veces mínimos, que no escapan al análisis textual; a veces el vestigio queda reducido a un término, que no es del narrador, y remite, como palabra marcada al idiolecto de uno de los personajes. El narrador está contando las impresiones que tiene Fortunata en una de las lecciones que le da su protector Feijoo para instruirla mediante una especie de «diálogos docentes»: «no veía la tostada ni veía en rigor lo que era la filosofía, aunque sospechaba que fuese una cosa muy enrevesada, incomprensible y que vuelve *gilís a los hombres*». El narrador rechaza de su habla la frase que ha subrayado y que podemos pensar que corresponde al habla de Fortunata, y también será de ella la *tostada*, aunque no sería tampoco inverosímil atribuírsela a Feijoo, junto con *veía en rigor*... Son indicios en la expresión del narrador que remiten, sin duda a diálogos entre Feijoo y su pupila, que tienen muy diversa forma de verbalizar y de codificar los signos lingüísticos. El narrador da paso a tales indicios y deja pasar por el filtro de su voz algunos términos del idiolecto de uno y otro personaje, con lo que logra en su propio discurso una polifonía notable a la vez que señala una distancia entre su habla y la que realmente parece transcribir de sus personajes.

Es ésta una forma de discurso literario en la que no se recoge la voz directa de los personajes, pero sí alguno de los términos que usan, los suficientes para darles un tono realista, al ofrecer al lector testimonio de referencia y de diferencia entre sus formas de hablar.

El primer intento de diálogo textual en esta novela lo encontramos en la página dieciséis cuando don Baldomero reflexiona con su mujer, doña Barbarita, sobre la conveniencia de que Juanito vaya o no a París (viaje iniciático en la mitología narrativa, y episodio funcionalmente muy destacado, por tanto). El narrador (que no se presenta nunca como creador, sino como observador y oyente) asiste al diálogo y luego lo retransmite en estilo indirecto: *diálogo referido y resumido*. No se oye más que una de las intervenciones de don Baldomero, pero se da cuenta de los turnos de los dialogantes, de las ideas que aportan, es decir, propiamente se «cuenta» el diálogo.

El primer diálogo propiamente tal, con una estructura lingüística que se adapta al esquema pregunta-respuesta, aparece en el capítulo tercero, precisamente en el encuentro de Fortunata y Juanito, es decir, en la primera escena funcional para la historia, que queda así fuertemente destacada en el conjunto de la estructura sintáctica. El narrador no deja demasiado espacio para el diálogo, y parece que le cuesta trabajo soltar los hilos de sus marionetas, a pesar de presentarse como observador y renunciar al papel de creador, como vamos viendo; es su palabra la que presenta, comenta y organiza la escena, los movimientos, la apariencia de los personajes, su tono de voz, y sólo al final deja oír esa voz con una intervención de Juanito y otra de Fortunata. El equilibrio y la mesura dan testimonio de la importancia de la escena como *diálogo directo*.

Hay también en *Fortunata y Jacinta diálogos panorámicos* entre Estupiñá y Barbarita, con modalizaciones diversas, que denominamos: *integrados* totalmente en la palabra del narrador: «diez meses pasaron de esta manera. Barbarita interrogando a Estupiñá y éste no queriendo o no teniendo qué responder...» (67); *narrados,* entre Juanito y Estupiñá: éste «le interrogaba prolijamente por todos los de la familia (...). El Delfín después de satisfacer la curiosidad de su amigo, hízole a su vez preguntas acerca de la vecindad de aquella casa en que estaba» (64); *seminarrados,* entre Barbarita y su hijo: «la inflexible mamá le cortaba la retirada con preguntas contundentes ¿a dónde iba por las noches? ¿Quiénes eran sus amigos? Respondía él que los de siempre...» (66).

Las relaciones de los diálogos con el monólogo envolvente del narrador se manifiestan en el discurso mediante formas en las que se encuentran verbos en estilo indirecto, signos indéxicos personales o de lugar y tiempo, etc., integrados en un discurso único: *¿A dónde iba por las noches:,* es la versión en estilo indirecto libre de *¿A dónde vas por las noches?* La segunda persona pasa a la tercera y se alude a la repetición de la pregunta con el imperfecto de indicativo.

El diálogo, bajo todas las variantes en que se ofrece, se inserta de modo progresivo e inexorable en el discurso de la novela realista hasta ocupar todo el texto en obras como *El abuelo*. Las causas de esa tendencia hay que buscarlas en el deseo de los autores de eliminar la presencia textual del narrador, primero como creador, pasándolo a oyente, y luego haciéndolo desaparecer del todo y re-mitiéndolo a una situación de latencia; también en el rechazo de la narratividad como forma que puede distorsionar la realidad al imponer la visión subjetiva del narrador; en el rechazo directo de la descripción como discurso que distrae de la fábula y a la vez crea una falsa seguridad y un falso sentido de estabilidad del mundo, etc. El diálogo se ofrece cada vez más tentador como forma abierta, dialéctica, de contraste, de perspectivas múltiples, de indudable dinamismo.

Cuando se ha rechazado la omnisciencia del narrador se crea, tal como ya hemos afirmado, un vacío narrativo considerable, por-que ¿quién dará cuenta de lo que ha ocurrido en otro tiempo, o de lo que está ocurriendo en otro lugar, o en el interior de los personajes, a no ser su creador, que puede saberlo? Los recursos textuales con los que se puede suplir la omnisciencia deben ser co-herentes con el nuevo estatuto del narrador. Éste ha renunciado a ser creador y está obligado a seguir las limitaciones que tiene una persona en sus relaciones con el mundo y con el conocimiento. Ahora el narrador y los lectores tienen las mismas posibilidades de entender una historia que, convencionalmente para el autor, se presenta como algo que observa y realmente para el lector se le presenta como algo que puede observar. Admitidas estas conven-ciones, el narrador tratará de eliminar los obstáculos que se inter-ponen entre los personajes y el lector, para que sea éste quien vea, oiga e interprete en forma directa la figura, la voz y la conducta de esas criaturas de ficción que se presentan como personas de un mundo real asequible al narrador. El mundo ficcional, presentado

convencionalmente como la realidad circundante del narrador-
persona, queda abierto para el lector-persona de un modo directo
y con un marco de referencias que no tiene por qué ser otro que
el de su entorno vital.

Los prólogos que Galdós pone a *El Abuelo* y a *Casandra* plantean y tratan de resolver, desde una consideración realista, alguno
de los problemas que estamos sistematizando ahora.

Y si esto ocurre por parte del creador de la novela, la situación
de la crítica respecto al uso del diálogo es paralela a la hora de
explicar el uso del diálogo y sus repercusiones en otros elementos
de la novela.

Es indudable que el uso del diálogo en algunos relatos no responde a otros motivos que al proceso mimético por el que el habla
de los personajes reproduce el habla social, y nunca dejó de ser
valorado en este sentido. No obstante, pronto pasa el diálogo a
ser interpretado como signo literario con otros valores formales y
semánticos.

En *La desheredada* (1881) utiliza Galdós algunas de las formas
experimentales de diálogo, y lo hace con la conciencia de que se
aproxima al texto dramático, por lo que titula algunos de los capítulos «escenas» o «entreactos». A pesar de todo, a veces, los diálogos no son tales y la experimentación se realiza mezclando planos
monologales, lenguaje directo, expresión exterior, discurso interior,
etc.; sin embargo, se presenta como lenguaje cara a cara, fragmentado, con sus turnos, etc., es decir con los requisitos formales del
verdadero diálogo. Nos llama la atención particularmente el artificio de un discurso que se presenta como un diálogo y formalmente
lo parece porque tiene la retórica propia del diálogo: los interlocutores están cara a cara, se siguen turnos de intervención que originan un discurso fragmentado, pero no se cumplen otros requisitos
semánticos y pragmáticos. Me refiero a una interacción verbal que
tienen Isidora y su padrino Relimpio: mientras éste «hace diálogo»
y sigue las vicisitudes de la escena mientras está enseñando a su
ahijada cómo se hace una canilla y cómo se cose a máquina, Isido-

ra no cumple las normas conversacionales del diálogo y va discurriendo interiormente sobre su situación y su vida. Ya hemos aludido a este diálogo más arriba.

La apariencia de diálogo en cuanto a la forma es total, pero no lo es realmente porque uno de los interlocutores del *duólogo* (son sólo dos los locutores, si fuesen más uno podría no intervenir e ir discurriendo interiormente) no sigue las normas de la interacción: no escucha.

La situación, tan sutil, no pasó desapercibida para la crítica. Clarín al comentar *La desheredada* muestra cierta perplejidad y hasta cierto desconcierto en sus juicios sobre esta forma de discurso. En un artículo sobre *La desheredada,* segunda parte (Alas, 1912), pondera Alas la propiedad del lenguaje, la decidida intención de Galdós, siguiendo la tendencia naturalista, de restituir el arte a la realidad lo que le convierte en maestro en el difícil arte de hacer hablar a cada uno como debe,

> pero en *La desheredada* ha llevado su habilidad tan lejos que casi se puede decir que es éste el primer mérito de la obra *(id.* l08); gran maestro ha sido siempre Galdós en el arte del diálogo; siempre ha sabido dar a cada personaje el estilo propio de su carácter y estado (...). Otro procedimiento que usa Galdós y ahora con más acierto y empeño que nunca es (...) sustituir las reflexiones que el autor suele hacer por su cuenta respecto a la situación del personaje, con las reflexiones del personaje mismo, empleando su propio estilo, pero no a guisa de monólogo, sino como si el autor estuviera dentro del personaje mismo y la novela se fuera haciendo dentro del cerebro de éste *(id.* 103).

Este entusiasmo del crítico asturiano ante las posibilidades de un narrador situado en el cerebro del personaje es lógico, porque es el que sigue continuamente el discurso de *La Regenta,* de una gran modernidad. Sin embargo parece contradecir otras afirmaciones de Clarín sobre la necesidad de que el autor (el narrador) interrumpa los diálogos de sus personajes para explicarlos, porque él es quien conoce a fondo, y mejor que él mismo, al personaje, su

interior. Lo que ahora pondera Clarín no es exactamente el monólogo interior, sino lo que él llama «el subterráneo hablar de la conciencia», como procedimiento para acercar el personaje y prescindir
del narrador. Los matices que van descubriéndose en el discurso
a través de las críticas de las obras sucesivas de Galdós son muchos
y no es extraño que, dada la novedad que presentan, algunas veces
den lugar a juicios poco definitivos y hasta contradictorios.

El primer intento de novela totalmente dialogada lo hace Galdós con *Realidad* (1889). Un año antes había publicado *La Incógnita* donde se planteaba la dificultad que tiene el narrador
para conocer la verdad de una historia a partir de las apariencias,
de las acciones y del habla. Los problemas que el uso del diálogo
ofrece en este empeño de ponerlo al servicio de la verdad, son muchos.

La Incógnita está construida por un conjunto de cartas que Manolo Infante escribe a un tal Equis. El texto discute directamente
la cuestión de cómo contar una historia para captar el máximo interés del lector, y cómo prever sus reacciones a fin de dosificar las
noticias y las reflexiones en la forma más adecuada. Se trata en
último término del efecto *feedback* que el lector (en este caso un
lector explícito, Equis) proyecta sobre el autor y le obliga a buscar
el mejor modo de interesarlo.

El autor de las cartas, convertido en narrador de una historia
que entresaca de su experiencia vital en Madrid, no logra cerrarla,
le resulta imposible explicar los hechos: él no se limita a transcribir
en las cartas lo que va observando, lo que va sabiendo, y desde
el primer momento trata de interpretar como datos la materia que
se le ofrece en conversaciones con unos y otros, pero no logra dar
con la verdad. La incógnita persiste a pesar de que a veces cree
que ha alcanzado la solución; otras veces, por el contrario piensa
que es incapaz de explicar lo que ocurre. Propone una historia cerrada y al momento aparece un dato que la rechaza, y cuando parece que ha de ser de otra manera, se presenta igualmente algún dato
inesperado que no encaja en la nueva versión.

El discurso incluye diálogos del narrador con los personajes, pero son muy escuetos, ya que el prediálogo (explicaciones del presentador) y los comentarios interiores (explicaciones que interrumpen continuamente la transmisión), así como los datos de observación del mismo narrador sobre la figura, la voz y las actitudes de los hablantes, son tantos y tan extensos, que apenas dejan espacio a la locución directa de los interlocutores, de modo que los diálogos se quedan frecuentemente en semidiálogos, o en diálogos resumidos, con una sola intervención de los personajes presentes.

Un diálogo que se anuncia como extenso, entre Augusta, la protagonista, y Manolo Infante, el narrador y pretendiente, se recoge en el texto de este modo:

> Hace dos noches tuve una conversación muy interesante con Augusta. Parecióme que ella misma la había buscado (...). Preguntóme no sé qué (...) respondíle que lo que me pareció bien (...) y me dijo:
> —Tengo que advertirte que Cornelio es persona muy solapada y de muchas conchas, y que hay que tener cuidado con él.
> Como yo le dijera que pensaba lo mismo, ella añadió:
> —A mí, personalmente, no me ha hecho ninguna mala pasada...
> (710).

Siguen otros pasajes cuyo discurso está construido de la misma manera: el monólogo del narrador «cuenta», resumiéndolo, el diálogo que él mismo sostiene con Augusta (relato de palabras) y retransmite alguna locución directa de su prima en alternancia con las suyas, y al final enjuicia resumiendo todo el parlamento: «la impresión que saqué de este diálogo fue altamente favorable» (711).

Los diálogos de *La Incógnita* son todos así: el narrador intenta aprovecharlos como vía de acceso a la verdad interior de los personajes, pero no los recoge tal como se producen sino que los «narrativiza» y los refiere al lector desde su visión de los hechos.

A medida que avanza la novela se produce una progresiva liberación del diálogo respecto del monólogo del narrador. En el capítulo XXX se refiere un diálogo entre la Peri y el narrador, y aunque éste orienta continuamente al lector sobre la apariencia, gestos, actitudes y formas de hablar de su interlocutora, la deja que hable algo. A pesar de todo, el diálogo no llega a tener una soltura suficiente para considerarlo forma autónoma: las preguntas que realiza el narrador para tratar de acceder a la verdad y fijar de una vez la historia, no encuentran respuesta: la incógnita persiste inasequible. No funciona el mecanismo pregunta-respuesta porque la Peri elude las preguntas directas con respuestas ambiguas o con detalles secundarios:

Ahora, lo primero que has de decirme, y en ello sí que no puede haber aplazamiento, es lo que piensas tú de esta desgracia... ¿Qué ha sido? ¿Cuándo lo supiste? ¿Qué dijiste al saberla? Nadie como tú le conocía a él; nadie como tú estaba al tanto de sus trapisondas... Tu opinión sobre esta muerte es de grandísima importancia, Leonor.

Al hacerle esta pregunta interrogaba yo también la expresión de su rostro. La vi compungirse y llorar de nuevo. Enjugándose las lágrimas, me respondió con voz entrecortada:

—No sé, no sé..., pero para mí..., a Federico le han matado... Eso de que se mató él... qué sé yo...; me parece invención de la Justicia para tapar la verdad. ¡Pobrecito de mi alma, tan bueno, tan leal, tan persona decente! ¡Maldita sea la muy pilonga que tiene la culpa!

—¿Luego tú crees que aquí hay mano de mujer o influencia de mujer?

—Crea usted que sí la hay... Si el juez me pregunta sobre esto, me haré la tonta; pero yo tengo acá mi idea, y no hay quien me la quite

—¿Cuál es tu idea?... Yo quiero saberla.

—Hay mujeres muy remalas.

—Eso es verdad; pero lo que falta saber es qué remala mujer ha andado en esto.

Leonor dio un gran suspiro; se miró otra vez las uñas, y por fin me dijo en voz queda:

—¿Para qué me lo pregunta, si usted la conoce mejor que yo?

Así va desarrollándose un diálogo que el narrador resume para su lector interno, es decir, Equis: «Te refiero este diálogo del cual poca sustancia sacarás, para que comprendas la confusión de mis ideas. No quise insistir en el interrogatorio».

La verdad no la conoce nadie en su totalidad y la incógnita persiste, porque aunque se acuda a retransmitir directamente la palabra de los personajes, cada uno de ellos no sabe, en el mejor de los casos, más que una parte y no puede dar un testimonio más que parcial; pero en muchas ocasiones el personaje no quiere hablar delante del narrador, que es ajeno al conflicto, o no quiere comprometerse, o no dice más que conjeturas porque carece de datos: refiere lo que ha oído, lo que se dice, lo que se rumorea, lo que es voz pública, y cuando se les pregunta directamente se desdicen, y hasta parecen asustarse de que se les formule expresamente la pregunta sobre algo que ellos mismos han dado a entender. Parecen estos diálogos, con tantas reservas, interrogatorios policiales, de modo que se producen inhibiciones por parte de los interrogados.

El procedimiento seguido en *La Incógnita* no parece, pues, el adecuado para llegar a conocer la verdad de una historia. El narrador, como testigo parcial, por muy avisado que sea, es incapaz de dar cuenta al lector de la historia completa. Por otra parte, el narrador actúa como una especie de filtro de palabras, porque no recoge todo lo que hablan los personajes, sino aquello que él considera que es pertinente para la historia, y nadie se franquea explícitamente con él porque se presenta como un simple curioso, y quizá otro narrador más metido en los hechos de la historia hubiera podido dar mejor cuenta.

Sin duda alguna hubiera sido más sencillo desde la omnisciencia conseguir una narración más completa, sin fisuras ni blancos, más coherente al hacer coincidir todos los extremos. El narrador omnisciente no tiene por qué contrastar su visión de los hechos con la de otros y su autonomía es total en el mundo de ficción que crea. De momento, y al renunciar a la omnisciencia, el narrador experimenta formas, ángulos de visión, discursos, conocimientos, etc., para encontrar modos verosímiles de dar cuenta de la historia.

En 1889 publica Galdós *Realidad. Novela en cinco jornadas*, sobre el mismo tema, lo cual indica su carácter experimental. No interesa la «fábula», que es la misma que la de *La Incógnita* (aunque en ésta queda sin aclarar el desenlace, como se anuncia desde el título), sino el modo de presentarla y los procedimientos que una novela puede seguir para alcanzar la «verdad», objetivo primordial en el realismo.

El procedimiento que va a seguir *Realidad* es el discurso dialogado de los personajes en alternancia con monólogos (soliloquios, en realidad) de los mismos personajes: el narrador ha desaparecido.

Realidad es la primera novela enteramente dialogada de don Benito Pérez Galdós. La presenta como un texto dramático, de modo que se abre con la lista de las *dramatis personae*, y se divide en cinco jornadas y éstas en escenas. Da la impresión de que se ha renunciado al relato como vía de conocimiento, o por lo menos, que se pone en entredicho. Si es necesario acudir a la construcción textual dramática para presentar una historia *verdadera*, el género narrativo no tiene mucho sentido, al menos no lo tiene bajo las exigencias del movimiento estético realista.

Sáinz de Robles, en el «Prólogo» que pone a las *Obras Completas* de Galdós de la Ed. Aguilar, tomo V, afirma que el autor usa en *Realidad* el diálogo «movido tal vez porque bien de intento, bien de casualidad tropezara con un argumento esencialmente dramático y teatralizable». No parece aceptable que los argumentos sean determinantes de la forma genérica, y los juicios que Clarín había formulado sobre esta obra son precisamente contrarios, pues afirma que el argumento no es dramático.

Sáinz de Robles opina que la expresión dialogada de la novela presenta ventajas e inconvenientes: al lector sin aspiraciones literarias le gusta encontrar diálogos ininterrumpidos, y prefiere que no haya digresiones inoportunas que desvían las líneas centrales de la historia; los inconvenientes son también notables, pues deja inexplicada, o explicada sólo a medias, la psicología de los personajes, y se abusa de los monólogos. No obstante cree el prologuista, no sin cierto entusiasmo, que «se patentizan todas las ventajas de la obra dialogada» en *Realidad*, y «no se delata ninguno de los defectos. La maestría de Galdós todo lo puede».

Dejando aparte los entusiasmos, el diálogo, como forma del drama, tiene la unidad que le da su autor, y la que pueda darle el lector en su interpretación, y en la novela dialogada puede ocurrir otro tanto. El autor dejará decir a sus personajes lo que cree conveniente para la historia, aunque convencionalmente parezca que se manifiestan espontánea y «naturalmente».

Clarín hace una reseña crítica al publicarse *Realidad* y destaca el mérito indudable de intentar una renovación del género novelesco, dentro de lo que se tomaba como una concepción científica del arte, idea básica del naturalismo. No está de acuerdo Alas con el uso que Galdós hace del diálogo, al que considera expresión específica del drama y, con su habitual respeto a Galdós, remite la censura a los lectores:

> todo está bien, menos que Galdós haya escogido precisamente para una novela de poca psicología en lo principal, la forma dramática, aunque no sea teatral. Esta equivocación, o mejor, falta de oportunidad, aunque es defecto de dura pereza, ha de perjudicar mucho al libro en el juicio de multitud de lectores;

y nos parece que también en el juicio de Clarín, que considera el intento de renovación fracasado por dos razones: 1) porque resulta incongruente mezclar en un mismo plano lenguaje interior (monólogo, soliloquio) y lenguaje exterior (diálogo), y 2) porque los diálogos aproximan el relato al drama y hacen que se confundan los dos géneros (Alas, 1912, 193-202).

El fracaso, según Clarín, no estriba precisamente en el uso del diálogo, sino en la superposición de diálogo y monólogo, porque

> aunque el autor distingue con signos exteriores lo que los personajes dicen en voz alta y lo que dicen para sí, al fin emplea la misma

forma para uno y otro caso, el diálogo y el monólogo; pero todo
ello es expresión exterior, retórica, como suponiendo en el que habla
alto, y después habla para sus adentros, o ni siquiera esto, piensa
sin hablar (lo cual ha demostrado la psicología que hacemos todos)
la intención de hacerse entender de cualquiera, del espectador, y de
aquí resulta una falsedad psicológica y retórica, que en ocasiones
enfría la acción y las pasiones y parece deformar los caracteres. Si
Galdós hubiera hecho lo que otras veces, lo que hacen Zola y otros
muchos novelistas, emplear la forma narrativa, con introspecciones
en la conciencia de sus personajes, hubiera podido ofrecernos con
igual resultado y mejor efecto, el interior de aquellas sin violentarlas
a ellas, haciéndolas declamar, revestir de forma retórica los matices
más delicados y los cambios más rápidos de su conciencia en acción;
lo cual llega a ser falso e ineficaz muchas veces.

Son dos los problemas que aquí plantea Clarín: uno es de tipo
gnoseológico, el otro se refiere al género y ambos relacionados con
otro más general de carácter estilístico.

El primero se formula en torno a la posibilidad de conocimiento
del hombre: un autor, narrador o personaje ¿puede conocer el interior de los demás? Si es posible, y la novela realista puede admitir-
lo, ¿cuál es el camino más adecuado para alcanzar ese conocimiento? y ¿cuál es la forma para expresar más adecuadamente ese
conocimiento?

La introspección, tal como la entiende el naturalismo (meterse
en el interior del personaje) o como se entiende hoy (meterse en
el interior de uno mismo), podría ser una forma, al menos convencional, para justificar el conocimiento en el discurso de la novela.
El narrador omnisciente sería en la novela naturalista quien tuviese
la palabra y sería un elemento estructural exigido por la narración:
nadie mejor que el creador conoce la interioridad de sus criaturas.
En otro caso sería el personaje quien tuviese la palabra sobre su
propio interior, y curiosamente esto es lo que niega Clarín.

Hay otras posibilidades de conocimiento del interior de los personajes, por ejemplo, la que admite que las acciones, las palabras

e incluso la apariencia exterior son signos, o al menos indicios, de lo interior, en cuyo caso se deriva con facilidad a otros principios estructurales y estéticos que ha seguido la novela, la relativista, la objetivista, etc.

Si partimos de la convención de que no se puede conocer el interior del hombre, y sólo es posible el conocimiento de uno mismo mediante la introspección, la forma discursiva de la novela deberá ser el monólogo interior, con voz del personaje, no del autor, como postula Clarín: el narrador deberá limitarse a recoger las versiones que sobre sí mismos dan los personajes y, en todo caso, atribuyéndose competencias de creador en cierto modo incompatibles con el punto de partida de esta posición, sorprender su discurrir interno.

La introspección se define hoy como la reflexión que cada uno hace sobre sí mismo. Clarín afirma que se inicia en la novela con Stendhal, y curiosamente afirma que está permitida al novelista, pero no a los personajes, que no pueden analizar su propia alma, pues ésta es una realidad ideada por su autor. Hay una evidente contradicción en los términos cuando en esta etapa de experimentación con lenguaje interior y exterior, con diálogo y monólogo se establecen relaciones con el discurso de la novela. La omnisciencia psíquica consiste precisamente en penetrar en el interior del personaje, en conocer sus sentimientos y pensamientos y transmitirlos con la voz del narrador: es lo que continuamente hace Clarín en *La Regenta* y hasta distingue sus propias palabras al formular los pensamientos del personaje y las que éste llega a formular, poniendo a estas entrecomilladas y en estilo indirecto libre. Clarín crea un narrador omnisciente y le concede el privilegio de estar en el interior de los personajes a la vez que afirma rotundamente que el personaje no puede aclararse a sí mismo, usando directamente la palabra, y si acaso, puede insertar alguna frase en el monólogo del narrador (autor, dice). Utiliza también Clarín la omnisciencia temporal que le permite contar no sólo el presente (le bastaría ser observador), sino también el pasado, pero no suele aprovechar la omnisciencia espacial, al menos respecto a los personajes principales. El narrador que permanece en Vetusta junto a don Fermín en la tarde de San Francisco, no cuenta lo que está ocurriendo en el Vivero y sólo hace conjeturas sobre lo que pueda estar pasando. Es un narrador que no se concede a sí mismo el don de la ubicuidad, y se ve obligado a recoger las sospechas que vive don Fermín sobre lo que pasará en la finca, las alusiones posteriores de los que estuvieron allí, los rumores, etc. (Bobes, 1985).

Desde las convenciones que se formulan es verosímil que el narrador presente oiga los diálogos y los retransmita o los cuente narrativizándolos, y no es de extrañar que alterne esta forma de discurso con el monólogo en tercera persona: el discurrir de la conciencia no sigue la expresión en primera persona puesto que la voz no pertenece al sujeto psíquico, sino al narrador.

Afirma también Clarín que la introspección está justificada en la novela, pero no en el drama y, por tanto, el género narrativo es el más eficaz para librarse del subjetivismo del personaje y del lirismo de su expresión. Es lógico que así discurra puesto que ha partido de la idea de que la introspección es entrar en los otros, no en uno mismo. Un sujeto (el personaje) tiene el discurrir, la vivencia, los sentimientos, mientras que el otro (el narrador) tiene la palabra, por tanto, el *Yo* es del narrador y al personaje le corresponde la tercera persona.

Y es cierto que entendida así la introspección puede librar al discurso narrativo del subjetivismo del personaje, pero ¿y el subjetivismo del narrador, quién lo elimina?

El drama, construido con la palabra directa de los personajes no puede realizar introspecciones, en efecto, tal como entiende Clarín la introspección; sin embargo, puede seguir perfectamente este procedimiento si se entiende que la introspección es la reflexión sobre uno mismo. Drama y novela estarían a la par en sus posibilidades de seguir la introspección como recurso literario.

Clarín explica que la distancia que puede tener el autor respecto a sus personajes y la independencia frente a sus sentimientos, conducta y pensamientos, hace posible alcanzar honduras psicológicas que otros géneros no pueden lograr:

> lo que el autor puede ir viendo en las entrañas de un personaje es más y de mucha mayor significación que lo que el personaje mismo puede ver dentro de sí y decir de sí propio

por tanto,

> usar un convencionalismo innecesario en la novela, tomado del drama, que en ciertas honduras psicológicas no puede meterse, es falsear los caracteres por culpa de la forma (Alas, 1912, 221-223).

Después de un siglo de uso del diálogo en el texto narrativo y de los análisis lingüísticos y semiológicos sobre el diálogo en general, pueden matizarse las afirmaciones hechas por Leopoldo Alas. Los caracteres no dependen de la forma dramática o narrativa de la obra, y desde luego, no es identificable el discurso dialogado con el drama. El uso del diálogo no puede interpretarse como un acercamiento necesariamente de la novela al drama; por otra parte, la introspección es un recurso posible en los dos géneros.

Si se parte de que la introspección es la reflexión sobre uno mismo, utilizada como recurso literario, reclama la palabra para el personaje, que en el drama ya la tiene y en la narración habrá que dársela; si se afirma que la introspección es la observación del interior de otro, entonces hay que reconocer que sólo es posible en la novela, en el llamado monólogo del autor que se presentará como el discurrir en tercera persona del pensamiento del personaje al que se sorprende en el fluir de su conciencia. En el drama sería posible la introspección así entendida si la realiza un personaje sobre otro, pero parece poco verosímil el que uno de los personajes dé razón del interior de los otros sin tener la función de narrador.

Como podemos ver, el uso del diálogo en el discurso de la novela, y sus relaciones con el uso del monólogo, se asienta en una teoría sobre las posibilidades de conocimiento del hombre, sobre sí o sobre los otros. Tal teoría puede estar enunciada explícitamente en el texto, como en el Prólogo de *La hermana San Sulpicio,* o puede estar latente y traducirse en un modo de construcción del personaje o del discurso.

Con esta segunda posibilidad enlaza el planteamiento estilístico de la cuestión. Si alguien habla, o piensa (convencionalmente decimos) para sí, es decir, si inicia un proceso de expresión (interior o exterior) y no de comunicación, en el que elimina, por tanto, al segundo sujeto del proceso semiótico, es decir, al oyente, interlocutor o intérprete, no tiene por qué pulir su discurso, ni hacerlo lógico o gramaticalmente correcto, pues cada uno se entiende consigo mismo a medias palabras y no necesita organizar bien la expresión de acuerdo con normas intersubjetivas. La incongruencia que advierte Clarín estriba en que convencionalmente se ofrece como lenguaje interior un discurso que se somete y sigue la misma retórica que otro que se presenta como exterior. Más que un *absurdo plástico* creado por el uso en el mismo plano de un lenguaje interior y otro exterior, estamos ante un absurdo estilístico que somete a las mismas exigencias formales (estilísticas, gramaticales, retóricas, declamatorias incluso) la palabra exterior y el pensamiento interior, y quiere aplicar las mismas normas a un proceso de expresión que a uno de comunicación o interacción. El proceso de expresión se ajusta a un esquema que tiene sólo un sujeto y una forma, interior o exterior (en la convencionalidad de la novela); el proceso de comunicación sigue un esquema con dos sujetos por lo menos y con forma exterior siempre.

Este tema, no obstante, no se planteó directamente en la novela hasta que apareció el *Ulises,* y precisamente porque J. Joyce entendió que los monólogos interiores debían tener su propia retórica, ateniéndose a un ejercicio de expresión, convencionalmente no dirigido a nadie.

Uno de los rasgos fundamentales del diálogo es el de ser un lenguaje cara a cara, exterior, dirigido a un oyente, con participación de éste en una forma exactamente igual a la de su interlocutor.

La expresión es un acto lingüístico de un sujeto; el diálogo es una relación interactiva de tipo también lingüístico, aunque no sólo, ya que participan además signos de sistemas kinésico, paralingüístico, proxémico, objetual, etc.

Otro de los rasgos fundamentales del diálogo es su unidad, a pesar de que avanza con la participación de los dos sujetos y, por tanto, cada uno de ellos debe conseguir que el otro lo entienda y a su vez entenderlo a fin de seguir sin fisuras el discurso; no es suficiente que cada uno asienta o escuche; no es suficiente la función conativa que anima al otro a hablar, sino que exige la participación lingüística de los interlocutores. La interacción dialogada tiene unas exigencias que ya hemos precisado al analizarla como proceso semiótico y lingüístico y por ellas se diferencia de otros discursos como el soliloquio, el monólogo o de otros procesos lingüísticos como la comunicación o la interpretación (Bobes, 1989, 121 y ss.).

Realidad tiene, no nos cabe duda, un carácter experimental. El uso del diálogo no responde a una motivación mimética ni tiene unos fines sólo lingüísticos, sino que se puede interpretar como un recurso literario que produce unos determinados efectos en el texto: mayores posibilidades de acercamiento a la verdad de la historia, posibilidad de un conocimiento del interior de los personajes por su palabra, expresión de una actitud dialéctica, o al menos abierta a un perspectivismo de conductas y opiniones, etc., y a la vez un estilo especial, fragmentado, directo, con abundancia de deícticos, de exclamaciones, de interrogaciones, etc.

Creemos que el uso del diálogo, por la funcionalidad estructural que le da Galdós, tanto en el nivel sintáctico como en el semántico de su novela *Realidad,* es nuevo en el discurso narrativo y así lo reconoce Clarín:

> el autor pensó que para mostrar ese doble fondo de la acción en su sitio, sin digresiones ni contorsiones del asunto, sino de modo inmediato, que produjera el efecto estético del contraste de la apariencia y la realidad, lo mejor era acudir a la forma dialogada...

más el monólogo. En lo que Viera, Orozco y Augusta hablan en el mundo, y aun mucho de lo que hablan entre sí, estará, pues, el drama exterior; pero en lo que piensan y sienten y se dicen a solas, cada cual a sí mismo, y algo a veces unos a otros, en esto quedará el drama interior, el que mueve realmente la fábula, el que se refiere a los grandes resortes del alma (Alas, 1912, 254).

Diálogo y monólogo interior alternan, pues, en el discurso de *Realidad* como formas adecuadas para la expresión de un drama interior y un drama exterior y su convergencia estilística es perfecta, siempre que se tenga en cuenta que cada uno de ellos tiene su propia retórica. Lo que puede resultar inverosímil estéticamente es que tengan las mismas formas y sigan las mismas normas retóricas y gramaticales, porque se produce la interferencia de dos procesos semióticos: el que se da entre los personajes en el mundo de ficción cerrado y el proceso literario que pone en relación al narrador con el narratario o con el lector. Cuando los discursos exterior e interior de los personajes tienen la misma retórica, y coincide con la que tiene también el monólogo del narrador si lo hay, se produce un salto estilístico que sorprende bastante. El lector actúa como sujeto semiótico envolvente y condiciona toda la expresión: todo se orienta —al menos convencionalmente— para que él lo entienda. La presencia del lector en el proceso es decisiva, pero se olvida en las convenciones literarias que siguen los discursos: lo que es un soliloquio se convierte en un monólogo exterior dirigido a un lector.

La objeción semiótica se amplía si actuamos con el criterio de verosimilitud literaria dentro de la estética realista:

va contra el drama y contra el mundo artístico que con él se expresa, el arrebatarnos la ilusión de realidad mediante el *absurdo plástico* (subrayamos) de presentarnos el anverso y el reverso de la realidad en un solo plano: el de la escena (Alas, 1912, 218),

pues aun dando por bueno que

permita conservar la ilusión de realidad ese convencionalismo de
oír pensar y sentir a los mismos personajes, nace otra dificultad
aún mayor, de la índole misma de esos discursos.

Efectivamente, no se explica Clarín que esos personajes que hablan
para sí tengan una expresión

literaria, clara, perfectamente lógica y ordenada en sus nociones,
juicios y raciocinios de lo que, en rigor, en su inteligencia aparece
oscuro, confuso, vago, hasta los límites de lo inconsciente,

porque

pensamos muchas veces y en muchas cosas sin hablar interiormente,
y otras veces hablándonos con tales elipsis y con tal hipérbaton que,
traducido en palabras exteriores este lenguaje, sería ininteligible para
los demás (íd. 222).

El someter el discurrir interior (la corriente de conciencia) a las
normas gramaticales y retóricas es excesivo, pues

resulta de este hablar para el público de lo más íntimo de la conciencia, una nota cómica velada (...) y es inoportuno, contraproducente,
toda una profanación, cuando se trata de los grandes momentos del
conflicto moral en el alma de Viera.
Hay algunos momentos de las primeras jornadas en que, por culpa de este error de forma, parece que Galdós se burla de su personaje (íd.).

El problema de los límites entre los géneros no se plantea solamente bajo una dimensión epistemológica o estilística, sino también
literaria, en cuanto que puede confluir con formas que tratan también de suplir la omnisciencia: los procedimientos discursivos que
tienden en la novela moderna a dar verosimilitud a la convención
textual de la ausencia del narrador, o bien, contando con su presencia textual, a su renuncia a conocer más allá de lo que es propio
de la persona, muestran hasta qué punto las relaciones entre las

formas del discurso se interrelacionan y hasta qué punto la alteración de una de ellas repercute en las otras.

Andrenio afirma que

> una novela dialogada es una novela en la que toda la parte de des-
> cripción de personas, lugares y escenas que hay en las novelas narra-
> tivas y en las descriptivas tiene que incorporarse al diálogo con peli-
> gro de recargarle con un lastre que puede ser harto pesado, o bien
> que suplirse con breves acotaciones, como las que se ponen en las
> obras escénicas. Este sistema es el que ha seguido preferentemente
> Galdós (...). Las breves acotaciones de *Casandra* retratan de mano
> maestra algunos personajes, como Rosaura, doña Juana, don Al-
> fonso de la Cerda, y trazan con cuatro pinceladas una descripción
> acabada y expresiva de algunas escenas, como la de los funerales,
> la merienda de las niñas de San Hilario, etc. La maestría del novelis-
> ta, que es a la vez autor dramático, se revela en el efecto artístico,
> certero y hondo, conseguido con gran sobriedad de medios (Gómez
> de Baquero, 1918, 92-93).

En el mismo tema se manifiesta muy próximo Clarín al hacer
la crítica a *El Abuelo*:

> *El Abuelo* podrá hacerse representable, pero no lo es ahora, y no
> por dificultades análogas a las que puede ofrecer *La Celestina*, sino
> porque el autor ha llevado a las acotaciones, al elemento que no
> se representa, una porción de cosas importantes relativas al carácter,
> antecedentes y vicisitudes de los personajes, que tendrían que ir en
> el diálogo, si *El Abuelo* fuera a escena (Alas, 1912, 298).

Parece claro que para L. Alas el diálogo es fundamental en la
representación escénica. La semiología dramática, al estudiar los
sistemas de signos de la representación, ha descubierto las posibilidades semánticas del gesto, el movimiento, el tono y todos los elementos paraverbales que acompañan a la palabra en la escena y
que son concomitantes con los signos verbales en su realización escénica. Pero hay informes que sólo pueden darse mediante la palabra, por ejemplo, la historia de un personaje, y tienen que acogerse

al diálogo necesariamente. La diferencia entre el discurso narrativo y el dramático se mantiene aún cuando los dos utilicen diálogos, debido a esa circunstancia: las acotaciones no se dicen en la escena, y no es suficiente poner en ellas las referencias que deben aclarar las palabras de los diálogos.

El diálogo no es la única forma que diferencia a la novela del drama. Clarín en «Más sobre *Realidad*» cita a un crítico francés que afirma que

> una novela es, más o menos, un drama que va a dar cierto número de escenas que son como los puntos culminantes de la obra. En realidad las grandes escenas de la vida humana vienen preparadas de muy atrás por esta misma vida... Del mismo modo ha de suceder en la novela... La novela psicológica tiene por rasgo característico lo que puede llamarse la catástrofe moral (íd. 209).

Esta idea parece haber inspirado a Galdós su forma de construir *Realidad*, pues

> vio que la novela que otras veces escribía y mostraba al público, podía ahorrarla, pensarla para sí, y dejar ver sólo el drama con sus escenas culminantes y su catástrofe moral. Así *Realidad*, sin dejar de ser novela, vino a ver un drama, no teatral, pero drama. Galdós prescinde de la descripción que no cupiera en las rapidísimas notas necesarias para el escenario y los diálogos de sus personajes (íd. 210).

No obstante, la forma dialogada obliga al autor a

> mostrarnos casi siempre por medio de soliloquios y discursos fingidos del alma consigo misma, que son en gran parte artificiales, puestos retóricamente en boca de los personajes (íd. 211).

Estamos ante el problema de la naturaleza de los géneros literarios. El uso del diálogo en la novela, parcialmente primero y totalmente en el discurso de algunas obras, presenta para Galdós y alguno de sus críticos, y desde los conceptos naturalistas que compar-

ten, unas posibilidades de acercamiento entre el drama y la novela
que se realizan según la maestría del autor.

Los efectos sobre el lector, que debe rellenar los «blancos» y
«vacíos» textuales, son considerables en la novela dialogada: la con-
tribución y la funcionalidad de los lectores en el proceso de comunicación literaria son más intensos que en la novela monologal, porque en ésta el autor explica directamente todo lo necesario para
que sirva de marco a los diálogos parciales que incluye el texto,
y son también más intensos que en el texto dramático porque en
éste sirven de apoyo las acotaciones, cuando el proceso seguido es
la lectura, o sirven de apoyo los signos gestuales, proxémicos, paralingüísticos, etc., cuando el proceso culmina con la representación.
El discurso dialogado en la novela la aproxima al drama no sólo
porque formalmente llegan a coincidir, sino también porque deja
fuera del texto la descripción, las explicaciones sobre la escena, o
sobre la palabra y los modos de usarla de cada uno de los interlocutores. El esquema de la novela y del drama pueden coincidir en
las escenas culminantes, pero parece indudable que el drama habitualmente deja fuera de su texto verbal mucha información que
añade la escenografía; por el contrario, la novela dialogada no tiene la oportunidad de añadir nada a lo verbal, y si el diálogo presenta *blancos* descriptivos y *vacíos* de acciones, será el lector el que
deba suplirlos.

Estamos en una etapa de experimentación discursiva en la novela y el análisis de las novedades introducidas nos muestra que la
alteración o el cambio de una forma de discurso, aunque no se
cambie el tema, tiene unas derivaciones imprevisibles, que se extienden a todos los niveles de la obra, a todas sus unidades sintácticas
y a sus valores semánticos y a partir de ellos a sus implicaciones
pragmáticas.

La motivación inicial para la introducción del diálogo en el discurso narrativo pudo haber sido el deseo de buscar objetividad,
o mayor realismo, o quizá el propósito de ocultar la figura del
narrador. Parecía que, en todo caso, el diálogo era un hecho de

discurso, pero rápidamente se constata que las implicaciones son diversas y profundas: la «verdad» de la historia, las posibilidades del conocimiento y de la transmisión del conocimiento por medio de la palabra; el uso del lenguaje interior y exterior para lograr la verdad y quitar la «máscara»; la aproximación de los personajes, etc., todos son efectos derivados directa o indirectamente de la aparición del discurso dialogado.

Los diálogos producen en el lector, por lo general, una impresión de cercanía y una sensación de verdad, que son los objetivos buscados por el movimiento realista. De ahí que se haya planteado precisamente con los escritores de ese movimiento el problema de introducir diálogos en el discurso de sus novelas. No obstante, cuando se pretende algo más que la verbalización para caracterizar al personaje, los procesos se hacen más complejos al tratar de buscarles la contextualización adecuada y la codificación pertinente.

El diálogo puede usarse, según hemos visto, como un recurso de conocimiento directo de los interlocutores o como una máscara que oculte la personalidad (parecer frente a ser, palabra frente a pensamiento); si se admite la posibilidad de un conocimiento esencial, se derivará a la alternancia de diálogo y monólogo en el personaje y a su envolvimiento en el monólogo del narrador, que tendrá la última palabra como creador y conocedor de todo el personaje; si se pretende hacer desaparecer al narrador, como parece que busca la novela realista, y a esto se añade la idea de que no es posible el conocimiento esencial de los otros, bien porque se cree que no tienen valor fisionómico los signos exteriores del personaje, bien porque se niega que la persona tenga un ser esencial, entonces el diálogo resulta ser forma adecuada como manifestación exterior para presentar a unos personajes que se van haciendo a medida que viven y cuya función en la obra no consiste en ser símbolos de nada, sino simplemente la de ser interlocutores, hablantes. Los diálogos son el único ser y a la vez el significar de un personaje que adquiere su sentido en su existir, y su existir es la palabra, pues es un ente de ficción literaria.

En la novela realista resulta frecuente encontrar como elemento caracterizador del personaje la codificación que realiza. La competencia lingüística y la forma de utilizar las secuencias gramaticales o el léxico puede diferenciar a un personaje de otro; los temas recurrentes de un personaje, las alusiones a determinados puntos de vista ideológicos, religiosos, culturales, etc., son parte de la codificación de cada personaje. Y no faltan casos en la novela de costumbres (también en el teatro) en que se utiliza la vocalización específica de cada uno para presentar y distinguir a los personajes: el caso extremo lo tenemos en los sainetes madrileños y andaluces, que oponen a los personajes populares los extraños.

Naturalmente todos estos indicios y formas sémicas se integran en los diálogos caracterizadores donde su presencia es más eficaz que en los resúmenes que pueda hacer el autor en su monólogo, cuando se trata del texto narrativo.

El narrador decimonónico advierte pronto que la introducción del diálogo de personajes en el discurso de su novela es un hecho que tiene unas repercusiones inmediatas en los niveles sintácticos, semánticos y pragmáticos de su obra y que se extiende incluso a sus presupuestos, pues una forma de discurso remite a una posición epistemológica determinada. Dejar hablar a los personajes es reconocer la libertad de expresión, el contraste de pareceres, el método dialéctico, pero es también renunciar a la omnisciencia del narrador y a los discursos inequívocos sobre modos de ser y de construir el personaje de ficción. La palabra del diálogo es exteriorización de pensamientos, de sentimientos, de un mundo interior al que no puede tener acceso un narrador que no quiera traspasar los límites del conocimiento humano. El narrador omnisciente se rechaza poco a poco pero inexorablemente *(historia de un deicidio*, denomina Vargas Llosa a este proceso) y su palabra, que antes refería todo, deja paso a las voces de sus personajes para que ellos mismos den testimonio de lo que resulta inaccesible desde afuera.

Los diálogos del discurso narrativo son cada vez más frecuentes y son cada vez más complejos; un análisis histórico de la novela nos lo demostraría paso a paso, pero no es nuestro propósito hacerlo; pasaremos a un corte en la novela actual analizando el uso que hace del diálogo Vargas Llosa en alguna de sus novelas, principalmente en *Conversación en la Catedral*.

DIÁLOGO EN LA NOVELA ACTUAL

La riqueza de implicaciones que ofrece el diálogo en el texto narrativo es muy amplia, tal como hemos podido comprobar, en el momento de su incorporación a la novela realista, y afectan tanto a los aspectos generales del relato como a los distintos niveles del discurso. El autor va resolviendo, con su propio estilo, su forma de narrar en el discurso monologal o dialogado y de acuerdo con las convenciones que implícita o explícitamente acepta el texto.

Las unidades y aspectos afectados en la novela por la incorporación del diálogo son principalmente el estilo del discurso, los valores semánticos, las relaciones del enunciado con la enunciación, las funciones de los personajes, y las repercusiones pragmáticas sobre los modos de relación de la novela con el mundo exterior a través de los sujetos del proceso sémico que inicia.

La novela sigue en la actualidad utilizando el diálogo en su discurso y sigue haciéndolo con lenguaje interior o exterior, y con unas formas de locución en primera, segunda o tercera persona, siempre de acuerdo con las limitaciones que impone el sistema verbal, porque, como admite Cortázar en «Las babas del diablo», hay fórmulas que se pueden seguir y otras que de siempre hay que rechazar:

> Nunca se sabrá cómo hay que contar esto, si en primera persona o en segunda, usando la tercera del plural o inventando continuamente formas que no servirán de nada. Si se pudiera decir: yo vieron subir la luna, o : nos me duele el fondo de los ojos, y sobre todo así: tú la mujer rubia eran las nubes que siguen corriendo delante de mis tus sus nuestros vuestros sus rostros.

Hay efectivamente cosas que no pueden decirse y hay formas que no pueden usarse porque el sistema lingüístico tiene unas normas y tenemos que respetarlas para poder entendernos, aunque no sea del todo. Sin embargo, nunca ha perdido la narración el deseo de superar las limitaciones lingüísticas y lógicas que se imponen a su discurso y, mediante experimentaciones más o menos afortunadas, va abriendo caminos nuevos que podían parecer imposibles en otro tiempo.

Vamos a analizar, como ejemplo, algunos de los diálogos del discurso narrativo de Vargas Llosa, para mostrar las formas que ha utilizado en ellos.

Por de pronto advertimos que las relaciones y posibilidades sintácticas que el diálogo centraba en los modos de presentar la acción y en la construcción de los personajes, se amplían hacia unidades que parecían quedar al margen de las posibilidades de acción del discurso: el espacio, el tiempo, la expresión ideologizada, etc., van a ver alteradas sus formas de expresión mediante el uso de ciertas formas de diálogo.

Lotman escribe que

> cette capacité d'un élément d'un texte d'entrer dans plusieurs structures contextuelles et de recevoir une signification conformément différente est une des propriétés les plus profondes du texte artistique (Lotman, 1973, 103).

El diálogo que, en principio, es un hecho de la forma de discurso, entra en relación contextual prácticamente con todos los elementos de la narración y puede cambiar sus sentidos y las limitaciones a que están sometidos habitualmente en el sistema lingüístico.

El diálogo que se utilizaba en el discurso de la novela realista era, en cuanto a su disposición y formas, un traslado del diálogo real, con una situación cara a cara, unas implicaciones conversacionales, unos turnos, una verbalización, codificación y contextualización determinadas, según los personajes y su diseño en los límites de la obra. En Vargas Llosa vamos a encontrar una situación muy diferente: el diálogo, en muchas ocasiones, no es el traslado de un diálogo real, verosímil en su estructuración y en sus términos. Los diálogos de *La ciudad y los perros*, o de *Conversación en la Catedral*, etc., son construcciones lingüísticas de carácter literario con las que Vargas Llosa logra sobrepasar algunas de las limitaciones de tiempo y espacio que se imponen al discurso verbal. Son diálogos manipulados por el novelista de modo que de dos o tres diálogos «reales» hace uno solo «literario». En cualquier caso, el uso de los tiempos verbales, las referencias extralingüísticas y el uso de los deícticos, principalmente, hacen que el lector no se pierda en la interpretación y sepa en cada momento descubrir las relaciones entre los términos de tiempo, de espacio, de persona, de ideas, que allí aparecen.

La forma de estos diálogos está motivada por el uso de una técnica narrativa denominada de «vasos comunicantes» (Haars, 1966), o de «fundidos» (Oviedo, 1981, 30) y que el mismo Vargas Llosa define así:

> consiste en fundir en una unidad narrativa situaciones o datos que ocurren en tiempo y/o espacio diferentes, o que son de naturaleza distinta, para que esas realidades se enriquezcan mutuamente, fundiéndose en una nueva realidad distintas de la simple suma de las partes (Vargas Llosa, 1971, 322).

Esta técnica de «vasos comunicantes» o «fundidos» da lugar a los llamados *diálogos telescópicos* o diálogos superpuestos.

Los diálogos telescópicos relativizan el tiempo y el espacio al superponerlos; mantienen, por lo general, la unidad de emisores para evitar confusiones e introducen entre ellos relaciones y nexos que en principio están ocultos para dar forma icónica en el texto a las intrigas sociales. Dos o tres personajes que hablan en una escena, con sus coordenadas espaciotemporales, dialogan en otra ocasión aumentando o disminuyendo el número, pero conservando algunos estables, y sus réplicas enlazan en los diferentes diálogos como si de uno solo se tratase: el lector tiene ante sus ojos relaciones que pudieron pasarle desapercibidas en cada una de las situaciones, pero que destacan al repetirse y ponerlas juntas, superpuestas. Igualmente la ideología de los interlocutores se perfila mejor con réplicas tomadas de dos o más conversaciones, con los mismos o con otros interlocutores.

Silva Cáceres, uno de los críticos más destacados entre los estudiosos de la obra de Vargas Llosa, subraya los efectos que se consiguen en el discurso por la presencia de diálogos de este tipo, y que son principalmente efectos de interiorización, de contrapunto, de visión rota (quizá mejor fragmentada), es decir, efectos de «montaje», con los que se pretende crear ambigüedad asociando dentro de una unidad narrativa dos o más episodios que ocurren en tiempos y lugares distintos para que las vivencias de cada episodio circulen de uno a otro y se enriquezcan mutuamente» (Silva Cáceres, 1974).

Habla también Silva Cáceres de diálogos interiores, de monólogos que incluyen diálogos y de diálogos que incluyen otros diálogos. En *La ciudad y los perros* encontramos un diálogo de Higueras con el Jaguar que incluye otro entre el Jaguar y Teresa: se entrelazan dos tiempos y dos espacios, los correspondientes a cada uno de los diálogos por separado y surge una especie de tiempo poliédrico y de espacio en tres dimensiones con sus marcos, sus propias referencias espaciotemporales: presente/ pasado, aquí/allí, que obligan al lector a una atención y a una interpretación adecuada para entender en cada caso lo que es pertinente.

La manipulación de los diálogos para conseguir textualmente uno solo, da lugar a esas superposiciones temporales, y a un paralelismo de las acciones que, según creo, no eran conocidas en la novela anterior. De la misma manera, y como efecto en el lector, se logra una especie de «simultaneidad rítmica» que hace percibir en un presente único de lectura lo que ha ocurrido en dos tiempos distantes, superando así la exigencia más tenaz del sistema lingüístico, que es la sucesividad.

Los nexos de unión de tales diálogos suelen ser los sujetos, al menos uno es común a los dos diálogos, pero también puede serlo el tema, las acciones o simplemente la presencia de un lexema común en los dos diálogos. Por ejemplo:

> Santiago seguía sirviendo la coca y Popeye lo espiaba inquieto. ¿Amalia sabía bailar?... sus movimientos eran forzados, como si la ropa le quedara estrecha o le picara la espalda; su sombra no se movía en el parquet:
> —Te traigo esto para que te compres algo —dijo Santiago.
> —¿A mí? —Amalia miró los billetes sin agarrarlos.— Pero si la señora Zoila me pagó el mes completo, niño (...).
> —No seas sonsa —insistió Santiago—. —Anda, Amalia.
> Le dio el ejemplo: alzó el vaso y bebió (45).

Es uno de los ejemplos más sencillos de superposición de diálogos pertenecientes a dos tiempos y dos espacios diferentes, que se unen por el nexo común «Anda, Amalia», que en uno de los diálogos se dice para animarla a bailar y en el otro para animarla a coger el dinero. Ambos diálogos están enmarcados en el monólogo del narrador que los envuelve y aclara algunas referencias mediante descripciones, por ejemplo, de los movimientos de Amalia.

Sobre los verbos introductorios hay que advertir que no siempre son los tradicionales *verba dicendi*, que generalmente son sustituidos por otros verbos de cualquier campo semántico, siempre que tengan como sujeto el que corresponde al elidido, y así en vez de «¿A mí? —dijo Amalia (...)» se pone «¿A mí? —Amalia miró los billetes...».

Las *superposiciones discursivas* que anudan varios diálogos o éstos con monólogos exteriores o interiores son muy frecuentes en el texto, ya que la técnica de vasos comunicantes no se limita a actuar sobre diálogos, y quedan de manifiesto en el discurso mediante los indicadores personales e indéxicos en general, o mediante la temporalidad explícita de formas verbales que remiten a un presente o a un pasado alternativamente. Un ejemplo de diálogo referido por el monólogo de un narrador, que se amplía con acotaciones que remiten al interior de un personaje, a sus pensamientos o monólogo interior, es el siguiente:

> Encantado, señor Bermúdez —venía con la mano estirada y sonreía, *veremos cuánto te dura la alegría.* —Espero que se acuerde de mí (252).

En el mismo texto de *Conversación en la Catedral* podemos encontrar la superposición de observaciones de varios personajes, realizadas en tiempos y circunstancias distintas y presentadas como un monólogo seguido. La sinfonía de voces se aúna en el discurso de apariencia monologal a través de recuerdos, pensamientos, asociaciones subjetivas, etc., de un locutor:

> Anoche llegó un anónimo al periódico, papá —*¿iba a hacer todo ese teatro queriéndote tanto, Zavalita?* Diciendo gue el que mató a esa mujer fue un ex matón de Cayo Bermúdez, uno que ahora es chófer de, y ponía tu nombre, papá. Han podido mandar el mismo anónimo a la policía, y de repente, —*Sí, piensa, porque te quería tanto,* en fin, quería avisarte, papá (406).

Mediante signos tipográficos, como el subrayado de términos o de frases enteras, el cambio de los tipos de letra, y también por el interlocutor (se habla a Zavalita, se habla a papá, etc.), se puede situar el lenguaje en un tiempo o en otro, se puede considerar interior o exterior, y se puede saber si está dicho por uno o por otro interlocutor.

Los nexos léxicos, la temporalidad de los verbos presentativos (dice / dijo), la alocución directa, el estilo presentativo o narrativo, impiden que el lector se pierda en tiempos, espacios y personajes superpuestos en el texto siguiente, en el que el nexo entre los diferentes diálogos (en este caso tres) es el término *desgraciado*:

> Te voy a hacer una pregunta —dice Santiago. —¿Tengo cara de desgraciado?

—Yo te voy a decir una cosa —dijo Popeye. —¿Tú crees que nos fue a comprar las Coca-colas de pura sapa? ¿Como descolgándose, a ver si repetíamos lo de la otra noche?

—Tienes la mente podrida, pecoso, —dijo Santiago.

—Pero qué pregunta —dice Ambrosio. —Claro que no, niño.

—Está bien, la chola es una santa y yo tengo la mente podrida —dijo Popeye. —Vamos a casa a oír discos, entonces.

—¿Lo hiciste por mí? —dijo don Fermín, ¿Por mí, negro? Pobre infeliz, pobre loco.

—Le juro que no —se ríe Ambrosio. ¿Se está haciendo la burla de mí?

—La Teté no está en casa —dijo Santiago. Se fue a la vermouth con sus amigas.

—Oye, no seas desgraciado, flaco —dijo Popeye. —¿Me estás mintiendo, no? Tú me prometiste, flaco.

—Quiere decir que los desgraciados no tienen cara de desgraciados, Ambrosio —dice Santiago (51-52).

Hay tres diálogos superpuestos, que se abren en abanico: uno de Santiago (Zavalita, el flaco) con Ambrosio (el negro, chófer de don Fermín, el padre de Santiago); otro de Santiago con Popeye (el pecoso, pretendiente de Teté, la hermana de Santiago); y el tercero de Ambrosio con don Fermín, con una sola intervención, la de don Fermín.

Los verbos presentativos en presente *(dice, ríe, dice)* introducen enunciados del primer diálogo, en presente actual. El verbo presentativo en pasado (siempre bajo la forma *dijo*) intercala los enunciados del segundo diálogo en el que los interlocutores se tratan de «flaco» y de «pecoso», respectivamente. La ocurrencia del tercer diálogo resulta engarzada en el conjunto mediante los términos «infeliz, loco», que pertenecen al mismo campo semántico que «desgraciado», tal como se dicen.

Los dos interlocutores primeros recuerdan, o al menos textualmente se les atribuye, sendos diálogos del pasado. Y el lector, a estas alturas del relato, ha seguido las implicaciones conversacionales y sintácticas de la novela y conoce bien las relaciones familiares, sociales y las formas de codificación y verbalización de todos los personajes, así como las formas de dirigirse unos a otros en las relaciones de amistad (flaco, pecoso), o de servicio (niño).

La superposición de los tres diálogos establece una conexión de sentido entre los tres momentos en que se desarrollan, los tres espacios y las distintas situaciones que recogen. Son tres momentos, tres hechos y varios personajes en cadena que pertenecen al mismo mundo de ficción de la novela y al transcribirse en una unidad establecen relaciones subtextuales entre todos sus elementos.

La estructura retórica del diálogo lo presenta como un lenguaje directo en el que los signos verbales concurren con los no verbales, que posiblemente se recogerán en el monólogo del narrador, y tienen unas condiciones impuestas por el cara a cara y por la temporalidad en presente que implica a la vez un espacio limitado a lo que puede ser la percepción de una persona y una distancia entre personajes requerida por el tipo de diálogo que sea (proxémica).

La inclusión del diálogo en un monólogo permite sobrepasar esas exigencias: el lenguaje directo en presente se desplaza hacia un presente del pasado y tiene otro contexto nuevo. Las modalizaciones pragmáticas son otras y el sistema deíctico tiene otro egocentro. El narrador del monólogo ocupa el centro de todas las referencias y desplaza a todos los demás, por más que se trate de diálogos que transcurrieron en presente: insisto en que ese presente del diálogo se transforma en pasado en la narración. El diálogo referido queda inmóvil en un presente proyectado hacia el pasado y ocupa necesariamente un plano secundario respecto al del narrador, o respecto al diálogo envolvente.

Lo presente en esta escena es el diálogo de Santiago y Ambrosio, los otros dos diálogos se ofrecen como recuerdos, *flashbacks*, chispazos, etc., que dan nuevo sentido al diálogo actual y a la vez, en relación con él, lo toman por su parte.

La verbalización, la codificación, la contextualización que corresponde a los personajes que intervienen y a las situaciones en que se producen los diálogos, se transcriben en la medida en que el narrador crea necesario, y la concurrencia de todos en la unidad discursiva indica que dos, al menos, están cerrados, frente al tercero que está en curso y abierto.

Estas circunstancias de relación del diálogo referido-monólogo referente, se advierten en forma específica en el caso de que sean varios los diálogos que se superponen. En primer lugar y para que los tiempos relativos se diferencien será necesario (puesto que el tiempo de la palabra directa o transcrita como diálogo es siempre presente) que los tiempos de los verbos presentativos sean diferentes y remitan inequívocamente a un presente o a un pasado. La dificultad mayor se ofrece cuando se superponen más de dos diálogos, ya que uno será presente y los demás, sin excepción, pasado y habrá que diferenciar mediante otro recurso la situación en el pasado de los otros; puede ser el nombre de los personajes (dijo don Fermín, dijo Popeye) si previamente se hace saber que están en diálogos diferentes. Este es el recurso que aplica Vargas Llosa en este diálogo que hemos transcrito de *Conversación en la Catedral*.

Podríamos analizar más casos de superposiciones de diálogos y de éstos con monólogos, pero creemos que el rendimiento que la novela actual ha sacado a estos discursos, no va más allá de lo que ha quedado de manifiesto al analizar los pasajes que ya hemos presentado.

Sí queremos advertir que, aparte de las novedades más destacadas en la superposición de varios diálogos en un solo discurso, encontramos en *Conversación en la Catedral* una forma de diálogos resumidos que están muy alejados de los que hemos visto en *Fortunata y Jacinta*. El uso del estilo indirecto libre y del directo libre da a estos resúmenes un aspecto totalmente nuevo. Podemos comprobarlo:

> ¿Qué del anciano pequeñito, barrigón, de ojos azules y melena blanca que explicaba las fuentes históricas? Era tan bueno que daban ganas de seguir Historia y no Psicología, decía Aída, y Jacobo, sí, lástima que fuera hispanista y no indigenista. Las aulas abarrotadas de los primeros días se fueron vaciando, en septiembre sólo asis-

tía la mitad de los alumnos y ya no era difícil pescar asiento en
las clases. No se sentían defraudados, no era que los profesores no
supieran o no quisieran enseñar, piensa, a ellos tampoco les interesa-
ba aprender. Porque eran pobres y tenían que trabajar, decía Aída,
porque estaban contaminados de formalismo burgués y sólo querían
el título, decía Jacobo; porque para recibirse no hacía falta asistir,
ni interesarse, ni estudiar. «Estaba contento en San Marcos, flaco,
de veras enseñaban ahí las cabezas del Perú, flaco, ¿por qué se había vuelto tan reservado, flaco? Sí estaba, papá, de veras, papá,
no se había vuelto, papá». Entrabas y salías de la casa como un
fantasma, Zavalita, te encerrabas en tu cuarto y no le dabas cara
a la familia; pareces un oso, decía la señora Zoila, y el Chispas,
te ibas a volver virolo de tanto leer, y la Teté, por qué ya no salías
nunca con Popeye, supersabio. Porque Jacobo y Aída bastaban, piensa, porque ellos eran la amistad que excluía, enriquecía y compensa-
ba de todo (108).

Varios diálogos presentados de formas diferentes: en directo,
con verbos de habla, indirectamente y seguidos con contestaciones
también seguidas e indirectamente transcritas; enumeraciones de preguntas en estilo indirecto libre y contestadas de la misma manera.
Estamos muy alejados de aquella forma de resumir el diálogo de
don Baldomero y su mujer, según el narrador único que «contaba»
y sólo de vez en cuando dejaba oír una ocurrencia. El dinamismo
del texto es intenso porque además todos los diálogos, tomados
de tiempos, lugares y ambientes alejados, se enlazan con un monólogo del narrador que además es el personaje, que unas veces *dice*
y otras veces *piensa*.

Tanto los diálogos superpuestos como este otro tipo que reúne
monólogos y diálogos resumidos responden a la misma técnica, la
de los «vasos comunicantes», que, según Vargas Llosa, está hoy
totalmente introducida en la novela, y además tiene una larga historia; transcribimos textualmente un párrafo suyo, a pesar de ser extenso, porque aclara muchos extremos:

> En cuanto al principio de los vasos comunicantes, aplicado a la
> ficción, ha llegado a ser tan corriente en la novela moderna, a iden-

tificarse tanto con la técnica de la novela, desde que Flaubert lo empleó en el célebre capítulo de «Los comicios agrícolas» de *Madame Bovary*, narrando simultáneamente el diálogo amoroso de una pareja y la farsa electoral que ambos observan al pie del balcón donde se hallan, hasta su utilización por Faulkner, que llegó a montar toda una novela con este procedimiento —*The Wild Palms*, donde las historias entrelazadas e independientes de la pareja adúltera y del presidiario se convierten, por obra de la construcción, en el anverso y el reverso de una sola misteriosa historia—, que la crítica olvida con frecuencia señalar que ya aparece en la novela clásica. Asociar, dentro de la unidad narrativa, episodios que ocurren en tiempo y/o espacio diferentes, o que son de naturaleza distinta, de modo que las tensiones y emociones particulares a cada episodio pasen de uno a otro, iluminándose, esclareciéndose mutuamente, para que de esta mezcla brote la vivencia, es uno de los recursos que ya utilizó Martorell (1971).

Es cierto que la técnica de los vasos comunicantes da viveza al relato y anima episodios que serían tiempos muertos convirtiéndolos en «cráteres activos» (según expresión de Vargas Llosa), pero quizá no tenga el mismo sentido en los usos que hace Flaubert, Faulkner o Joanot Martorell y los que logra Vargas Llosa con la superposición de diálogos. Los otros novelistas tratan de describir y contar en simultaneidad, superando la sucesividad del discurso lingüístico, lo que ha transcurrido en simultaneidad, o bien procuran que se logre una recepción simultánea (en *Las palmeras salvajes)* de historias complementarias. La superposición de los diálogos afecta directamente al discurso narrativo y obliga al lector a seguir con atención las referencias intratextuales de los indéxicos y de los enunciados. Los diálogos superpuestos acumulan la historia de un personaje mediante la actualización de sus palabras en distintos momentos del pasado y, en muchos casos denotan la persistencia de unas ideas o la crítica que desde el presente actual se realiza sobre el pasado, si es que se ha cambiado de modo de pensar o se ha perdido la emoción y la pasión que inspiraron las palabras de otro tiempo.

Tanto en los diálogos telescópicos, como en esas formas peculiares de resumir y entreverar diálogos y monólogos en estilos diversos (directo, indirecto, indirecto libre, etc.) hace Vargas Llosa una renovación notable respecto al modo de presentar a los interlocutores. Hemos podido ver que cuando los diálogos superpuestos complican mucho el discurso, la forma de presentar a los hablantes es sencilla: «dijo don Fermín» / «dice Ambrosio», etc., sin embargo, cuando la claridad del texto lo permite, se hace compleja la presentación de los personajes. R. Boldori recoge algunas afirmaciones de Vargas Llosa en *Cosa de escritores*, en las que se puede apreciar hasta qué punto es consciente de sus recursos discursivos y del efecto que pueden producir sobre el lector (Boldori, 1974, 181):

> Para mí fue excitante en *Conversación en la Catedral*, cuando descubrí que era posible sustituir esa especie de fósil tradicional que es la mera referencia a la persona que habla o a las circunstancias en que lo hace —«dijo, poniendo una cara lúgubre», o «dijo, levantando el brazo parsimoniosamente»— por algo más dinámico y creador.
>
> Aprovechando la actitud del lector, que ya está acostumbrado a ver interrumpida la narración por esas acotaciones que se han vuelto tópicos, las sustituí por algo más creativo: los pensamientos de aquel que habla —que pueden no coincidir con lo que dice— o las reacciones de aquel que lo escucha. Creo que se consigue profundizar esa expresión y contribuir un poco a eso que tanto reiteramos de la vocación totalizadora de la novela.

Y efectivamente, insistimos en que el efecto más destacado de los diálogos superpuestos o de los diálogos en general incluidos en el discurso novelesco, no se limita a una forma de estilo del escritor, sino que afecta a la construcción de la novela cuyas leyes espacio temporales pueden ser ampliadas: el mundo de ficción creado por la novela parece entonces regirse por normas que no obligan a la sucesividad temporal o a la distancia espacial de las acciones o de los personajes.

En otras novelas encontramos lo que pudiéramos denominar diálogos condensados, cuya finalidad es semejante a la que tienen las «escenas modélicas»: las conversaciones de varios días coinciden en el tema, aunque la anécdota pueda variar, y se construye un solo diálogo con las variantes y reiterando las constantes. Por ejemplo, éste tomado de *Pedro Páramo*:

> El Tilcuate siguió viniendo:
> —Ahora somos carrancistas.
> —Está bien
> —Andamos con mi general Obregón.
> —Está bien.
> —Allá se ha hecho la paz. Andamos sueltos...

Son tres tiempos reducidos a un solo discurso dialogado. Hay una espacialización de la sucesividad que repercute en la estructura sintáctica de la novela. Ricoeur, al interpretar los cambios introducidos por Dostoievski en la presentación de los discursos narrativos de los personajes acogidos a la voz del narrador, cree que señalan el máximo desarrollo en la configuración de un discurso narrativo. La trama tradicional presentaba los discursos sucesivos de los personajes ordenados en el monólogo del narrador, cuya voz ocupa el primer término en todos los sentidos (ordena los demás, tiene la última palabra para lograr la unidad de sentido, etc.); Dostoievski hace que la voz del narrador se ordene con la de sus personajes en un diálogo continuo de modo que organizado ese diálogo queda organizada la novela: el discurso es ahora el elemento sintáctico por excelencia. Las voces en simultaneidad darán un sentido dramático a la obra y el espacio sustituye al tiempo: las distintas opiniones se ofrecen en un panel de simultaneidades.

La novela polifónica de Dostoievski es un paso en la deconstrucción de las jerarquías de voces en el relato: el monólogo del narrador no ocupa el primer plano porque se funden en él las voces de todos los personajes en una especie de coro general. La novela posterior, con el tratamiento del diálogo telescópico, superpuesto, condensado, etc., logra que los tiempos se aúnen en el discurso. No sólo que sean sustituidos por el espacio como unidad de construcción del relato, sino que, aún conservando la voz del narrador, como principio estructurador de la trama, las voces de los personajes, recogidas directamente de sus propios diálogos, dibujen un panel de simultaneidades en el que aparezcan relaciones insospechadas entre dos, tres o más situaciones aparentemente independientes.

Estos diálogos sorprenden al lector, que se encuentra perdido en una primera lectura, pero una vez que se hace con el procedimiento, sigue con mayor interés el discurso porque no puede distraerse para captar las referencias distanciadas en el tiempo, para colocarlas en su lugar relativo y para deducir las relaciones que hay entre todas ellas.

Advirtió bien Ricoeur la dimensión sintáctica que adquiere en el relato una alteración del discurso (Ricoeur, 1987, II). Creemos que los diálogos de Vargas Llosa tienen esa proyección en la estructuración sintáctica de sus novelas, y además tienen un valor semántico literario que modifica sustancialmente al que pueda tener la construcción lineal de la trama con los mismos motivos. Una novela construida desde esas alteraciones del discurso alcanza un sentido que no puede tener una disposición lineal, mimética, progresiva de las unidades sintácticas y un discurso monológico, o incluso de varias voces ordenadas jerárquicamente (discurso monologal del narrador, con intercalación de diálogo de los personajes), o polifónicamente al modo de Dostoievski (Bajtin, 1970).

La unidad de sentido de la novela se apoya en la unidad sustancial de todos los elementos que la integran: el discurso está totalmente condicionado por las unidades de tiempo y de espacio (el cronotopo de Bajtin) que reconozca el autor; también por los personajes y sus acciones funcionales, puesto que a través del discurso, monológico o dialogado, se van configurando como tales unidades del relato. A su vez, todas las unidades proyectan exigencias sobre el discurso: hemos podido comprobar que una forma de entender al personaje (como unidad esencial, como sucesión de presentes, como conjunto de las visiones de otros, etc.) da lugar a una forma específica de hablar y de dejarse oír. Las experiencias de los novelistas decimonónicos que se encontraron con la «patata caliente» del diálogo al que acogen como una forma de trasponer al texto la palabra «real» y se les convierte en signo de aproximación a los hechos, en testimonio de verdad, en expresión de relativismo, etc., se prolonga con experiencias en la novela actual, tan importantes como las que hemos analizado en Vargas Llosa o en Rulfo, que han cambiado totalmente la sintaxis narrativa y la semántica del relato, y con estas dimensiones ha cambiado también la pragmática de la novela que ha encontrado una forma de mantener un lugar de privilegio en la literatura que acoge la sociedad actual.

2. EL DIÁLOGO EN EL TEXTO DRAMÁTICO

El diálogo tiene en el texto narrativo unos problemas específicos que hemos analizado en el capítulo anterior y que derivan fundamentalmente de dos circunstancias: la primera tiene que ver con los sujetos de la enunciación (narrador, personajes) de los dos discursos que se reconocen en el relato; la segunda se refiere a las relaciones verticales que se dan entre esos discursos, uno de los cuales transmite (y subordina, por tanto) al otro. Podemos decir que la existencia de dos niveles de enunciación y las relaciones verticales que se establecen entre los discursos del narrador y de los personajes son los rasgos específicos del diálogo narrativo, y partiendo de este hecho hemos podido determinar el valor de *formante literario* que adquiere el diálogo en la obra y hablar de sentidos circunstanciales en los usos concretos.

Los caracteres del diálogo dramático son muy diferentes. Por de pronto quedan excluidas las relaciones verticales, pues el discurso dramático procede de una sola fuente: el habla de los personajes y utiliza como única forma de expresión el diálogo. Esta afirmación no contradice el que haya algunas obras, pocas y cortas, que utilicen el monólogo, pues son excepción a la norma y experiencias marginales de formas dramáticas canónicas para verificar los límites del género; y tampoco contradice esa afirmación el que se encuentre en el diálogo dramático algún monólogo, o algún soliloquio, que siguiendo la convención de la «cuarta pared» presenta como exterior un lenguaje que lógicamente es interior. Y en todo caso, bajo cualquiera de estas formas, el discurso dramático no presentaría relaciones verticales, sino sólo horizontales, pues no hay dos fuentes de discurso y ninguno transmite a otro.

El diálogo en el discurso dramático no es un hecho de forma solamente, ni siquiera es, como en el caso del diálogo narrativo, un formante dispuesto a recibir de otros signos concurrentes un sentido o a crearlo con ellos; el diálogo, en afirmación de Veltruski, que admitimos, es la esencia misma del drama, pues con él va la temporalidad presente, la acción *in fieri,* la vinculación palabra-acción, la representación, el cara a cara, etc., y

> lo que distingue precisamente a la literatura dramática de los demás géneros literarios es el diálogo, como forma opuesta al monólogo, es decir, el intercambio verbal en oposición al discurso verbal (Bentley, 1982, 84).

Podría pensarse, en un primer acercamiento al texto dramático, que al ser un discurso siempre dialogado en todas las obras, no habría diferencias sustanciales entre unas obras y otras, a no ser en el estilo lingüístico, y que sería monótona su expresión. Sin embargo, no es así, pues el diálogo dramático ha adquirido a lo largo de la historia una gran variedad de formas y sentidos; no hay relaciones verticales con otro discurso, como es el caso de la novela, que puedan convertirse en signo de acercamiento, de visión condicionada, de primeros planos o distancias controladas, etc., pero hay en cambio unas amplias posibilidades de combinar formas y sentidos en la horizontalidad del discurso dramático dialogado.

El diálogo dramático suele interpretarse como mimético del real, sobre todo desde el momento en que se abandona la versificación o los esquemas retóricos del teatro clásico, pero realmente las relaciones entre los signos verbales y los elementos y presupuestos no ·verbales de la situación .que condicionan y estructuran el diálogo dramático son objeto de una manipulación en el texto que lo aleja de los diálogos comunes. Normalmente podemos encontrar en el diálogo de una obra de teatro formas de diseño de la situación en que se dan: ambientes, lugares, fondos, etc.; una tipología de las formas de interrumpir, seguir, ruptura de silencios, etc., que caracterizan a los distintos personajes, y muchos otros modos de diferenciar unas épocas, unas escuelas, unos autores, de otros.

Todos los textos dramáticos —con excepciones señaladas— se ofrecen como discursos dialogados en los que la manipulación del discurso puede orientarse a un cierre total respecto al público, a una anulación de límites del diálogo y el monólogo, a una proliferación de zonas de acecho donde se escucha sin ser visto, etc., para dar lugar a interpretaciones muy diversas al relacionarlo con modelos de procesos interactivos sociales, o como formas icónicas de la conducta humana, o bien como posibles recursos de caracterización de personajes y de construcción de fábulas. En todos estos aspectos el diálogo dramático puede seguir los cánones habituales del diálogo lingüístico estándar o alterarlos convirtiéndolos en formantes literarios que pone en concurrencia con otros signos para dar unidad al texto y puede atenerse a las circunstancias pragmáticas normales en una sociedad o salirse de ellas para conseguir efectos de concurrencia o de ruptura de expectativas en el texto.

Igualmente podemos decir que en el diálogo dramático concurren formas variadas cuya combinación puede manipularse a fin de darles un sentido determinado: el aparte, el monólogo, la apelación al público, los diálogos interiorizados presentados como monólogo de un personaje que tenga en cuenta opiniones de otros, la extensión relativa y absoluta de las réplicas, las formas en que se articulan los enunciados y los parlamentos de los personajes, el número de participantes en los diálogos, etc., son hechos que admiten manipulación textual y tienen posibilidades amplias de uso en la unidad formal y semántica que perfilan con otros signos o formantes literarios.

Por otra parte, y una vez señalados en los primeros capítulos los valores semióticos y lingüísticos de los diálogos, y después de que hemos visto las formas consideradas canónicas de su desarrollo, podremos verificar los desvíos y las alteraciones que presentan en el diálogo dramático los turnos de intervención, la alternancia en la palabra por parte de los interlocutores y la consiguiente segmentación del discurso, cómo se sitúan los personajes respecto al tiempo de la palabra y de la acción, si narran, retrocediendo al pasado, o si progresan con la palabra hacia el futuro, cómo se superan las exigencias del cara a cara mediante apartes u otras convenciones, la apelación al público, el monólogo, etc. Y también en este punto podremos señalar algunos recursos que dan lugar a posibles diferencias de unos diálogos con otros y cómo las formas de una época se distancian de las que son más frecuentes en otras.

Podremos, por tanto, comprobar la existencia de formas diferentes de diálogo y podremos describirlas y acaso clasificarlas aplicando criterios pertinentes en el texto literario, y para ello procederemos como hemos hecho en el caso del diálogo narrativo: haremos unas calas en textos dramáticos de diferentes épocas y autores y trataremos de poner en contrapunto la evolución y renovación de formas y sentidos a través de las más divergentes o novedosas.

> Todo diálogo dramático —excepto el moderno— es eminentemente retórico, es decir, ha sido elevado muy por encima del diálogo coloquial mediante un artificio deliberado (Bentley, 1982, 89).

Y esta afirmación podemos comprobarla si contrastamos las formas en que discurren los diálogos dramáticos, incluso en el drama moderno, con las formas lingüísticas y las circunstancias pragmáticas que hemos analizado en los primeros capítulos: la diferencia salta inmediatamente a la vista.

CARACTERES DEL DIÁLOGO DRAMÁTICO

Podemos decir que la mayor parte de los rasgos que definen al diálogo dramático como Texto Literario tienen su origen en el hecho de que es (debe ser) un *texto autosuficiente*, al contrario de lo que ocurre con los diálogos incluidos en el discurso narrativo, que pueden ser completados con otro discurso que los explica, los presenta, los amplía, etc., de alguien ajeno al diálogo, el narrador. El diálogo dramático, como parte del Texto Espectacular, se realiza en un escenario, en una situación determinada, es decir, en un lugar dispuesto y preparado para hablar y para decir precisamente esos diálogos: el espacio escenográfico, y es representado por unos actores que encarnan a los personajes y se mueven creando un espacio lúdico. Todo lo que está o se hace en ese espacio acotado y preparado que es el escenario y en el tiempo limitado en que se representa, está a la vista del espectador que convencionalmente lo recibe como si fuera natural y espontáneo.

El discurso narrativo y el diálogo dramático tienen un tratamiento textual y unos modos de recepción que los diferencian bastante y que les proporcionan específicas oportunidades de uso y combinación. A. W. Schlegel ha advertido que

> incluso en una conversación oral muy viva no es raro introducir personas en conversación con otras y dar la correspondiente variedad en el tono y en la expresión. Pero las lagunas que esas conversaciones dejan en el relato son rellenadas por el mismo narrador con las circunstancias ambientales y otros pormenores. El poeta dramático debe renunciar a todos esos recursos, pero por ello es recompensado generosamente con la siguiente invención: obliga a cada uno de los personajes de su relato a ser interpretado por un individuo viviente... (Schlegel, 1846, 31-32).

La verosimilitud que imponen las convenciones dramáticas del discurso aconsejan no hablar de lo obvio y de lo que está presente en el escenario, es decir, de lo que es común a los personajes y

al público, bien sea por conocimiento, bien sea por su presencia
inmediata. No es necesario que se incluyan en el diálogo detalles
de la vida cotidiana cuando son asequibles a un conocimiento normal de la realidad, pues resultan ser informativamente redundantes.
El intercambio verbal de los personajes en escena rechaza las referencias y las explicaciones sobre lo obvio, a no ser que se utilicen
como contrapunto de lo aparente y lo simbólico o como expresión
de una realidad absurda y sin sentido que se agota en su misma
referencialidad verbal. Ionesco hace ver y oír al espectador la falta
de sentido común al aplicar la ley de la informatividad al diálogo,
cuando esa señora Smith monologa delante de su marido (que no
la escucha, ni la oye y sólo chasquea la lengua como intercambio
fático), que son una familia inglesa, que acaban de comer patatas
y tocino, que viven cerca de Londres, etc. El señor Smith sabe todo
eso y no le hace falta escuchar y tampoco hablar. El teatro del
absurdo pone en solfa los textos dramáticos que informan sobre
lo obvio inmediato (Leclaire, 1979, 3-10).

La novela actúa en este aspecto más o menos igual que el texto
dramático sobre lo obvio discursivo, pues al no tener *presencias*
se ve en la necesidad de describir los ambientes y situaciones de
la vida diaria y los detalles que metonímicamente pueden caracterizar a una clase social o a unos personajes. El diálogo dramático,
como bien advirtió Schlegel, dispone de la invención de la escenografía y de la figura de los actores en el escenario: no es necesario
que incluya en el diálogo una descripción de trajes o apariencias,
la posición relativa de los personajes o sus movimientos (en el
caso de que se constituyesen en signos) porque están a la vista
del espectador. La visualización ahorra muchas palabras en el diálogo, y mientras hay autores que las ponen en las acotaciones, otros
ni siquiera, ya que dejan lo kinésico, lo proxémico y lo paralingüístico a la libre iniciativa del director y de los actores, o lo
confían a las convenciones escénicas de cada época. De este modo
el diálogo sale limpio de refencias que pueden deducirse sin palabras.

El texto dramático es autosuficiente, y por lo que se refiere a lo cotidiano y a lo obvio lo es en una medida diferente de lo que puede serlo el texto narrativo, precisamente porque a su naturaleza de texto literario añade una realización (aunque sólo sea virtual) en la escena. Hay que recordar que el diáloqo no constituye sólo el texto literario sino que también forma parte del texto espectacular y se realiza en la escena apoyado en la escenografía y en los actores vivos. Por esta razón nos parece cada vez más absurda la oposición en que se ha querido resolver literatura y espectáculo: diálogo (signos verbales) / representación (signos no-verbales), ya que el diálogo está en el texto escrito y también en el texto representado como parte sustancial de la representación que además arrastra gesto, movimiento, tono, etc., es decir, «acciones» del actor. Los signos no verbales se concretan en la escenografía y no exigen una versión verbal concurrente en la representación, o bien se concretan en el espacio lúdico que crean los actores con sus movimientos y distancias sobre el escenario.

Hay otros aspectos que ofrecen mayores dificultades en su manifestación textual cuando se pretende lograr un discurso autosuficiente y verosímil dentro de las convenciones del diálogo dramático. Me refiero a cómo se pueden incluir los datos que conocen, o al menos se supone que conocen, los personajes y de los que no parece verosímil que hablen, y por el contrario desconoce el público y que necesita para entender el marco de referencias en que cobra sentido la historia. Una de las convenciones que sigue el texto dramático consiste en admitir que la historia es más amplia que el discurso, es decir, que el argumento ocupa un tiempo limitado dentro de una historia vital que se prolonga en un antes y un después. De la misma manera que el escenario acota convencionalmente un espacio que se prolonga naturalmente en espacios contiguos, de modo que los personajes que entran en escena proceden de la habitación contigua, del campo inmediato, de la calle de al lado, del interior del palacio cuya fachada se ve, etc., en referencia al tiempo se supone que la obra transcurre en un segmento tempo-

ral de la vida de los personajes que enlaza con un pasado anterior
inmediatamente y un futuro. Y siendo así, cada uno conoce lo que
ha pasado antes y, según las relaciones que tenga con los demás,
conoce también parte de la vida y de los hábitos de los otros.

La ley de la informatividad exige al discurso dramático que pro-
porcione los datos necesarios para que el público se entere de lo
que allí pasa y además que se los dé a través del diálogo verosímil
entre personajes.

El diálogo dramático suele empezar aludiendo a datos que son
desconocidos para el público y como éste no puede pedir aclaraciones, dado el «escándalo semiótico» en que, según S. Alexandrescu,
se verifica el proceso de comunicación dramática, deben utilizarse
medios para dar contestación de forma que parezca espontánea,
a las virtuales preguntas del público y han de buscarse los recursos
para que la información necesaria se incorpore al diálogo.

El público, para el que está previsto un amplio espacio escénico,
la sala, está incomunicado casi siempre con la otra zona del ámbito
escénico, el escenario, y no tiene acceso a la palabra del diálogo,
según el juego de convenciones de la representación, aunque pueda
dejarse oír con silbidos, pateos y otras sonoridades, que se dirigen
a los *actores*, no a los personajes o al mundo ficcional del drama.

Descartada la comunicación verbal directa del público con los
personajes, aunque no de éstos con el público, como lo demuestra
el aparte, y descartada la figura de un narrador en el texto dramático representado que explique los vacíos y los blancos que puedan
darse, el autor debe encontrar en el mismo diálogo las formas con-
venientes para construir una historia que tiene una pre-historia de
la que también tiene que dar cuenta como marco, y lo mismo ocurre con la caracterización de los personajes, que debe lograrse mediante la palabra del diálogo situada en el contexto escenográfico
cuando se representa, o en un contexto imaginado cuando se lee.

El diálogo dramático se inicia *ex abrupto* en el texto dramático,
sin explicaciones; cuando se levanta el telón empiezan a crearse expectativas con la escenografía y con la apariencia de los personajes

que los sitúa en una clase social determinada. El diálogo crea blancos informativos que deberá ir rellenando y que son las preguntas que se hace el público a medida que transcurre el tiempo; el autor las irá contestando mediante una serie de «astucias» y recursos lingüísticos que, sin salirse de la forma dialogada, permiten ir dando soluciones «dramáticas» al problema de la información.

Las astucias son principalmente de dos tipos: introducir en la obra un personaje que desconoce los antecedentes de la historia porque ha estado alejado y que tiene derecho, por amistad, por parentesco, o por alguna otra razón, a preguntar sobre los presupuestos de la situación actual. *Casa de muñecas* se abre con unas escenas familiares de aparente frivolidad en unas situaciones que se ven forzadas y que inmediatamente suscitan en el espectador una serie de preguntas: ¿por qué Nora actúa de modo tan infantil? ¿por qué Torvaldo la trata como a una niña: ¿porqué tiene Nora tanta apetencia de dinero? Para contestar a éstas y a otras preguntas semejantes se sigue la *astucia* de presentar a una amiga que ha estado ausente los últimos nueve años y a la que hay que contar todo. Con la historia pasada de los personajes, como ocurre siempre en el teatro de Ibsen basado en un concepto historicista del hombre, empieza a tener sentido la situación presentada inicialmente: el hombre, como sujeto histórico, está limitado en su libertad actual por el pasado, y explicar el pasado es entender el presente.

Una segunda *astucia* consiste en utilizar *zonas de acecho*, es decir, lugares del escenario que ve o conoce el público en el desarrollo de la trama, y que permanecen ocultos o no son previstos en el diálogo de los personajes que están en la escena.

Kerbrat-Orecchioni cree que los personajes que ocupan esas llamadas zonas de acecho son el *duplicado especular* del público, porque obtienen la información necesaria para contestar a los interrogantes que se han ido formulando. Pero nos parece que esta interpretación no es admisible porque esos personajes ocultos no oyen más de lo que oye el público y su función no encaja en el proceso de comunicación obra-público para explicar datos o relaciones anteriores, sino que forma parte de los procesos de comunicación entre personajes: no pueden ampliar la información de que dispone el público porque han oído lo mismo, y no pueden realizar preguntas en el escenario porque están ocultos y no pueden dejarse ver mientras estén en las zonas de acecho; para preguntar algo deben salir de esas zonas.

La finalidad de las zonas de acecho es otra y afecta de un modo muy directo al diálogo y sus formas. En primer lugar permiten suprimir algunos personajes coordinadores, es decir, personajes que van de un lugar a otro llevando información y construyendo espacios intermedios; y permiten superar el cara a cara: el lenguaje en presencia no puede traspasar unos límites, pues hay cosas que pueden decirse a la cara y hay otras que no pueden decirse delante del interesado. Por otra parte, las zonas de acecho son espacios desprestigiados y los que oyen algo desde ellas cuando salen o son descubiertos por los demás se disculpan porque han transgredido las normas sociales del diálogo: son oyentes que no participan ni con la palabra ni con la presencia en la interacción y se exponen a oír lo que los otros no dirían si supiesen que los oyen.

Las exigencias del cara a cara *(Face-to-Face)* fueron estudiadas, como ya hemos aclarado en el primer capítulo, por Goffman y explican por qué la conducta lingüística de los hablantes es sustancialmente diferente cuando están presentes o cuando están ausentes los sujetos de la conversación, pero podemos añadir que la mera presencia de un oyente (no ya de un interlocutor), incluso cuando es ajeno al tema, hace que los hablantes cambien su registro verbal. El diálogo está condicionado por la presencia del interlocutor ya que es un proceso de interacción verbal, pero está también condicionado por la presencia de oyentes. Las zonas de acecho están concebidas en el teatro para conseguir información, sin coordinadores, que no se conseguiría de otro modo, pero no es información directa al público sino interna de la obra, entre personajes. Las zonas de acecho permiten escuchar sin ser visto y la persona en esa situación no actúa sobre los hablantes y puede oír lo que no dirían en su presencia, pero está expuesta a no entender lo que dicen porque no puede preguntar desde su lugar de escucha. En este sentido, es decir, en no poder preguntar nada es duplicado especular del público, que convencionalmente tampoco está, pero no podemos admitir què provoque la información necesaria para rellenar blancos y contestaciones a las preguntas que formularía el público, porque esto es imposible desde su posición.

La presencia de un sujeto impone límites a los otros (interacción no activa) aunque él no hable; si habla y se integra en el diálogo, tiene derecho, según las normas generales, a sus turnos, a consumir su tiempo y a utilizar su propia verbalización, codificación y contextualización. Y a esto no tiene derecho el público, que convencionalmente no está presente, ni nadie que no esté advertidamente en el diálogo.

Hay otra situación, que utiliza con relativa frecuencia el teatro para conseguir efectos preferentemente cómicos, que consiste en una inversión del uso de las zonas de acecho: algún personaje escondido cree que los demás no saben que los está escuchando, pero no es así, los otros lo saben y aprovechan para decir lo que no dirían en su presencia: Celestina ante la puerta de Calixto hace uso de esta carambola verbal, como veremos al analizar su diálogo.

Hay un aspecto de este recurso de zonas de acecho que destacamos para enlazarlo con el que sigue, el aparte. Me refiero a que las zonas de acecho son lugares ocultos para los personajes del escenario, pero no para el público con el que se ha establecido una connivencia; igualmente, el *aparte* es palabra gue no oyen los personajes del escenario pero que debe oír el público, tanto si está dirigido directamente a él como si es un aparte que sólo pretende no ser oído por el interlocutor.

El aparte es un recurso lingüístico de uso frecuente en el diálogo dramático, pero inverosímil en el narrativo, ya que no existe un público a quien dirigirlo y es siempre el narrador el filtro que permite el paso del mundo de ficción al de la lectura.

El aparte proporciona al autor dramático dos formas de lenguaje: el exterior en el diálogo de los personajes y otro que se supone
interior, en contraste con el diálogo, y que se exterioriza sólo para
el público. El aparte es una transgresión de las leyes del diálogo
porque es una salida del intercambio y del cara a cara para dirigirse
a alguien cuya presencia ni siquiera está reconocida convencionalmente.

El público es el destinatario final de las dos formas de lenguaje
(diálogo y apartes), pero el aparte tiene la ventaja de que al no
estar reconocida la presencia del alocutario supera las limitaciones
del cara a cara, al igual que ocurría con las escuchas en las zonas
de acecho. El diálogo entre personajes llega al público como un
lenguaje sometido a las normas de su propia naturaleza: es un lenguaje con un destinatario interior, con las normas del cara a cara,
de la situación presente compartida, del progresivo tiempo implica-
do, etc. Estas normas no afectan al aparte, pues el alocutario, el
público, no está convencionalmente presente. Un personaje que se
dirija a otro en un diálogo debe hablar de acuerdo con la calidad
de su interlocutor, o al menos con la que él le reconozca, pero
un personaje que se dirige a un público que no existe en el esquema
de la representación cuyo escenario termina en una cuarta pared,
no tiene límites en la expresión, en este sentido, aunque la ley de
informatividad puede imponer los suyos.

El personaje que interviene en los diálogos como interlocutor
está sometido en el hablar y en el escuchar a las normas habituales
del diálogo y las transgrede cuando utiliza el aparte.

El aparte es uno de los recursos dramáticos más utilizados por
los autores y más estudiados por la crítica (Cueto, 1986) y forma
serie con otros recursos cuya finalidad inmediata se conoce. Pero
como signo literario que es, en su uso en el texto dramático no
tiene la estabilidad ni la codificación propia de los signos lingüísticos, de modo que puede tener otros sentidos, según el contexto,
y además puede concurrir con otros signos en el mismo sentido.
Por ejemplo, advertimos que el diálogo de *La Celestina* consigue

varios planos de expresión lingüística (exterior / interior; verdad / mentira) mediante el uso del aparte o mediante el uso de una discordancia entre el signo y su referencia, lo que origina escenas con un humor que resulta asequible al público, pero no a los personajes. Una vez más la obra establece connivencia con el público usando recursos que cierran la comunicación normal interior y la abren a ese ente convencionalmente inexistente, que es el público. Algo típicamente dramático, que no encontramos en otros géneros.

La posibilidad de que el «cara a cara» actúe para inhibir la expresión sincera en un diálogo cuyos interlocutores tienen una situación extralingüística desigual (amo-criado), justifica el uso frecuente del aparte: la igualdad en el uso de la palabra no se consigue por el peso de la desigualdad personal e impone al diálogo unas limitaciones que no tendría el diálogo entre iguales. La caracterización de Sempronio como criado desleal, como amante poco atento con su enamorada e incluso como compañero desconfiado con Pármeno y Celestina, se consigue eficazmente con el aparte. La posibilidad de que se supere el cara a cara no ya con el aparte, sino con la verdad dicha en clave de celos o de enfado, explica que el astuto Sempronio, tan habilidoso en el uso del aparte en el diálogo con cualquiera, sea engañado por la todavía más astuta Celestina y su pupila Elicia en el diálogo directo. El humor que se desprende de una situación tan paradójica establece una relación de simpatía con la vieja Celestina, al igual que el aparte establecía la misma relación con el criado maltratado, Sempronio. El público se regocija ante la conducta del criado porque el débil se venga así del fuerte y se regocija ante la conducta de Celestina porque es el viejo tema del engañador engañado.

La caracterización del personaje en el diálogo se logra mediante tres fuentes: la palabra cara a cara con otros personajes, la información directa al público (en forma de acción o en forma de palabra: zonas de acecho, apartes), y los signos no verbales que tienen una gama amplia de manifestación escénica, y pueden entrar en relaciones de concurrencia o de divergencia con el diálogo.

A estas tres fuentes de información localizadas en el uso de la palabra y sus relaciones con los sujetos o con los signos no-verbales del escenario, hay que añadir otras, que tienen su repercusión en el uso del diálogo, y que se presentan circunstancialmente en la obra. Concretamente en *La Celestina* advertimos que la relación de los hablantes con el lenguaje (activa / pasiva) interviene eficazmente en su caracterización. Sempronio engaña con la palabra a su amo y se ríe de él con los apartes y los arreglos que hace sobre algunos términos cuando Calixto le pide aclaraciones, y se muestra en un doble plano ante el público mediante el aparte, pero se encuentra en la escena inmediata con alguien que camina aún con mejor soltura por los caminos del disimulo y el engaño y pasa de burlador a burlado: resulta sarcástico que Celestina y Elicia no tengan que acudir al aparte y les sea suficiente la verdad para engañar al avisado Sempronio. Haciendo un sutil uso de las normas dialogales, la verdad resulta increíble en un cara a cara; Elicia dice que está con otro amante, y es verdad, pero resulta inverosímil que se lo diga a Sempronio y para explicar tal inverosimilitud acude Celestina con la clave de interpretación: Elicia está dolida por la ausencia de tres días y luego está celosa. Una combinación de zonas de acecho, que se muestran al público y de lenguaje verdadero que no sigue las normas del cara a cara y cuya interpretación se ofrece en clave, es suficiente para que Sempronio deje de creer lo que se le dice en verdad. Ahora Sempronio entra a formar parte de una serie de personajes engañados con el diálogo de una obra que, como veremos, muestra con todos los matices imaginables la imposibilidad de un diálogo entre las clases sociales, entre iguales, entre amantes o entre padres e hijos. *La Celestina*, leída como obra dialogada (dejando aparte la trama y su tragedia en la fábula) es espejo de unas relaciones sociales que excluyen el diálogo como medio de comunicación y de acuerdo, pues lo usan para el engaño y la burla.

El diálogo dramático puede manejar una amplia gama de recursos para lograr la caracterización de los personajes y para construir la fábula: el uso del aparte, la superación de las normas dialogales por diferentes medios, la distorsión de las relaciones referenciales de la palabra por una visión que las condiciona, las relaciones pragmáticas de los sujetos con su propia palabra (activos, pasivos), etc.

Sin embargo, este lenguaje, que tiene tantas posibilidades de manipulación para lograr efectos especiales, pretende tener una apariencia de *espontaneidad*. La mayor parte de los dramaturgos tratan de conseguir un diálogo aparentemente natural. El actor que lo aprende debe realizarlo como si lo improvisara, es decir, como si la situación fuese presente, cara a cara, con la naturalidad que le permiten las convenciones teatrales literarias o espectaculares de la época, que pueden llegar hasta el recitado del verso. En todas las artes acústico-visuales en las que se incluyen diálogos, éstos suelen presentarse como espontáneos, pero eliminan las interrupciones, rectificaciones de los comienzos, alusiones no explicadas, las digresiones, los enunciados incompletos, etc., pues si reprodujesen diálogos reales con ese modo de hablar, probablemente el público pensaría que el actor se habría aprendido mal su papel, y, sobre todo, se perdería tiempo, que en el teatro está limitado por la representación: la extensión normal de un texto dramático obliga a aprovechar todo lo posible la capacidad de información del diálogo para construir y cerrar la fábula (o lo que la sustituya: una tensión, una relación de dominio, etc.).

No obstante, el diálogo, que tradicionalmente en el teatro tiene «horror al vacío», ha cambiado a lo largo de la historia y ahora es fácil encontrar obras en las que el diálogo presenta modos indecisos de hablar para mostrar icónicamente la actitud de indecisión de una sociedad ante unos temas, o de algunos locutores determinados, o en general.

Frente a los discursos literarios de otros géneros, el diálogo dramático se caracteriza por un uso, más frecuente de lo normal, de elipsis, exclamaciones, muletillas y también de anáforas intratextuales y contextuales. La relación de la palabra con la situación inmediata se extrema en el teatro debido a la limitación espacial del escenario y por el traslado mimético de situaciones en presente, y la relativa poca extensión del texto dramático obliga a las referencias continuadas al propio texto de modo que

> la diferencia fundamental entre hablar lo que está escrito para ser hablado como si no estuviera escrito y el habla común es un conducta planeada y preparada mientras que la otra es espontánea; una obra de teatro o una película en gran medida crea su propia situación y sus pautas de relaciones contextuales, tiene un principio y un final definidos, y es notable y significativamente más compacta y autocontenida que las situaciones en que ocurren el monólogo y la conversación (Gregory, 1986, remite a 1967, 192).

La espontaneidad aparente está en una razón continamente dialéctica con la necesidad del diálogo dramático de vincularse a la situación escenográfica y de conseguir el espacio lúdico adecuado; por otra parte, los límites temporales actúan sobre la densidad del diálogo y sus alusiones en un juego que cada obra resuelve a su modo, creando un estilo sintáctico o siguiendo las combinaciones que derivan de una forma de hacer teatro.

El diálogo dramático tiene también un carácter funcional orientado a la construcción de una unidad de sentido y sigue las estrategias necesarias para que la recepción pueda hacerse también en unidad. Esto ocurre en todos los textos literarios, e incluso en los no literarios, y se apoya en la unidad de emisión (sujeto lírico, narrador, por ejemplo), pero en el texto dramático esa unidad no tiene un apoyo textual, aunque sí lo tiene en último término en el autor, porque la forma del discurso es precisamente dialogada. El diálogo desarrolla a la vez varios contextos, los de cada uno de los personajes que sucesivamente intervienen, pero lo hace de modo que todos ellos se van incorporando a una línea de sentido única y conjunta y se van compenetrando continuamente. Cada réplica de los dialogantes contribuye a la unidad de la fábula y del sentido general y es preciso situarla en esa línea, a pesar de la apariencia de espontaneidad; de este modo el diálogo dramático, a pesar de la multiplicidad de hablantes, está obligado a seguir el sentido único de la fábula. Esta situación caracteriza definitivamente al diálogo dramático frente al diálogo que puedan incluir otros discursos literarios, y se traduce en el hecho de que en cada intervención el sentido sufre modificaciones procedentes de los sentidos acumulados hasta entonces y de los que se van acumulando progresivamente. No se trata como en la novela de un discurso regido por un emisor único, el narrador, que garantiza la unidad del texto al poner orden y concierto entre los diálogos de los personajes y su propio monólogo, se trata de ir construyendo un sentido único con el mismo diálogo como forma única de discurso, con todos los sentidos que arrastran las diferentes intervenciones que deben organizarse en concurrencia.

Cada contexto de un personaje tiende a absorber a todos los demás procurando esa unidad de sentido, y esto resultaría imposible si cada uno de los interlocutores desarrolla su discurso sin tener en cuenta los de los otros; los contextos respectivos pueden entrar en conflicto y para que el diálogo adquiera la unidad necesaria deberán en cada caso ir armonizando las divergencias, o señalando las concurrencias, etc., es decir, haciendo diálogo progresivo que resuelva las contradicciones que surjan.

La tensión entre los contextos y los discursos se prolonga modificada a medida que avanzan nuevas situaciones y va creando una historia a través de los motivos y las anécdotas que dan materia al diálogo. Cada réplica del diálogo es una acción cuyo fin es influir sobre el interlocutor, y la réplica de éste es una reacción a esa acción y al mismo tiempo una nueva acción que deberá ser contestada por el otro. La acción proporciona al drama una perspectiva única y con frecuencia toma sentido solamente al llegar al desenlace que actúa como verdadero *sujeto central* (Veltruski, 1976).

La ausencia de un narrador o de un sujeto emisor único que dé unidad al texto es suplida en el discurso dramático, formado sólo y exclusivamente por un diálogo de personajes, por la unidad que deriva de la fábula, y desde este ángulo de visión puede comprenderse en toda su virtualidad la tesis aristotélica según la cual el elemento más específico del drama es la fábula.

Otro de los rasgos fundamentales del diálogo dramático, que lo distingue del diálogo incluido en el discurso narrativo, es su valor factitivo. Los personajes con su palabra influyen y generalmente dirigen la conducta de los otros. La palabra del amo indica un modo de actuar de los criados en *La Celestina*, por ejemplo: Sempronio aparece al llamarlo Calixto, prepara la cama, cierra la ventana, va a buscar a la vieja, etc.

Pero tenemos que advertir que el carácter factitivo del diálogo tiene además de esa dirección hacia el Tú y su conducta, un valor inmediato para hacer a su propio emisor. El diálogo sirve para intercambiar informes, para convencer a otros, para dirigirles la conducta hacia la acción; muestra también el diálogo al espectador que no es posible la comunicación real entre las clases sociales ni entre individuos de una misma clase, y además manifiesta continuamente un modo de ser y de relacionarse con los demás: cada vez que alguno de los personajes de *La Celestina* toma la palabra, independientemente de lo que diga, está significando respecto al otro: te tolero, te aprecio, espero que me des, te estoy engañando, me produces risa, etc.

Por último señalamos como uno de los rasgos específicos del diálogo dramático su relación con un contexto inmediato separado o no del propio diálogo: es el ámbito de información que procede de las acotaciones exentas o incluidas en el mismo diálogo, es decir, lo que hemos denominado Texto Espectacular (Bobes, 1987).

Las acotaciones, aunque sean mínimas y estén limitadas a la lista de las *dramatis personae*, ponen al lector sobre aviso en cuanto a las relaciones de simetría o asimetría, de dominio o de sumisión, etc., que van a darse entre ellas a lo largo del texto, y por tanto informan sobre las condiciones en que se producen los enunciados dialogales (Ubersfeld, 1978). Las relaciones amo-criado son el marco donde se entiende el tono destemplado de Calixto cuando llega dando voces y profiriendo insultos para llamar a Sempronio, y que están en violento contraste con el tono y los términos en que se ha dirigido en la escena anterior a Melibea. Esas mismas relaciones anunciadas desde la presentación de las *dramatis personae* pueden explicar la actitud de Sempronio y su uso de los apartes desde un comienzo. El diálogo se convierte inmediatamente en un acto ilocutivo por el que cada personaje desde su situación personal, familiar, social, etc., presiona sobre los otros. Para interpretar los sentidos que progresivamente se van construyendo, es preciso tener en cuenta la presentación inicial y las modalidades que van adquiriendo los interlocutores con las implicaciones conversacionales que surgen. Las discordancias de un pasaje pueden no serlo en otro: el personaje va poniendo orden o desorden entre su palabra exterior y su pensamiento, o van aproximándose o alejándose de los otros personajes a medida que su interés manifiesto o latente lo aconseja. El espectador oye las palabras de cada interlocutor y las sitúa para interpretarlas en relación con la prehistoria, con la capacidad de diálogo y sus modalidades (poder, querer, saber hablar, de los personajes), con las formas de lenguaje interior o exterior, y con todas las circunstancias de la situación escénica (cara a cara, apartes, zonas de acecho, etc.). El espectador no tiene la lista de las *dramatis personae* y la explicación que generalmente acompaña sobre las relaciones entre ellos y sus condiciones de edad, profesión, función, etc., pues todo esto pertenece al lenguaje de las acotaciones que no pasa verbalmente al escenario y se dirige al lector, pero en cambio, sí tiene a los personajes encarnados en unos actores que se mueven, que están vestidos y caracterizados y que se le van haciendo ante los ojos y los oídos mediante los signos no verbales y el diálogo realizado en escena.

En resumen, podemos esquematizar los caracteres del diálogo dramático en los siguientes puntos:

1. La presencia de dos o más interlocutores, en presente, cara a cara.

2. La estrecha vinculación entre la palabra y la acción.

3. La situación extralingüística que sirve de marco y que está contenida también en el diálogo, o en las acotaciones.

4. La existencia de contextos diversos para cada personaje. Esta circunstancia es tan decisiva que dos personajes que repitan contexto son probablemente un solo actante desdoblado (como las hermanas de Juan en *Yerma).*

5. La autosuficiencia referencial y caracterizadora sobre la acción y para los personajes respectivamente.

LAS FUNCIONES DEL LENGUAJE EN EL DIÁLOGO DRAMÁTICO

El tema constituye el contenido (y el título aproximado) de un conocido artículo de R. Ingarden, aparecido por primera vez en alemán en la revista universitaria de Lodz (Polonia), *Zagadnenja rodzajów Literackich (Les problèmes des genres littéraires)*, I, 1958, y traducido luego al francés, «Les fonctions du langage au théâtre» *(Poétique,* II, 1971, 531-538).

Ingarden toma como criterio de clasificación las posibilidades del lenguaje en la escena, pero en sus análisis parte del texto, pues si se refiriese solamente a la escena, no podría hablar de funciones del lenguaje en algunos supuestos, concretamente en referencia a las realidades que propone en el primer grupo.

Repasa Ingarden las realidades de la escena y concluye que pueden ser de tres tipos:

1. Realidades objetivas (objetos, seres humanos, procesos) que se muestran al espectador en forma directa, por percepción visual o acústica (entendemos que también el lenguaje puede estar entre estas realidades cuando se considera como «objeto», como conjunto de ruidos o sonidos).

2. Realidades objetivas que pueden ser percibidas por doble canal: como las del primer grupo, es decir, por su presencia en la escena, y también por los signos lingüísticos de los que son refe-

rencia. La presencia objetiva se subraya mediante la representación en el lenguaje, por ejemplo, el estado anímico de un personaje puede exteriorizarse mediante la expresión corporal adecuada, mediante signos kinésicos o proxémicos, mediante el tono que se da a las palabras y además pueden representarse mediante los signos lingüísticos. En estos casos debe haber una armonía entre los signos de los diferentes códigos para constituir una unidad de sentido: el diálogo y la acción deben ir paralelos en sus valores referenciales, como signos concurrentes para un sentido conjunto y único.

3. Realidades objetivas que acceden a la percepción por el lenguaje solamente: no tienen presencia en escena a no ser por medio de la palabra de los actores.

A partir de esta clasificación de las realidades escénicas, establece Ingarden las funciones del lenguaje dramático: representativa, expresiva y comunicativa.

La función representativa está confiada sobre todo a los sustantivos cuya referencia son objetos, o a los enunciados cuya referencia está constituida por relaciones humanas. La representación puede realizarse de un modo directo o bajo alguno de los artificios retóricos de la *elocutio* (metáfora, metonimia, alegoría...).

Es importante destacar que esta función del lenguaje tiene en el diálogo dramático un papel de apoyo solamente respecto a las realidades que están presentes en la escena, y sin embargo parece decisiva para señalar los límites con otros espectáculos, como el cine o la pantomima. En cada obra se concreta la función representativa de acuerdo con las convenciones de la escena a lo largo de la historia, o se orienta hacia el uso de deícticos verbales o gestuales. Depende del valor que se le reconozca a la palabra y sus relaciones con los signos no verbales.

La función expresiva implica una relación más directa con el personaje a través de la figura del actor, pues el lenguaje exterioriza los diferentes estados de ánimo y los procesos interiores que viven los personajes; los signos paralingüísticos, kinésicos y proxémicos que usa el actor al realizar el diálogo tienen una gran importancia

en este aspecto, ya que los enunciados lingüísticos son frecuentemente ambiguos y dependen del tono en que se realicen para fijar
su valor referencial.

La función comunicativa del diálogo dramático es quizá la más
discutida. Si se piensa que para la comunicación es necesaria una
intencionalidad por parte del sujeto y una doble articulación por
parte de los signos, es difícil admitir la función comunicativa del
lenguaje escénico (Mounin, 1972). Pero ni una ni otra exigencia
son condición para la comunicación, porque no es necesario que
el modelo lingüístico de la doble articulación esté en todos los sistemas de signos, y porque no es necesario que la comunicación parta
de la intencionalidad del emisor. Por otra parte, los signos, o los
formantes literarios, tienen una significación o una capacidad de
organizarse en concurrencia con otros signos hacia un sentido global, y pueden ser interpretados por los espectadores.

En las argumentaciones de Mounin se da paso a una falacia
al tratar como diálogo un proceso verbal que no pasa de ser dialogismo. El lenguaje del teatro origina dos procesos bien diferenciados: el diálogo entre personajes, con todas las exigencias de esta
forma de discurso, y el dialogismo propio de toda comunicación
literaria. El proceso semiótico literario del teatro tiene unas convenciones con las que se cuenta al dar forma a la obra en su aspecto
de Texto Literario y de Texto Espectacular: los extremos de ese
proceso los constituyen el autor y el público, cuyas relaciones son
las que tiene la comunicación a distancia. La obra, que es el elemento intersubjetivo de ese proceso, tiene un discurso dialogado,
que mantienen los personajes y que constituye un círculo cerrado
respecto al otro proceso. Constituye una falacia transponer los rasgos del diálogo (proceso interior de la obra) y sus exigencias al
proceso literario o teatral envolvente (autor-lector/público).

La comunicación dramática sigue un proceso complejo que pasa
del normal en una obra literaria (comunicación a distancia) a otro
en presencia (el espectáculo escénico), donde se superponen artes
del tiempo y artes del espacio (auditivas, visuales) para dar vida

a un texto acabado y cerrado cuyo discurso, dialogado, no admite nuevas intervenciones por parte del público.

Además de estas tres funciones relacionadas con el tipo de realidades de la escena, pueden reconocerse en el lenguaje del diálogo dramático otras funciones, por ejemplo, la de persuasión, que ponemos en relación con el valor factitivo que ya hemos señalado por característico de este diálogo. Esta función del lenguaje puede identificarse tanto en el círculo verbal de los personajes, como en el proceso envolvente autor-público. El valor especular del espectáculo escénico, que destaca Shakespeare en *Hamlet* como una de las finalidades más destacadas del teatro, da a las obras un valor conativo y puede explicar la función persuasiva sobre el público y su conducta, aparte de la funcionalidad interna.

Hay que tener en cuenta que el teatro no es sólo la escena; el ámbito escénico comprende escena y sala cuyas relaciones son una consecuencia del texto y a la vez influyen en el proceso de comunicación general. La comunicación con el público se inicia en el momento en que se alza el telón, y antes de que se oiga la primera palabra; la comunicación entre los personajes, aunque también puede darse sin palabras, generalmente se inicia con el lenguaje. La intención de iniciar una comunicación es indudable por parte de los que están detrás del telón, y la intención de aceptar esa comunicación (aunque luego se rechace el contenido concreto) es indudable por parte del público que acude al teatro. Este es el círculo comunicativo envolvente de ese otro que se da entre los personajes en forma dialogada. El paso de uno a otro no suele propiciarse, aunque históricamente hay formas de representación que «rompen telón», y otras que pretenden incluir al público en el mundo ficcional de los personajes.

Quizá en relación con la función representativa deberíamos poner otra función del diálogo dramático: la icónica. Es relativamente frecuente en el teatro actual, sobre todo en el teatro del absurdo, pero con antecedentes notables, utilizar los diálogos para reproducir situaciones de tensión, de desconcierto, de apatía, absurdas. Po-

siblemente uno de los primeros autores que nos llama la atención
por el uso de un diálogo dramático de valor icónico es A. Chéjov.
Sus obras, aparte de la anécdota concreta en cada una de ellas,
presentan en general unos personajes que constituyen una sociedad
apática, aburrida siempre, inconsciente, que se manifiesta en una
forma de hablar extraña y da lugar a unos diálogos estancados en
su discurso, que no avanzan en sus temas, que se interrumpen continuamente por las manías de los interlocutores, que intercalan frases en francés como muletillas, que discuten por discutir, que dicen
tonterías que no vienen a cuento, que no terminan sus argumentos,
que no terminan sus enunciados... En todos los dramas de Chéjov
es difícil encontrar diálogos que en su argumentación no sean inte-
rrumpidos por una intervención que no tenga nada que ver con
el tema. Los personajes parecen sordos: no se oyen unos a otros,
cada uno habla de su tema, si lo tiene, o de sus cosas, o dicen
palabras sin sentido, hacen preguntas que no encuentran respuesta,
se ponen a cantar, repiten la misma pregunta o las mismas observaciones, y si alguno quiere pedir orden y seguir los argumentos, los
demás le advierten que se deje de «filosofías».

   No es que Chéjov no sepa hacer diálogos como dijo algún crítico sagaz en el estreno de alguna obra, es que reproduce el modo
de hablar de una sociedad que no dialoga, porque no sigue las normas del diálogo: habla pero no escucha, no sigue los temas que
darían unidad al diálogo, no se pretende una relación yo-tú y su
alternancia en turnos reglamentados, sino que trata de poner de
relieve siempre el yo, con lo que se destruye el diálogo. El diálogo
se destruiría por una sola de esas actitudes, pero además son muchas las que confluyen hacia la misma finalidad, con lo que no
hay diálogo.

   El autor ruso hace una crítica social por un procedimiento netamente especular: pone ante los ojos y oídos de la sociedad que va
al teatro su modo de hablar en los salones. La crítica temática,
la ejemplaridad de las anécdotas y el valor ético que puede mostrar
la obra, se completa con el rechazo indirecto de un modo de ha-

blar. El absurdo de una conducta social queda de manifiesto en el absurdo de su modo de hablar que se recoge en la escena. En una sociedad en la que no hay diálogo, no hay comunicación, no hay interés por los temas, la conducta general es de apatía, de aburrimiento. Los diálogos son sólo apariencia y la alternancia de turnos no es indicio de información o de comunicación, y no lo es tampoco de interpretación, simplemente es indicio de expresión de subjetividades poco interesantes, además de poco interesadas; es sencillamente un diálogo que encubre la falta de relaciones.

Estos diálogos contienen un gran dramatismo: informan sobre un modo de ser y de actuar de unos personajes y una sociedad suicida, cuentan indirectamente la historia de un desastre social y son de una gran eficacia escénica. Así supo entenderlo Stanislavski al realizarlos dentro de unas convenciones de realismo psicológico. Entendidos en su dimensión realista, los diálogos y las obras de Chéjov no adquieren el sentido trágico que les proporciona su realización como tragedia interior inconsciente. El tema de los dramas dice poco limitándolo a los diálogos, pero es rico si se traslada a un subtexto pragmático: la insensatez de una sociedad que no sabe lo que se le viene encima y sigue alegre y confiada el curso de una historia inexorable en sus cambios, por otra parte necesarios, a la vista de un comportamiento tan frívolo y absurdo.

Esa sociedad que habla como los personajes de Chéjov está abocada a una de las revoluciones históricas más profundas. Aquí el diálogo sirve de contrapunto a un subtexto que remite a la situación extratextual, histórica. Su eficacia escénica deriva de ese contraste.

> Actores que en un principio sólo han visto la trivialidad de cada réplica en una escena cualquiera de Chéjov, de pronto se sienten maravillados al descubrir que tal escena, como un todo, constituye un poema (Bentley, 1982, 99),

y efectivamente, las escenas se vuelven patéticas y son un poema a la inconsciencia social.

Por otra parte los diálogos dramáticos pueden ser utilizados en su dimensión material, como cadenas fónicas que crean un ritmo y un *tempo* manipulables para el autor (Larthomas, 1972, 256); pueden ser diálogos ideologizados en la forma y convertirse en expresión de un modo de entender la retórica: a propósito de los diálogos finales que en *Medea* sostienen sus personajes, se ha dicho:

> ...estos personajes heroicos son todos retóricos; Eurípides los ha tenido en la escuela de los sofistas antes de hacerlos entrar en la escena; los ha adiestrado en la esgrima del argumento y de la réplica (...), las suyas son largas tiradas paralelas, que se contestan equilibrándose, o son réplicas alternadas que cruzan sus puntas simétricamente (Saint-Victor, 1943, 429).

Por último, en el diálogo pueden ocultarse estados de ánimo o sentimientos que se expresan por medio de indicios kinésicos, proxémicos, gestuales, etc.; la palabra es mero juego en el que pierde su carácter de signo para convertirse en un indicio de violencia, de aburrimiento, o para limitarse a una función meramente fática, como ocurre en el teatro del absurdo.

Los diálogos se integran en la representación dramática como los signos de otro código: para figurar la tensión y el enfrentamiento, para señalar posiciones paralelas, etc.; el autor mantiene la igualdad en los turnos, en la extensión de las intervenciones, en la oportunidad de los turnos, en las formas de exponer y de rebatir con simetría, etc.

LA APARICIÓN DEL DIÁLOGO
DRAMÁTICO: «LA CELESTINA»

Dejamos aparte la polémica sobre el teatro medieval y su aparición e iniciamos el análisis del diálogo en *La Celestina*, obra cuyo texto es ya netamente dramático, según muestra su diálogo en los principales rasgos que puede caracterizarlo.

Los diálogos son frecuentes en los textos literarios medievales, tanto en la poesía lírica (Benítez Claros, 1963), como en la narración, donde «la inserción de diálogos proporcionaba la oportunidad de dar corporeidad a los personajes y de acentuar la expresión ·dramática» (Chaytor, 1980, 38). En general podemos decir que la literatura medieval tiende a la teatralidad (Zumthor, 1973, cap. IX titulado «Dialogo e spettacolo»), ya que se destinaba preferentemente a la lectura en voz alta y buscaba el diálogo como forma dinámica para este tipo de comunicación.

Los diálogos más frecuentes son los parciales que se intercalan en el discurso monologal, lírico o narrativo, pero no faltan obras en las que el discurso dialogado se extiende a todo el texto (diálogos autónomos), en la llamada literatura de debates y, por supuesto, en las obras dramáticas. A veces aparecen, sobre todo en la lírica, diálogos virtuales (monólogos dramáticos), en los que hay un emisor textual, un Yo, que se dirige a un Tú generalmente no textualizado, o que aun siendo textual no contesta, sólo es receptor, no interlocutor; estos discursos no son verdaderos diálogos, aunque tengan alguno de sus caracteres, por ejemplo, el ser lenguaje directo, porque carecen de otros rasgos típicos del diálogo: la situación compartida, la copresencia de los interlocutores, el cara a cara, etc.

Es frecuente que el discurso con lenguaje directo, en forma de diálogo o de monólogo, esté relacionado en el texto con la presencia de un personaje típico (pastores, fanfarrones, dama alejada de su amor, etc.), de un tema tópico (formas de amor cortés, dolor por la ausencia, gozo de la presencia, etc.) o por situaciones previstas (un encuentro en un lugar ameno, enfrentamientos diversos, etc.).

Resulta difícil a veces clasificar como diálogo o como monólogo dramático alguna forma de discurso poético o narrativo, e incluso aparecen formas ambiguas en el texto dramático, en algunos pasajes.

Los diálogos de cualquier género, al ser realizados verbalmente (y no olvidemos que la literatura medieval se transmite de este modo), añaden a los signos lingüísticos los paralingüísticos y los kinésicos, con lo que su teatralidad transciende el texto y se proyecta también hacia el espectáculo. Si además tenemos en cuenta que el discurso dialogado exige la intervención de más de una voz, la interpretación, salvo en casos excepcionales como el bululú, corría a cargo al menos de dos juglares, con lo que a los signos anteriores se añaden los proxémicos, y a partir de éstos podemos señalar la vinculación del texto con el espacio.

El proceso teórico que lleva de la literatura escrita en diálogo hacia una intensificación de sus valores dramáticos queda así cerrado y completo.

Todo el montaje que acarrea el diálogo en su realización verbal (diálogo lingüístico / signos no-verbales: paralingüísticos, kinésicos, proxémicos / espacialización) dirige a una buena parte de la literatura medieval hacia una teatralidad que se realizará en obras concretas. Los juglares, al recitar el diálogo y al darle vida, crean unos espacios lúdicos donde cobran sentido las relaciones de los personajes y donde exteriorizan enfrentamientos, acuerdos, disensiones, etc., amparados desde un principio por espacios escénicos previstos: la iglesia (interior o la fachada), una calle, el interior de una casa, el campo, etc., donde probablemente se aludiría a un espacio escenográfico mediante la presencia de un objeto, real o simbólico, o mediante un movimiento que especifica su dirección: un arco, una puerta, un laúd, un caballo, un árbol, etc.

Zumthor destaca a este respecto el desarrollo que adquieren en la literatura francesa medieval los tres elementos que según él darán lugar al nacimiento del teatro: el número de actores, la complejidad del gesto y la figuración de los espacios.

Desde nuestra perspectiva partimos de una literatura medieval de tendencia teatralizante causada por la forma de comunicación oral, que da lugar a proliferación de diálogos, bajo formas más o menos claras, y que se realizan con los signos concomitantes con los verbales: paralingüísticos, kinésicos y proxémicos y consideramos como final del proceso la espacialización de la historia que proyecta los espacios escénicos en espacios escenográficos y los espacios dramáticos en espacios lúdicos. Vamos a verificar que tal proceso deriva en el diálogo dramático a una vinculación cada vez más fuerte con la «situación exterior» y simultáneamente a una tendencia al cierre interior, a lograr la autonomía del diálogo, puesto que se logra que el texto quede reducido sólo a diálogo y debe quedar explicado en sus propios términos.

En *La Celestina* está ya plenamente consolidado el diálogo dramático y podemos advertir la serie de rasgos que lo definen:

1) La *autosuficiencia del diálogo* en la unidad de la obra: las dudas que se plantean inicialmente van despejándose a medida que avanza la representación (lectura); 2) la *vinculación con una «situación exterior»,* conseguida en el texto mediante los deícticos, los verbos de acción y las definiciones ostensivas de términos *(el laúd: vesle aquí; por qué te santiguas?...);* 3) la *dirección del diálogo hacia un público* presente, en las formas que permiten las convenciones dramáticas y en una oscilación de la presencia a la ausencia: el público impone la ley de la informatividad, de modo que exige los datos necesarios para comprender la historia, tolera el aparte, la imprecación directa, y sin embargo, no se considera presente en el proceso del diálogo: no puede intervenir en lo que se considera mundo ficcional cerrado, y 4) *las acotaciones,* que en *La Celestina* se limitan a la lista de las *dramatis personae,* a los argumentos (el general y los particulares de cada acto), a los nombres de los interlocutores en cada caso, y a las que podemos denominar acotaciones del diálogo o didascalias (Toro, 1987). La presencia de las acotaciones en el diálogo no hacen cambiar a éste, pero sí se proyectan en el escenario por medio de objetos, gestos, distancias, etc.

El diálogo con todos estos rasgos es un hecho en el discurso de *La Celestina.* Hay en esta obra un diálogo dramático perfecto, a pesar de lo cual, y paradójicamente, la lección más amplia que se desprende de ella es que el diálogo, como forma de comunicación humana, es un fracaso, o más aún, es imposible, porque no cumple su finalidad cuando se desarrolla entre interlocutores de la misma clase social (criados-Celestina-pupilas) y no digamos si pertenecen a diferente clase (amos-criados). La posibilidad de alcanzar un acuerdo mediante la palabra, no se consigue nunca porque la desconfianza, los intereses, la insolidaridad y el egoísmo hacen que la lengua se disloque en un cara a cara hipócrita y unos apartes que contradicen lo anterior.

Podemos admitir que el análisis del diálogo descubre una obra con la que se inaugura en nuestra historia literaria «la tragedia de la tragedia» al mostrar escénicamente que la palabra autónoma en sus competencias y vinculada a la situación exterior no es capaz de organizar las acciones y evitar un desenlace trágico.

a) La *autonomía del diálogo* en *La Celestina* está bien conseguida y la obra presenta y caracteriza a unos personajes que no son nunca tópicos, pues aun dentro de los de una misma clase, no se repiten, todos tienen una personalidad propia (Sempronio y Pármeno / Elicia y Areúsa); consigue también la obra diseñar una fábula con un claro comienzo y un desenlace final a través de las soluciones parciales a cada uno de los motivos que se han planteado; por otra parte, trata con soltura el tiempo y el espacio, creando un cronotopo dramático: los tiempos discurren en un presente, que señala tramos en blanco de vez en cuando o retrospectivamente, y se relacionan con espacios que recorren los personajes mientras hablan.

Para conseguir la autosuficiencia del diálogo, *La Celestina* parte del rechazo, como advirtió María Rosa Lida (1970), de los tipos artificiosos de diálogo y monólogo, y se inclina siempre hacia formas naturales y vivas de la conversación lingüística:

> una de las novedades mayores de La *Celestina* es la de inaugurar en prosa el verdadero diálogo cómico, más ágil, más vivaz que la conversación ordinaria (Bataillon, 1980, 517).

Los diálogos artificiosos prefabricados en la tradición literaria medieval de los *topoi* tienen una relación con los personajes que los acartonan, a la vez que imponen a la obra una sintaxis forzada de *puzzle*. El diálogo ágil y vivaz que señala Bataillon, está en toda la obra, no sólo en las partes cómicas. Aparte de algunos discursos prefabricados, entre los que destaca el de Calixto ante Melibea en el primer encuentro y algunos monólogos que exponen tópicos literarios, el resto de las intervenciones son rápidas y suponen un avance temático o situacional para presentar actitudes de los personajes o dibujarlos física y psicológicamente.

Verificamos la agilidad de los diálogos en el encadenamiento de los enunciados, sobre todo en el caso de esquemas como «pregunta-respuesta», «mandato-obediencia», «exposición-resumen», etc. Un término que se repite, un elemento anafórico, una contestación deíctica, etc., salpican el diálogo y le dan rapidez, soltura, agilidad:

> En esto veo, Melibea,... / —¿En qué, Calixto, ...

que repite la estructura de la frase con la apelación al interlocutor y la repetición del comienzo.

> —¿Dónde está ese maldito? / —Aquí soy...,

que repite el verbo y contesta a un adverbio con otro.

> Abre la cámara y endereza la cama / —Señor, luego hecho es, ...

cuya primera parte constituye un acto de lengua de valor imperativo y la segunda acepta como tal el mandato.

> ¿De Areúsa, hija de Eliso? / —De Areúsa, hija de Eliso,

esquema que convierte la pregunta en una respuesta afirmativa, donde bastaba el adverbio afirmativo, aunque así es más contundente.

Al final del primer acto Celestina intenta convencer y atraer a su bando a Pármeno, y éste le recuerda dichos y argumentos sin cuento, y termina:

> (...) con polvos de sabroso afecto cegaron los ojos de la razón,

a lo que Celestina responde tomando las palabras centrales del argumento para deconstruirlo:

¿Qué es la razón, loco? ¿Qué es afecto, asnillo?

Los verbos de lengua sirven de eslabón entre las intervenciones de unos y otros y encontramos con frecuencia el esquema:

¿Qué dices? / —Digo que...

b) *La vinculación con la situación exterior,* con la consiguiente creación de espacios lúdicos y escenográficos. Llega Calixto a su casa, después de la primera escena con Melibea, y traspone el umbral gritando. Los términos que usa él y su criado Sempronio y las alusiones que ambos hacen a objetos y movimientos diseñan por sí solos unos, espacios generales; otros, concretos: *Dónde, aquí, la sala, la cámara...* Hay un lugar donde están los caballos, al que luego se aludirá también cuando sale Calixto de casa, hay una sala donde hay una alcándara con un gerifalte, hay una cámara con un lecho, se alude a una ventana, a una escalera que hay que bajar para ir a abrir la puerta, etc. El macroespacio que comprende la ciudad y el campo, con el huerto y la huerta de Melibea, se va analizando en espacios más reducidos: la casa de Calixto, la de Celestina, la de Melibea, calles, iglesias, etc.

Las alusiones a objetos, gestos y movimientos de la situación son frecuentes en el diálogo, que se vincula así a la acción y a la situación exterior inmediata: la ostensión es frecuente y para hacerla efectiva se alude al verbo «ver»:

Dame acá el laúd. / —Señor, vesle aquí (Acto I).

En casa de Celestina y con la intención de entretener a Sempronio mientras Elicia esconde en la cámara de las escobas a su otro amante, Crito, Celestina señala, muestra y abraza a Sempronio:

Vesle aquí, vesle. Yo me lo abrazaré, que no tú...

Al final del Acto II, Calixto ha pedido que le preparen un caballo para salir y como no está Sosias, hace de mozo de espuelas Pármeno. Calixto se impacienta con facilidad:

> ¿Viene ese caballo?... / —Señor, vedle aquí/ —Pues ten ese estribo, abre más esa puerta...

Los gestos y hasta aspavientos de Sempronio se ponen de relieve ante la aparición de Celestina por la calle, a la altura del Acto V:

> Aquella es Celestina. Válgala el diablo, haldear que trae. Parlando viene entre dientes. / —¿De qué te santiguas, Sempronio? Creo que en verme.

La situación precisa, lo que van viendo, los cambios de dirección o las paradas de Parmeno y Sempronio se siguen en el tiempo escénico y en el espacio lúdico y escenográfico con todo detalle en el Acto IX:

> —No por esa calle, sino por estotra.
> —Calla, que está abierta la puerta. En casa está. Llama antes que entres, que por venturas están envueltas y no querrán ser así vistas.
> —Entra, no cures, que todos somos de casa. Ya ponen la mesa...

Todo está en el diálogo, con acotaciones internas, que preludian movimientos, acciones, vestimenta, gestos, objetos, etc., y hacen innecesarias otro tipo de acotaciones.

c) *La dirección del diálogo al público,* con las convenciones dramáticas a que hemos aludido, queda de manifiesto en el uso de los apartes.

El aparte es una técnica que ya utilizaron Plauto y Terencio, junto con la apelación al público, y suele ser más frecuente en los textos cómicos que en los trágicos,

> es pura convención, pero un procedimiento cómodo para establecer entre los espectadores y un personaje que disimula una connivencia de la que se excluye a otro personaje que está al lado del primero en el escenario (Bataillon, 1980, 519).

Los apartes son muy frecuentes en *La Celestina* y se presentan sin anunciarlos en acotaciones exentas; el mismo diálogo da cuenta de que tal o cual intervención es un aparte, de dos modos: por la inconveniencia de lo que se dice, que resulta inverosímil cara a cara, o porque otro personaje reclama más claridad. Y son de dos tipos fundamentales: 1) la apelación de un personaje al público, sin que se enteren los que están en la escena (y en este sentido es un aparte); 2) la superación del cara a cara por parte de un personaje, que no se dirige al público, simplemente evita que lo oiga su interlocutor escénico. La presencia del público en uno y otro caso (y siempre) ha hecho que se interprete como una comunicación directa y una connivencia personaje-público. Creo que más que esta interpretación sería aceptable otra: uno de los interlocutores se sale del círculo dialogal y se expresa sin interlocutor, es decir, hace un proceso de expresión, no de comunicación con el público, y no de interacción con nadie; el público está presente y se entera de todo: del diálogo, del monólogo, del aparte, del soliloquio... El aparte, pues, no se caracteriza por ser una palabra dirigida al público, sino por ser un enunciado que no se dirige al interlocutor del momento. La prueba es que existe otra forma posible de aparte, el que hacen dos personajes en el escenario cuando hay más: dos de ellos hablan entre sí procurando que no se enteren los demás.

En cualquier caso se trasgreden las normas del diálogo y así lo hace notar Melibea cuando observa que hacen un aparte Celestina y Lucrecia:

> Dímelo, que me enojo cuando yo presente se habla de cosas de que no haya parte (Acto IV)

y también se enfada Calixto por los apartes de su criado Pármeno:

> No hay cierto tan mal servido hombre como yo, manteniendo mozos adivinos, rezongadores... ¿qué dices, que no te entiendo? Ve donde te mando presto y no me enojes... (Acto VI).

Bataillon habla de un aparte en el primer acto que «contiene el único ejemplo de aparte que se dirige a los espectadores («Oyeste qué blasfemia? ¿Viste qué ceguedad?»), por el que Plauto siente predilección, y que se evita cuidadosamente en el resto de la Tragicomedia». Creo más bien que es un aparte como los otros que hace èl mismo Sempronio en su diálogo con Calixto, y que la segunda persona tiene en esas frases un valor impersonal generalizante.

Para Bataillon estos apartes de Sempronio sirven para caracterizarlo como traidor a su amo. Sin embargo, los encontramos en toda la obra: en los diálogos de Celestina y Melibea, en los de los criados entre sí, en todos, a pesar de que la crítica, por lo general, alude a los del primer acto que hace continuamente Sempronio y los interpreta en relación a la caracterización de este personaje, y también como muestra de lenguaje interior, que oye el público por convención dramática y no oye el interlocutor. Insisto en que están en toda la obra y con todos los personajes.

Pero vayamos argumentando: los apartes de Sempronio en el primer acto son muy numerosos y curiosamente son siempre advertidos por Calixto, como es de esperar en una obra cuyo diálogo no tiene acotaciones fuera de él. Calixto es quien pone al público en alerta sobre los apartes de Sempronio, de modo que pregunta:

> —¿Qué estás murmurando, Sempronio? / Di lo que dices, no temas / ¿No te digo que hables alto cuando hablares? ¿Qué dice? / No te oí bien eso que dijiste. Torna, dilo, no procedas. / ¿Cómo es eso? / ¿Qué dices?

Hasta seis veces reclama Calixto aclaración de lo que ha dicho Sempronio y sólo ha dejado un aparte sin pedir aclaración («En sus trece está este necio») que indudablemente es un aparte, pues resulta inverosímil que el criado llame al amo necio cara a cara; pero éste se encuentra fuera de sí describiendo las bellezas de Melibea y no repara. Es indudable que el tono de Sempronio tiene que ser bajo, como en los otros apartes y, que de no estar distraído su amo, le hubiera pedido que repitiese.

Ante estos hechos no parecen dar explicación convincente las interpretaciones críticas que destacan la connivencia con el público por parte de un actor y sin que se entere el otro. Me inclino a pensar que estamos ante una transgresión de las normas del diálogo: el criado no se atreve a decir lo que piensa de su amo cara a cara, y tampoco se resiste a callarse, y no se dirige al público (pues está ya dirigiéndose a él con el diálogo, de la misma manera), pero sí elude a su interlocutor: cambia el proceso de interacción verbal, por un proceso expresivo, o bien por un proceso en el que su lenguaje cumple una función fática, no de información: la relación interactiva se mantiene, pero uno de los hablantes usa el lenguaje en un tono que no pueda entenderlo el otro, aunque lo oiga, que lo oye, según demuestran sus preguntas: lo oye como ruido.

Las preguntas directas de su amo obligan a Sempronio a cambiar sus enunciados y hacerlos presentables en el cara a cara con Calixto, y se arregla para lavarles la cara: cambiando una palabra, o la intención, o todo el párrafo, hace que lo que era un insulto *(loco, asno, necio)* sea un comentario sin importancia.

Lo mismo hará al final del acto IX Lucrecia cuando en un aparte dice refiriéndose a Celestina:

—¡Así te arrastren, traidora! ¿Tú no sabes qué es...?

La Vieja pregunta, como hacía Calixto:

—¿Qué dices, hija?,

y Lucrecia, como Sempronio, arregla el párrafo:

—Madre, que vamos presto...

La misma Celestina sigue idéntica técnica de enmascaramiento en el Acto X, ante Melibea que se queja de sus males:

—¡Bien está, así lo quería yo. Tú me pagarás, doña Loca, la sobra de tu ira.

Melibea reclama, lo que es indicio de que la vieja ha hablado en un tono bajo, ininteligible: «—¿Qué dice?...».

Son muy frecuentes a lo largo de toda la obra situaciones de este tipo, pero bastan como ejemplo las que hemos aducido. Los apartes son invariablemente denunciados por el interlocutor que reclama aclaración y no puede decirse por tanto que implican connivencia de uno de los personajes con el público dejando al margen al otro. Los apartes de *La Celestina* son un uso del lenguaje en función fática, que mantiene la interacción, pero elimina la información. Y en este sentido sí podemos decir gue la información de lo que piensa realmente el que hace el aparte la oye el público y no el interlocutor y, por tanto, permite acceder al pensamiento, que en el teatro no puede manifestarse a no ser de esta forma o mediante un monólogo, que es en realidad un soliloquio si se niega la presencia del público convencionalmente (Cueto, 1988, 515).

La frecuencia y la funcionalidad semántica del aparte fue tenida en cuenta por A. de Proaza cuando advirtió: «cumple que sepas hablar entre dientes...». Para realizar el diálogo de *La Celestina,* sobre un escenario o sobre otro lugar escénico improvisado, pero ante público, cumple saber hablar entre dientes, rezongar, bajar la cabeza al hablar, etc., es decir, convertir la comunicación en expresión de descontento, de discrepancia, y hacérselo notar al interlocutor sin darle la información directa.

d) Por último, las *acotaciones:* insistimos en que aparte de las enumeradas sobre las *dramatis personae,* los argumentos y la presencia de los nombres de cada interlocutor al frente de un enunciado, no las hay en *La Celestina* como texto secundario, pues están todas incluidas en el diálogo. Remitimos al estudio de María Rosa Lida sobre sus formas y valores (Lida, 1970).

Las características del diálogo en *La Celestina* muestran de forma casi icónica que los comportamientos de los personajes en sus relaciones con los amos o con los iguales son dobles, interesados, burlones. El diálogo no sirve tanto para informar o convencer o para orientar la conducta conjunta hacia un fin común, como para mostrar al espectador (oyente) que no hay comunicación posible porque el interés individual es la base de todas las relaciones, inde-

pendientes de que la palabra diga otra cosa. Todos los personajes
parecen repetir: te quiero, te conozco de siempre, somos amigos...
si me das o repartes. El único entendimiento que parece posible
es el que se da entre los criados para enfrentarse con el amo y
explotar sus pasiones, pero se rompe en cuanto llega el reparto de
las prebendas conseguidas.

Larthomas (1972) interpreta la función del aparte como un recurso del autor para dar a conocer el interior del personaje, pero
creo que es uno más de los modos de vinculación del diálogo dramático con la situación y una manera de creación del cronotopo
de esta obra. El aparte nos muestra que hay discordancia entre lo
que un personaje dice y lo que piensa y que lo que piensa no puede
decirlo a la cara, pues no se trata solamente de un insulto, es toda
una filosofía cínica que sólo se puede decir ante un interlocutor
que no disponga de la palabra, es decir, ese público que está y
no está, porque no se buscan argumentos que aclaran las ideas;
todos han adoptado una postura vital, que no están dispuestos a
cambiar, y todos son conscientes de ello: Calixto encargando a una
celestina su relación con Melibea; Celestina engañando a los mismos que trata zalameramente; Sempronio es el más franco y dice
claramente ante la dádiva de un jubón:

> Prospérete Dios por éste y por muchos más que me darás. De la
> burla yo me llevo lo mejor. Con todo, si de estos aguijones me da,
> traérsela he hasta la cama. ¡Bueno ando! Hácelo esto que me dio
> mi amo: que sin merced, imposible es obrarse bien ninguna cosa.

Aunque el texto no lo advierte explícitamente, está claro que
este parlamento es un aparte o un soliloquio, ya que Sempronio
trata a su amo en tercera persona después de las primeras frases,
pues lo que sigue no conviene que lo oiga Calixto. Pero no busca
la connivencia con el público en esta ocasión, pues poco más adelante Sempronio dirá cara a cara ante otro interlocutor, Celestina,
lo que aquí no puede decir:

Calixto arde de amores por Melibea. De ti y de mí tiene necesidad. Pues juntos nos ha menester, juntos nos aprovecharemos.

El diálogo es una interacción entre dos o más sujetos, cada uno de los cuales aporta su codificación y su contextualización que deberá modificar en razón de la finalidad que se persigue, pues la finalidad última de todo diálogo es el consenso pragmático sobre la referencia (Jacques, 1985), y queda patente desde las primeras escenas de *La Celestina* que nadie está dispuesto a ceder nada de una referencia que es para cada uno de ellos diferente. La autonomía del diálogo es total, como hemos visto, su vinculación a una realidad referencial y espectacular es perfecta, y desde un principio se advierte que la referencia es lo central, mientras que las palabras se quedan en tales y no modificarán en absoluto la posición, la actitud, los intereses individuales.

Hay un momento en que parece que Celestina mediante un diálogo argumentativo va a convencer a Pármeno de que colabore con ella, y lo tienta con Areúsa y con el reparto de beneficios; parece también que, aunque hirsuto, es posible el diálogo entre amos y criados: Calixto y Pármeno tiene una relación noble, pero ninguna de estas posibilidades avanza y Pármeno (que sin duda es la figura más ambigua y más rica de matices entre los criados) se dejará llevar del ambiente general en el que, como él dice:

> Por ser leal padezco mal. Otros se ganan por malos, yo me pierdo por bueno. ¡El mundo es tal! Quiero irme al hilo de la gente, pues a los traidores llaman discretos, a los fieles, necios (Acto II).

Los diálogos argumentativos, que hace sobre todo la vieja Celestina, al igual que los monólogos, tienden a fijar al interlocutor; en el caso del monólogo lo tiene ya fijado, dado el estatuto del público en la representación o el del lector del Texto Literario; en el caso de los diálogos, la argumentación traspone la esfera de lo individual para alcanzar generalizaciones sobre las cuales no tiene competencia el interlocutor. El conocimiento o la sabiduría general tiene un apoyo con el que no puede competir el interlocutor, que se convierte así en un Tú estático sin competencia para actuar sobre el código social o el contexto del emisor. Pármeno, que es reiteradamente objeto de los argumentos de Celestina, no contesta, se limita a reírse ante unas razones que encuentra aceptables en general, y ante una interlocutora con una competencia mucho más amplia que la suya, porque tiene «seis docenas» de años y una experiencia amplia en el uso del lenguaje para encubrir lo que sea. Los argumentos de la vieja se basan en oposiciones como «conocimiento / ignorancia», «experiencia / ingenuidad», «juventud / vejez», en las que Pármeno ocupa el ámbito negativo invariablemente y se disculpa por ello. Hay momentos en que Pármeno pone en entredicho la supremacía dialogal de Celestina y consigue una suspensión del argumento. En tales casos ambos interlocutores deben reajustar sus presupuestos conversacionales de acuerdo con la situación. Celestina deconstruye, como hemos visto, los conceptos que él aporta: ¿qué es afecto?, ¿qué es razón?, o lo lleva al callejón de la risa, para que no argumente.

Ante todos estos recursos que distorsionan el diálogo como fórmula interactiva para lograr una avenencia, la conclusión no puede ser más pesimista: no hay diálogo propiamente dicho en toda la obra. Los personajes hablan continuamente para conseguir en provecho propio lo que se ofrece, y nunca tienen en cuenta la posibilidad de conseguir una avenencia final, en todo caso pretenden acuerdo inicial para explotar a quien sea: el amo, los otros criados, los amantes, etc.

EL DIÁLOGO EN EL TEATRO ACTUAL: «YERMA»

El diálogo, bajo una apariencia de discurso que no cambia, adquiere un sentido muy diverso a lo largo de la historia del teatro. Empieza en el teatro griego como «diálogo de reconocimiento» y mediante su desarrollo se pretende alcanzar la verdad de unos hechos *(Edipo rey)* en relación a la responsabilidad contraída, o la verdad de una posición frente a otra (Antígona), etc.; sigue en el teatro shakespeareano como «diálogo de transformación»: el lenguaje se hace cada vez más personal y el personaje va cambiando a medida que cambia su modo de hablar; llega a ser un «diálogo confesional» a partir de Ibsen y se convierte en «diálogos de aislamiento» en las obras de Beckett, Ionesco o Genet (Kennedy, 1983).

Respecto al teatro español, hemos verificado que en *La Celestina* hay un diálogo aparente, con sus turnos, su discurrir en presente, su vinculación al contexto y a la acción inmediata, pero realmente no existe diálogo porque no se cumplen las condiciones pragmáticas mínimas. La lección que se desprende inmediatamente de esta obra y de su modo de utilizar los diálogos es que la palabra resulta ineficaz para alcanzar un acuerdo y en último término una convivencia pacífica entre los hombres. El intercambio verbal es testimonio de presencia de los hablantes, y de un intento de establecer relaciones de amor, de amistad, de conveniencia, etc.; el uso del monólogo implica reflexión, aislamiento, rechazo, etc., y en cualquier caso y cualquiera que sea el proceso que se inicie con la palabra en cualquiera de sus usos, invariablemente se camina hacia el fracaso: la palabra oculta más que aclara y puede comprobarse que todas las promesas que hace Celestina, sus manifestaciones de amistad hacia Sempronio y hacia Pármeno, no tienen otra verdad que la que deriva de su propio interés, y lo mismo queda manifiesto respecto a la actitud de los criados para con a la Vieja. La palabra, en tales condiciones de falsedad, no puede ser instrumento adecuado para alcanzar un acuerdo entre los hombres y excluyen de raíz la posibilidad de un diálogo que suponga primero el enterarse de la posición de cada uno de los interlocutores y en segundo lugar una avenencia cediendo unos y otras lo que sea necesario para ello.

Vamos a comprobar, a través del análisis de otra obra, en este caso *Yerma*, de Federico García Lorca, que en el teatro actual la situación no ha cambiado mucho: la impotencia de la palabra para establecer acuerdos o para sustentar un modo de convivir humano, parece un hecho insuperable. Es necesario un análisis de muchas obras para poder generalizar las afirmaciones que se hagan al respecto: nos vamos a limitar a una, como en el capítulo anterior, para utilizarla como testimonio mínimo. Podremos comprobar con una obra que el diálogo sigue siendo imposible entre los hombres por más que cambien las formas, que sí cambian bastante.

Al analizar *Yerma* vamos a encontrar un diálogo rápido, de ocurrencias cortas, en el que cada personaje interviene con su propia codificación enmarcado en signos de luz, de tiempo, de espacio, gestos, movimientos y referencias a códigos sociales y culturales como el del valor de la riqueza, la honra, o leyes generales como la de conservación de la especie. La tragedia avanza en un mundo ficcional de exasperación e impotencia y se desenlaza con la muerte, como en *La Celestina*.

Yerma se subtitula «Poema trágico en tres actos y seis cuadros»; tiene una estructura externa simétrica, pues cada acto va dividido en dos cuadros. Las escenas se presentan como «situaciones» de enfrentamiento entre Yerma y su marido y no tienen una organización que responda a un esquema causal o de otro tipo, simplemente se suceden intensificando progresivamente el enfrentamiento hasta llegar a la muerte como único desenlace trágico.

Souriau define la situación como «una figura estructural en la que hay un equilibrio de fuerzas»; mediante la presencia de un «resorte dramático» se realiza el paso de una situación a otra por lo general, pero en *Yerma* no es así: en ningún momento puede decirse que una escena es consecuencia de lo que se ha dicho en la anterior. El teatro expresionista había estructurado las obras de este modo y había dado el paso de un teatro de «funciones», con esquema básico causal, a un teatro de «situaciones» que carece de esquema porque proyecta en el espacio lo que podía ser una fábula en el tiempo. *Yerma* sigue la fórmula del teatro de situaciones con un montaje original que consiste en proponer una situación única: un enfrentamiento, que se escenifica con matices en espacios diversos. Para desarrollar esta fórmula se usa como hilo conductor a Yerma que está presente en todas las escenas excepto en una, y habla siempre de lo mismo, aunque cambie el interlocutor. La coherencia entre los diversos cuadros procede de la presencia del mismo problema que va intensificándose en sus términos, sin que se resuelva la primera situación conflictiva; el espacio se diversifica sin que cambie para nada el conflicto inicial. Por eso queda justificado el subtítulo de «Poema trágico» para una obra monocorde temáticamente y con variaciones de tono. El valor trágico es incuestionable, pero la estructura es la de un poema.

El paso de una situación a otra no se justifica por la presencia de un «resorte dramático»: al iniciar un cuadro no ha cambiado para nada el equilibrio o desequilibrio de fuerzas del anterior; simplemente cambia la escenografía y los interlocutores de Yerma, y quizá por esto, en las primeras representaciones se dio a la obra un tono costumbrista que parecían exigir los «cuadros». No es el más pertinente como muestra el éxito de Yerma al ser puesta en escena con otras convenciones escenográficas, en las que los diálogos parecen tener un marco más adecuado, por ejemplo, la ideada por Víctor García y realizada por Nuria Espert.

Podemos ver los elementos dramáticos de los actos en el esquema siguiente de Actos y cuadros:

I. a) *Espacio dramático*: la casa; *luces*: amanece con alegre luz de mañana. *Tema*: el mismo presentado de dos formas: oníricamente con las figuras soñadas de Víctor y un niño, y verbalmente en el diálogo de Yerma y su marido: el deseo de un hijo; subtemas, el de la riqueza (bienes, trabajo) y el de la honra (la mujer en casa). *Tiempo dramático*: dos años y veinte días contados a partir de la boda.

b) *Espacio dramático*: el campo. La *luz*: de media mañana. El *tema*: sigue el mismo, la falta de hijos, aunque cambian los interlocutores de Yerma: unas muchachas, la Vieja, Víctor. *Tiempo*: tres años desde la boda. El paso del tiempo no ha supuesto cambio del conflicto.

Después de este primer acto el problema está planteado en el primer cuadro y declarado insoluble en el segundo, puesto que el

paso del tiempo resulta ineficaz. Los demás actos serán una búsqueda ciega de salidas que se niegan.

II. a) *Espacio dramático*: el río. El *tema*: la falta de hijos de Yerma y
    subtemas de la honra y la vigilancia, pero no hay diálogo directo
    sino comentarios que son eco de palabras y acciones del primer
    acto. Significativamente es el único cuadro en el que no aparece
    Yerma.

   b) *Espacio dramático*: se repite el primero, la casa. La *luz* es la del
    atardecer (queda poca esperanza) y la escena se hace oscurísima
    al terminar el acto. El *tema*: la oposición ya radicalizada entre
    Juan y Yerma por la falta de hijos, con el subtema de la honra
    figurada en las hermanas de Juan, como cariátides mudas y
    vigilantes.

III. a) *Espacio dramático*: casa de Dolores la saludadora. *Tiempo*: cinco
    años desde la boda. *Tema*: el mismo proyectado al exterior en bus-
    ca de soluciones mágicas, sin faltar a la honra; Yerma se ha cansa-
    do de hablar y pasa a la acción buscando remedios, que no lo serán.

   b) *Espacio dramático*: la ermita. *Tiempo*: un mes después del cuadro
    anterior, y significativamente Yerma ha permanecido muda, pero
    sigue con la acción de búsqueda de un remedio, esta vez en la
    religión. *Tema*: el mismo que llevará a desenlace de muerte en su
    exasperación final.

El cronotopo dramático está constituido por una línea de tiempo progresivo que no trae novedades ni soluciones y da lugar a
que se semiotice en el conjunto de la tragedia como signo de impotencia total, y una secuencia de espacios entre los cuales el central
es la casa, de la que se parte en el primer acto hacia el campo
(espacio natural) y después del corte folklórico del cuadro de las
lavanderas en el torrente, vuelve a iniciarse, la casa como centro
tensional y los espacios de búsqueda: la magia y la religión (muy
folklorizada también). Podemos hablar también de un espacio previo a la acción, el onírico que abre la obra y centra el tema. En
resumen, un marco espacio temporal dispuesto para acoger una tragedia cuyas relaciones tensionales se espacializan al pasar el tiempo
sin cambios.

El diálogo diseña directamente el cronotopo, pues las referencias que al tiempo y al espacio se encuentran en las palabras lo van objetivando. Discurre el tema de la falta de hijos vivida de modo diverso por Juan y por Yerma, lo que da lugar a su enfrentamiento, y la tragedia se centra en Yerma que busca salida a una situación que no la tiene planteada en el marco que aceptan todos.

Hegel afirma que la tragedia enfrenta una ley general con un caso concreto, y es un enunciado que se verifica directamente en obra clásicas como *Antígona*, y que también podemos descubrir en Yerma: una ley general, biológica, la de la conservación de la especie, se encarna en Yerma, frente a una ley particular, la interpretación de Juan sobre la riqueza y el gasto con los hijos, origina un enfrentamiento que no tiene otra salida dramática que no sea la desaparición del caso concreto (Antígona, Juan), tenga el carácter que tenga.

La unidad del tema queda de manifiesto en las escenas: el diálogo no se centra sobre otra cosa, pero además expresamente lo dicen los protagonistas: Yerma al final del cuadro segundo del primer acto le dice a la Vieja, «con mi marido no hablo de otra cosa», y Juan, desde su perspectiva, lo confirma en casa de Dolores, en el primer cuadro del tercer acto:

> lo está haciendo desde el mismo día de la boda. Mirándome con dos agujas, pasando la noche en vela al lado mío y llenando de malos suspiros mi almohada.

Los diálogos de Yerma (y son todos los de la obra, excepto en el cuadro de las lavanderas, que insisto, son «ecos» de diálogos anteriores) son siempre iguales: ni en casa, ni fuera habla de otra cosa.

Teniendo en cuenta que el diálogo supone pragmáticamente una interacción en la que intervienen dos o más hablantes, cada uno de los cuales tiene su propia codificación y un recorrido que debe tener en cuenta los que tienen los demás interlocutores si es que se busca un fin común, un acuerdo, está claro que el diálogo no existe en *Yerma*. Se trata de un monólogo por el tema, la codificación, el recorrido: habla siempre Yerma con su único tema, con sus referencias inalterables, con su posición inamovible. Los demás contestan a lo que ella pregunta o contestan que no contestan, como hace la Vieja:

> Déjame. No me hagas hablar más. No quiero hablarte más. / A otra mujer serena yo le hablaría. A ti no. Soy vieja y sé lo que digo.

Juan afirma que no puede dialogar con ella:

> Me engañas, me envuelves y como soy un hombre que trabaja la tierra no tengo ideas para tus astucias,

y además oye el silencio de los demás:

> cuando llego a un corro, todos callan; cuando voy a pesar la harina, todos callan, y hasta de noche, en el campo, cuando despierto me parece que también se callan las ramas de los árboles.

Esto lo dirá Juan en el tercer acto, ya lejos del segundo cuando los ecos de los diálogos de Yerma eran recogidos por las lavanderas en el torrente; ahora el monólogo recurrente de Yerma hace callar a Juan, que no *sabe* dialogar, a la Vieja, que no *quiere* hablarle, y los ecos en el pueblo que se callan cuando aparece Juan, y termina pidiéndole ella misma a la Vieja que se calle:

> ¡Calla, calla, si no es eso! Nunca lo haría...

Yerma no es sólo monocorde en el tema de sus diálogos y hace callar a los interlocutores sino que todo lo que dice se remite al mismo contexto donde hay que descodificarlo en coherencia con la idea única de la falta de hijos. Si habla de su marido y de su salud endeble («cada vez más enjuto»), será pensando en su paternidad; si habla del tiempo («cada año seguimos aquí tú y yo...»), será pensando en la ausencia de hijos; si habla del amor («¿es que yo no te quiero a ti?...»), será pensando en el fruto de ese amor, el hijo.

El texto del diálogo, el contexto donde encuentra sentido y referencia remiten a la falta de hijos, pero también mantienen esa misma referencia y un mismo contexto otros signos no verbales de la obra, por ejemplo, los gestos que hace Yerma, según aclaran las acotaciones:

> ...el marido sale y Yerma se dirige a la costura, se pasa la mano por el vientre...),

en un contexto en que se cose para el hijo; ante María, la vecina que espera un hijo,

> Yerma se levanta y queda mirándola con admiración... Yerma le coge amorosamente el vientre con las manos;

Víctor, que es el amor inconsciente de Yerma como ha mostrado la primera escena en el sueño, la deja:

> en actitud pensativa se levanta y acude al sitio donde ha estado Víctor y respira fuertemente, como si aspirara aire de montaña, después va al otro lado de la habitación como buscando algo... queda angustiada mirando la mano que ha dado a Víctor.

Palabras, contexto, gesto, movimientos son signos concurrentes para expresar el contenido trágico de la falta de hijos, tal como lo vive Yerma.

El autor inserta los diálogos rápidos, escuetos, en un conjunto espectacular trágico que da forma a los personajes y los crea como actantes de una ceremonia ritual que progresa hacia la muerte. El personaje de Lorca no parte de una definición (a no ser que tomemos como tal el nombre: Yerma, Juan, Víctor, dándoles un sentido simbólico). Su caracterización se logra mediante una conducta lingüística y gestual progresiva. Juan se pone a la defensiva desde el primer acto y se afianza cada vez más, según sus propias palabras, en esa situación. Se escuda, ante la agresividad de su mujer, en la generalización que lo exculpe y llena sus palabras de frases hechas, refranes, tópicos de clase social, ideologías, etc., a fin de rebajar la subjetividad para no sentirse culpable. Yerma acumula su irritación de todos los signos mediante los cuales se expresa.

A partir del segundo acto (cuadro segundo), Juan prodiga frases generales:

> cada hombre tiene su vida..., para vivir en paz se necesita estar tranquilo..., las ovejas en el redil y las mujeres en su casa..., quiero ver cerrada esa puerta y cada persona en su casa..., las familias tienen honra y la honra es una carga que se lleva entre dos...

Lo que pretende Juan con estos enunciados generales es amparar su propia posición aduciendo lo que puede considerarse sabiduría popular, presente en refranes y frases hechas. Pero Yerma es dialécticamente más fuerte, como reconoce él al final, en el acto III

> me engañas, me envuelves y como soy un hombre que trabaja la tierra no tengo ideas para tus astucias,

y a las generalizaciones de Juan responde con enunciaciones irónicas o con fórmulas de esticomitia que rebajan la generalización o la fuerza de las frases del marido, oponiéndoles otra frase contraria.

La enunciación irónica de Yerma es frecuente y suele manifestarse con un estilo muy eficaz: se apoya en una frase o en un término que toma de los enunciados de su marido y lo extrapola a otro contexto donde adquiere un sentido diverso. Con este recurso queda claro para el espectador que los casos generales, los enunciados de Juan, no son válidos para los casos particulares, los enunciados de Yerma: el desacuerdo queda muy marcado en el desfase contextual o en el desfase incluso tonal, y convierte en absurdo lo que parecía lógico, o en ridículo lo que parecía aceptable y hasta respetable. Yerma toma una palabra de Juan y le cambia el sentido y Juan no tiene ya competencia mental o verbal para seguir el duelo dialéctico. Afirma Juan:

> las ovejas en el redil y las mujeres en casa,

y poco más abajo dice Yerma:

pan tierno y requesón y cordero asado como yo aquí y pasto lleno de rocío tus ganados en el monte.

La ironía subyace en esa equiparación paralela: las mujeres = ovejas, yo = tus ganados. Ante el público queda desvalorizada la frase general de Juan al aplicarla al caso concreto de su mujer en el enunciado siguiente.

Más sutil es la ironía de tono que se encuentra frecuentemente, como en el pasaje en que Juan aconseja: «piensa que eres una mujer casada» y Yerma pide aclaración mediante una exclamación: «¡casada!», que podría interpretarse como una queja si la entonación desciende, pero que es una exclamación irónica al realizarla de acuerdo con la acotación que pone el poeta: «*(Con asombro.)*».

El enfrentamiento más frecuente en el diálogo se manifiesta, también a partir del segundo acto, con esticomitia, es decir, mediante frases paralelas, en rápida alternancia de turnos, que son antítesis, repeticiones irónicas en su contradicción. La esticomitia es la fórmula para dar impersonalidad a los enfrentamientos personales (Kennedy, 1983, 39). Los ejemplos son abundantes en los duólogos de Juan y Yerma:

«Cada hombre tiene su vida» / «y cada mujer la suya»
«Quiero dormir fuera y pensar que tú duermes también» / «pero yo no duermo, yo no puedo dormir»
«puedes vivir en paz...» / «para vivir en paz...»
«¿te falta algo?» / «sí, me falta»
«yo casi lo estoy olvidando» / «pero yo no soy tú»
«si pudiera dar voces» / «si pudiera dar voces también las daría»
«en último caso debes resignarte» / «yo no he venido a estas cuatro paredes para resignarme»
«yo no sé por qué...» / «ni yo sé lo que...»

Está claro que el diálogo es imposible como medio para un acuerdo y está claro también que a la vez que refleja el distanciamiento de la pareja contribuye a crearlo y a aumentarlo. La anulación del diálogo es el proceso que se sigue en Yerma y que llevará al desen-

lace de muerte. Yerma no consiente que nadie hable de otro tema
y ella no habla de otra cosa ni quiere entender otra cosa: todo
lo interpreta en su propio contexto. Su fórmula es simple: impide
que nadie hable de temas ajenos al que ella mantiene, y si los demás no están dispuestos a seguirlo, no puede haber adecuación (Longacre, 1976, 165).

Los demás personajes se verán obligados a escuchar solamente
y podrán asentir o disentir de lo que Yerma dice, pero no pueden
tener un recorrido dialogal propio. Con una relación interactiva de
este tipo es posible el monólogo, no el diálogo.

Una vez que se establece la incomprensión y se pone de manifiesto que es imposible seguir hablando porque resultan inútiles las
explicaciones ante posturas diametralmente opuestas que no ceden
nada, lo que sigue es la renuncia a la palabra. Y efectivamente
al final del primer cuadro del tercer acto no hay más que una conti-
nua apelación al silencio:

JUAN: Calla. Vamos
....

JUAN: ¡Calla he dicho!
DOLORES: ¡Viene gente! Habla bajo.
YERMA: No me importa. Déjame libre siquiera la voz. Dejad
         que de mi cuerpo salga siquiera esta cosa hermosa
         y que llene el aire.
....

JUAN: Silencio
YERMA: ¡Eso! Silencio. Descuida
JUAN: Vamos. ¡Pronto!
YERMA: ¡Ya está! ¡Ya está! ¡Y es inútil que me retuerza las
         manos! Una cosa es querer con la cabeza...
JUAN: Calla.
YERMA: *(Bajo)*. Una cosa es querer con la cabeza y otra es que el
         cuerpo, ¡maldito sea el cuerpo, no nos responda.
         Está escrito y no me voy a poner a luchar a brazo
         partido con los mares. ¡Ya está! ¡Que mi boca se
         quede muda! *(sale)*. TELÓN.

Después de esta caída de telón en tales circunstancias, no puede haber otro desenlace que el que presenta el cuadro segundo: Yerma que ha decidido callarse, que ha decidido no hacer nada («María: Ha estado un mes sin levantarse de la silla») tiene un último diálogo de confirmación con su marido en el que éste insiste en que debe ella resignarse y vivir en paz con él, porque «la vida sin hijos es más dulce». Yerma lo mata.

No ha servido para nada el diálogo que se inició con cordialidad en el primer acto, y que se exacerbó hasta límites de silencio y de superación con la acción en los últimos cuadros. No se alcanzan acuerdos con la palabra, como no se alcanzaban en *La Celestina*: cada una de las personas, encarnadas en un personaje, busca sus intereses, reitera sus temas, no escucha a los demás, no convence ni se deja convencer, y de ese modo no es posible el diálogo porque no se cumplen las mínimas condiciones pragmáticas, a pesar de que la apariencia del discurso es la de un diálogo, con ocurrencias largas y monólogos personales, con ocurrencias cortas como chispas de un frotamiento de metales, como sean. No es posible el diálogo.

Para cerrar este apartado del diálogo en el texto dramático vamos a analizar un uso del aparte que encontramos en *Yerma* y que contrasta con los que hemos analizado en *La Celestina*.

En el discurso de *La Celestina* los personajes mascullan entre dientes una frase cuyo ruido llega a sus interlocutores en el escenario, y cuyo entendimiento total está al alcance del público, que convencionalmente no está presente. El interlocutor presente en escena pide aclaraciones porque no ha entendido lo que dice el otro, y éste o niega lo que ha dicho o lo prepara a fin de que sea presentable en el «cara a cara». Explicábamos esta forma de apartes porque el diálogo, con su exigencia pragmática «cara a cara», no era posible entre personajes cuyo estatuto extralingüístico era desigual: amoscriados, o cuyos intereses contrarios les impiden ser sinceros. En *Yerma* los monólogos de un personaje solo en escena (en realidad soliloquios, como hemos advertido) se transforman en cantos, así los de Yerma cuando marcha su marido y cuando despide a Víctor en el primer cuadro, o en el cuadro segundo del segundo acto en el intervalo desde que marcha Juan hasta que llega María. Se explican como expresión de los deseos de Yerma y resultan más verosímiles como cantos que los monólogos hablados ante un público cuya presencia se niega.

En _Yerma_ hay otros apartes no verbales. La apelación al público por medio de la palabra no es frecuente en el teatro actual, a partir sobre todo del concepto de «cuarta pared» impuesto en las formas de representación por A. Antoine. El canto, propio de un teatro lírico en Lorca, puede entenderse como un aparte, como lo es el monólogo, en cuanto que el personaje se dirige directamente al público, al no tener interlocutor escénico, y también podemos considerar apartes los usos que se hacen de signos no verbales cuando el personaje los realiza después de que se ha ido su intelocutor y queda de manifiesto que esos mismos signos no los utilizaría en presencia del otro. Lógicamente estos signos se proponen en las acotaciones:

> El marido sale y Yerma se dirige a la costura, se pasa la mano por el vientre, alza los brazos en un hermoso bostezo y se sienta a coser.

Más adelante, al cerrar el cuadro primero, cuando marcha Víctor, de nuevo las acotaciones proponen signos no verbales que informan al público del estado de ánimo de Yerma y quizá de las vivencias inconscientes para ella:

> Yerma, en actitud pensativa se levanta y acude al sitio donde ha estado Víctor y respira fuertemente, como si aspirara aire de montaña, después va al otro lado de la habitación como buscando algo y de allí vuelve a sentarse y coge otra vez la costura. Comienza a coser y queda con los ojos fijos en un punto. TELÓN.

Es un modo de manifestar escénicamente el interior del personaje. Y curiosamente advertimos que al final del acto primero se produce un aparte compartido de Yerma y Víctor, según se deduce de otra acotación:

> Pausa. El silencio se acentúa y sin el menor gesto comienza una lucha entre los dos personajes.

El espectador deduce que ambos luchan por no expresar la atracción que mutuamente sienten. La escena es un diálogo mudo y sin signos, que traslada al público de la sala la tensión que viven interiormente los personajes.

Las posibilidades del diálogo dramático frente al diálogo lingüístico estándar o frente al diálogo literario incluido en la narración o en la lírica, derivan fundamentalmente de su esquema semiótico básico que incluye la presencia de ese actante envolvente, el público, a quien todo se orienta, a pesar de que convencionalmente no está presente.

3. El diálogo en la poesía lírica

El estudio del diálogo en la poesía lírica debe partir de algunas consideraciones generales sobre la forma del discurso y sobre los modos de emisión, transmisión y recepción del poema.

El discurso lírico no es necesariamente dialogado (aunque puede serlo) como lo es el discurso dramático, y tampoco es el relato de un narrador (aunque puede tenerlo), de modo que, por lo general, el poema utiliza el diálogo voluntariamente por razones que hay que suponer intrínsecas a la obra, no al género y el poeta utiliza el *Yo* para señalar su presencia en el texto sin transponerlo a los personajes y sin delegarlo sistemáticamente en la figura ficcional de un narrador; a la vez utiliza el Tú para indicar la dirección inmediata de su palabra. Y ésta, que es la situación general del discurso lírico, admite, sin embargo, toda clase de variantes a lo largo de la historia literaria.

En principio el poema es la expresión de una subjetividad, la del poeta, y no tiene necesidad de acudir a la forma dialogada. El autor se manifiesta directamente en el texto, sin figuras interpuestas, por medio del índice de primera persona, que corresponde a quien está en el uso de la palabra, y se dirige a una persona representada por el índice de la segunda gramatical con sus variantes de género y número. La segunda persona entra en el poema sólo a través de la primera porque no están en igual nivel ni tienen las mismas oportunidades de intervención respecto a la palabra. El poema es el texto privilegiado del *Yo* desde donde puede adoptar las formas que quiera. El texto dramático es el lugar privilegiado para la interacción y da las mismas oportunidades al *Yo* y al *Tú* en sus referencias, pues ambas personas alternan en su uso del lenguaje. La narración es el reino de la objetividad y de la tercera persona, si bien presentada desde la subjetividad y desde la visión de la persona del narrador que ocupa el *Yo,* aunque puede delegarlo e incluso desaparecer el texto.

El discurso lírico, como todo texto literario y por estar encluidos en un proceso de comunicación a distancia de carácter dialógico (no dialogado, que es otra cosa, como hemos dicho en un capítulo anterior), tiene, además del emisor y sus destinatarios internos que forman parte del poema, unos receptores efectivos, exteriores, que por lo general no coinciden con los internos. Quizá por ser la lírica en sus comienzos un texto destinado al canto, se sitúa en un punto entre la oralidad (donde generalmente coinciden destinatarios y receptores) y la escritura (donde generalmente no coinciden, pues al quedar fijado, el texto puede ser leído por cualquiera que sea capaz de descodificarlo en cualquier tiempo, en otros espacios).

Se identifica, pues, en el poema un *locutor* y un *alocutario* en el proceso de locución que es el texto y se manifiestan en él mediante los índices personales; pero hay además un «destinatario indirecto», el lector real, que no está en el esquema locutivo del poema, a pesar de que pertenece al esquema general del proceso de comunicación literaria.

Ese receptor real funciona como el público del teatro o el lector de la novela, es decir, no puede figurar en el discurso literario, pues si entrase en él pasaría a ser alocutario, y sin embargo a él se dirige el discurso y actúa con un efecto *feedback* sobre el autor, aunque sea distante y desconocido para él. Ese receptor real forma parte de una relación dialógica, nunca de un discurso dialogado.

La diferente funcionalidad del *alocutario*, que pertenece al discurso y le corresponde el tú en toda comunicación y que puede alternar con el Yo en los procesos interactivos dialogados, y del receptor real, externo, que no pertenece al poema y sólo entra en los procesos interactivos dialógicos, no es tenida en cuenta al calificar de «textos dialogados», o al considerar «arte del diálogo», etc., determinados discursos o determinadas formas de proceder en la literatura medieval, como veremos.

Los alocutarios o destinatarios internos están necesariamente en el discurso del poema integrados en él de dos formas diferentes:

a) mediante procedimientos explícitos: indéxicos personales, apelación directa, preguntas, verbos en segunda persona, índices espaciales o temporales, etc., y

b) mediante procedimientos implícitos: el texto diseña la imagen de un receptor ideal al que exige una determinada competencia léxica, temática, ideológica, etc., es decir, el poema está dirigido a un destinatario que él mismo dibuja.

Los destinatarios internos presentes en el discurso por procedimientos implícitos y los receptores externos se diferencian en que éstos escapan a cualquier diseño literario del poema y únicamente se introducen en los signos lingüísticos, pues son aquellos lectores que pueden entender lo que se dice mediante una lectura lingüística o una lectura hermenéutica. El destinatario interior del *Cántico espiritual* es el Amado, la Esposa, las criaturas, los pastores, las ninfas de Judea, Carillo, etc., y son receptores externos todos los lectores que puedan entenderlo. Serán destinatarios internos aquellos lectores previstos en el *Cántico* que comprenden las experiencias místicas, que reconocen las resonancias del *Cantar de los Cantares*, que siguen las experiencias espirituales a que hace referencia el *Cántico.*

Suele hablarse de diálogo en la lírica cuando hay lenguaje directo, es decir, cuando el locutor usa la primera persona y se dirige a un alocutario representado por el Tú, aunque éste no tome la palabra y no intervenga nunca como *Yo;* suele hablarse también de diálogo en los casos en que el emisor generaliza con índices de receptores externos sus afirmaciones *(sabed, oíd,* etc., sin referencia concreta). Las condiciones mínimas necesarias para el diálogo no se cumplen la mayor parte de las veces y no hay más que uno o dos rasgos del diálogo, faltando todos los demás, o si acaso se habla de diálogo cuando es imposible y sólo hay dialogismo.

Vamos a repasar alguno de los casos en que no hay diálogo, aunque se afirme que sí; otros en los que el poema ofrece la apariencia de un diálogo en su discurso lírico, pero es un diálogo referido: en cada caso haremos las observaciones correspondientes de acuerdo con los esquemas que hemos revisado en los primeros capítulos sobre las condiciones pragmáticas y lingüísticas del diálogo.

La lírica cambia en el tiempo y cada una de las propuestas históricas que hace responde a una poética determinada y a unos códigos culturales concretos. La universalidad de la poesía es una quimera y, sin embargo, se puede observar en todas las formas líricas que se han sucedido a lo largo del tiempo una conexión indudable entre los modos de emisión, las formas del discurso y la manera en que se produce su recepción. Podemos verificar, por ejemplo, que las poéticas medievales destacan la oralidad de la poesía y su valor didáctico, y esto da lugar a discursos poéticos dialogados, que tienen mayor dinamismo que los no dialogados y que reproducen formas de enseñanza basadas en el esquema pregunta-respuesta; las poéticas del simbolismo y de la vanguardia, por ejemplo, destacan la progresiva semiotización y hasta total autonomía de los significantes verbales, lo que aproxima el poema al dibujo y a la pintura, y a una forma de recepción visual, etc. Cada época tiene su poética más o menos explícita.

La Edad Media presenta tensiones, debates, requestas, contrastes y enfrentamientos verbales en el discurso del poema porque destina la creación literaria a la enseñanza y sigue los moldes de la didáctica contemporánea. El Renacimiento desplaza las referencias teocéntricas últimas a un nivel humano y reconoce a todos los hombres posibilidades de expresión y de opinión, con lo que favorece los diálogos discursivos no didácticos. El didactismo de los diálogos medievales se trasluce en la intervención de interlocutores desiguales, uno que adoctrina y otro que aprende: la muerte, el maestro, el amor... frente al mortal, el discípulo, un viejo. El carácter discursivo del diálogo renacentista se traduce en la presencia de locutores que son amigos, todos iguales, como ocurre en *De los nombres de Cristo*, o en el *Diálogo de la Lengua*. Todo con las debidas excepciones, claro está.

López Estrada (1987) afirma con toda razón que «el diálogo resultó una forma de expresión favorecida en la Edad Media», y así lo atestigua la frecuencia de poemas dialogados que se destinan a exponer puntos de vista diferentes sobre un tema y a matizarlos en procesos que van desde la persuasión a la polémica abierta, casi siempre con una intencionalidad didáctica que asume formas de interacción propias de la enseñanza en ese tiempo.

Podemos admitir la interpretación que se da a la frecuencia de poemas dialogados en la literatura medieval desde las causas que hemos enumerado e incluso desde otras: se trata de una lectura social de un hecho literario. Más directamente relacionado con una teoría literaria sería el problema de la adscripción de esas obras a un género determinado, el lírico o el dramático.

Lázaro Carreter considera que las *Coplas* de Puertocarrero y la *Querella* o *Queja*, en prosa y verso, del Comendador Escribá, ambas recogidas en el *Cancionero General de 1511*, son obras dramáticas. Los diálogos, debates, disputas y requestas son innumerables: las *Danzas de la muerte* incluyen siempre a un sujeto, la Muerte, que dialoga con representantes de las clases de hombres, el *Diálogo del amor y un viejo*, parece que se escribió para la representación (Aragone, 1961), la *Razón feita d'amor con los denuestos del agua y el vino*, la *Disputa de Elena y María*, la *Disputa del cuerpo y el alma*... son obras escritas en verso que se destinan, si no a la representación escénica, sí a la transmisión oral, juglaresca, como ocurre con obras semejantes en otras literaturas europeas de la época, es decir, son «lenguaje en situación».

El problema de si son teatro o poemas líricos se complica aún más si tenemos en cuenta que alguna de ellas incluye una figura fingida muy próxima a la de un narrador: la *Disputa del cuerpo y el alma* empieza con alguien que «cuenta» cómo en la noche de un sábado a un domingo tuvo una gran visión mientras dormía y le parecía que el cuerpo y el alma de un hombre, que yacía muerto bajo una sábana nueva, disputaban increpándose mutuamente: se trata de un narrador que asiste a un diálogo, que lo enmarca en una situación espaciotemporal que describe y luego hace relato de palabras refiriendo lo que ha oído, su papel de narrador se subraya por el uso de verbos de lengua con los que concede la palabra al cuerpo o al alma en el texto: *al cuerpo dixo el alma...*

La adscripción al género dramático (por la presencia de diálogo en el discurso) o al género lírico (por tener un lenguaje metrificado) se dificulta con la posibilidad de interpretar esas disputas como un relato debido a la presencia de un «narrador». Los diálogos directos, más dramáticos, pasan a ser diálogos referidos, más narrativos, y en todo caso no decisivos al considerar el discurso lírico, que es indiferente a la forma dialogada directa o referida.

Vamos a dejar esta literatura dialogada y sus problemas de situación en un género o en otro, pues es una cuestión que surge al proyectar el esquema tripartito de los géneros literarios, formulado a partir del Renacimiento, sobre obras de una época, la medieval, que no lo tiene reconocido explícitamente. Obras que se han escrito para ser transmitidas al modo juglaresco, con cambios de voz, en situación presente y compartida, no siguen los modelos del género lírico, dramático o narrativo. La sola presencia del discurso dialogado no basta para catalogarlas como teatro, y tampoco es suficiente que un discurso esté medido para calificarlo como lírico.

El diálogo y su realización juglaresca proporcionan a las obras dramaticidad, pues el tema se desarrolla en la tensión que le prestan las posturas enfrentadas propias y típicas del diálogo, y la realización juglaresca con cambios de voz, o quizá con actores diferentes, aproxima el espectáculo juglaresco al dramático. No obstante, el diálogo dramático y la representación teatral poseen unos caracteres que no tiene el diálogo en general o los espectáculos que no van más allá de la realización verbal.

La diferencia entre «diálogo dramático» y «diálogo poético» estriba fundamental, aunque no únicamente, en que el drama exige del espectador una «suspensión de la incredulidad», referida a la realidad, no a la verosimilitud desde las convenciones de la obra, y no llega a dar la ilusión de que lo que está sucediendo en el escenario pertenece a la vida real. El diálogo poético, por el contrario, forma parte de un contexto comunicativo que apunta decididamente a crear la ilusión de que bajo la ficcionalidad de la anécdota se comunica una realidad vivida. Nadie se escandaliza si se interpreta que Salicio es Garcilaso y Nemoroso lo es también, y se separa la ficción del género pastoril de la realidad de los sentimientos que expresan los pastores refiriéndolos a dos etapas de la vida del poeta.

La ficción de la anécdota, de los personajes y del discurso poético (dialogado o monologal) no afecta a los sentimientos o la experiencia que manifiestan (Meneghetti, 1985, 92). Por el contrario, la ficcionalidad del discurso dramático puede ser total, y en todo caso, si hay identificación, sólo puede referirse a uno de los interlocutores, al que se considera *alter ego* del autor. La «suspensión de la incredulidad» en forma diferenciada define al diálogo dramático del diálogo poético, en el caso de que el discurso poético adopte la forma de diálogo, que es facultativo, no obligado (De Marinis, 1982, 174 y ss).

Por otra parte, el diálogo dramático es autosuficiente; no se limita a expresar sentimientos o a manifestar verdades o historias vividas, sino que las crea: construye una historia (no refiere una ya terminada), diseña unos personajes (no se limita a enfocarlos de cerca para oírlos), los sitúa en un tiempo dramático, por tanto limitado por la representación, y espacializa los conflictos que crea de modo que los espacios dramáticos de la obra (en los que pueden coincidir los tres géneros: tanto la novela como la lírica tienen unos espacios textuales) se proyectan hacia un espacio escénico, más o menos amplio, de una forma o de otra (escenario clásico, inglés, italiano, español, etc.) en el que, siguiendo las convenciones escenográficas de la época o la intención del director (simbolista, constructivista, arqueológica, etc.) se realizarán unos espacios escenográficos (decorados, con elementos tridimensionales, pintados, etc.) y se crearán unos espacios lúdicos cuando los habiten los actores y se muevan allí (distancias, acercamientos, alejamientos, grupos, etc.). Los cuatro tipos de espacios (dramático o textual, escenográfico, escénico y lúdico) se armonizan, de acuerdo con unas convenciones escénicas que varían en el tiempo y en el espacio, pero que en cualquier caso acogen a los diálogos en perfecta coherencia y verosimilitud interna, pues son creados por los mismos diálogos.

Además, el diálogo dramático, a diferencia del que ilustra al discurso narrativo o da viveza al discurso lírico, orienta las intervenciones de los interlocutores hacia un tema y un fin únicos, y esta condición no suele aparecer muy clara en la poesía medieval, cuya unidad suele proceder de otros aspectos. Resulta difícil en algunos casos decidirse por el género dramático o lírico del texto.

En cuanto al espectáculo juglaresco, orientado hacia la realización verbal, a la que puede añadir elementos paraverbales y acaso kinésicos, está lejos de lo que pueda considerarse un espectáculo teatral; éste es siempre más complejo por la cantidad de sistemas de signos o códigos concurrentes y por la vinculación a un espacio escénico que tiene unas fuertes exigencias y condiciones.

Descartamos, pues, en la mayoría de los textos que se trate de diálogos dramáticos, como se ha afirmado, y aún más, creemos que en algunos no hay tampoco diálogo lírico, sino en todo caso diálogos referidos, cuando hay diálogo, que no siempre lo hay, a pesar de que se haya dicho.

La presencia de uno de los rasgos propios del diálogo ha bastado muchas veces para considerar dialogados discursos que no lo son. Benítez afirma que la poesía medieval se caracteriza por su homogeneidad que procede del hecho de que «toda (...) ha sido construida sobre una base de diálogo», y no porque sea una conversación íntima, como lo es toda poesía lírica, sino porque responde a una exigencia expresiva dialogada que sólo se superará en el Renacimiento (Benítez, 1963).

Realmente, insistimos, éste y otros autores, que tienen razón, como admitíamos en las afirmaciones de López Estrada, al referirse a la frecuencia de discursos dialogados en la literatura medieval, pueden no tener razón cuando generalizan y cuando denominan diálogo a unos poemas que simplemente están escritos en lenguaje directo, o se limitan a tener varios personajes, o hacen apelaciones a un receptor interno... En muchos casos no hay temporalidad presente, no hay una vinculación de la palabra y la acción en el contexto situacional inmediato, no hay más que una codificación y una contextualización, las del emisor, y en general, la unidad del poema no es creación del discurso dialogado sino que procede de la presencia de una figura de narrador. El diálogo queda impedido muchas veces por el monopolio que uno de los interlocutores hace de los turnos, por la alternancia de monólogos de cada uno de los hablantes, por la falta de observancia de las leyes de turnos o de las implicaciones conversacionales, porque uno o varios de los hablantes no dejan los turnos o no escuchan lo que se dice, etc. Cualquier razón puede impedir el diálogo, pero además, a veces, no se dan las condiciones mínimas para que exista, y mal se puede impedir; simplemente no lo hay.

Descartada la existencia en muchos casos de discurso dialogado por alguna de las razones aducidas, parece, sin embargo, posible realizar un *análisis locucional de la lírica,* tanto la medieval como la posterior hasta nuestros días. Es posible que se logren criterios adecuados para una clasificación de los poemas, o para una caracterización de estilos o de épocas. Así se han realizado algunos intentos en este sentido, por ejemplo sobre la lírica de los cancioneros gallego-portugueses (Nodar Manso, 1985).

Pasamos a revisar alguna de las afirmaciones que se han hecho a propósito de poemas y autores medievales y el uso que hacen del «diálogo», y luego expondremos alguna de las posibilidades de un análisis locucional, que puede aclarar quizá conceptos sobre formas de discurso de los poemas líricos de todos los tiempos.

Benítez habla de un diálogo constante entre el poeta medieval y el lector, pero sabemos que ese diálogo es imposible, y lo que sí es normal es el dialogismo, o en todo caso la apelación a un lector que se convierte en locutario, integrándose en el discurso del poema o que simplemente representa al lector en general. También habla el profesor Benítez Claros del «arte del diálogo» que dominan los juglares y que consiste en hablar consigo mismo, con los oyentes, en hacer coro y en suplir la voz de los héroes. Insistimos en que no hay en todas estas actividades y recursos tal arte del diálogo, sino uso de formas de locución directa en las que se incluye un alocutario variable, que nunca contesta, y por tanto no crea diálogo, porque están excluidos los turnos, aunque haya dos sujetos en el enunciado: el Yo y el Tú; ambos están fijados en sus roles respectivos y no hay alternancia, por tanto, y como hemos advertido en los capítulos iniciales, no puede haber diálogo, sino simplemente proceso de comunicación o quizá, menos, procesos de expresión con apelación retórica: es posible que ese tú no sea más que una creación del Yo emisor y no se entere, ni acaso esté presente.

Si repasamos los discursos de las jarchas (y dejando al margen la posibilidad de que la *muwasaha* correspondiente explique la forma de ese discurso), podremos comprobar que la mayoría no tienen discurso dialogado, son expresiones subjetivas, líricas, que se formulan como quejas puestas en boca de mujeres que expresan su dolor por la ausencia del amado. La queja tiene generalmente un alocutario que suele ser la madre, las hermanas, la adivina, el amado... La jarcha termina con esa expresión de modo que el alocutario no contesta y en algunos casos sería inverosímil que contestase, puesto que está ausente, a pesar de que se dirija a él directamente el texto. Veamos algún ejemplo concreto en los textos.

La jarcha núm. 2 se inicia con un verbo en imperativo, una petición de información, directa, inmediata y dirigida, y sin embargo no tendrá contestación, quedando excluido el diálogo. Si la canción fuese un diálogo cambiaría notablemente su sentido, tanto si adoptase tono lírico, discursivo o dramático; en la forma en que está hay una pregunta retórica, sin contestación porque no la necesita, ya que el sentido que adquiere remite al dolor que siente la joven, no a la anécdota de ir a preguntar a la adivina si sabe algo del regreso del amado:

> *Gar, si yes devina y devinas bi'l haqq*
> *garme quand me vernad mio habibi Isac.*
>
> [Dime, si eres adivina, y adivinas bien
> dime cuándo me vendrá mi amado Isaac].

La jarcha núm. 14 es también una pregunta perentoria que no obtiene respuesta, y hasta podemos decir que la excluye ya que se pregunta sobre lo que se intenta ocultar probablemente:

> *¿Qué faray, mama? Mieu'l-habib estad ad yana?*
> [¿Qué haré, mamá? Mi amado está a la puerta.]

En general son preguntas formuladas en situaciones hipotéticas, pensadas; son frases que se dirían si se fuese a visitar a una adivina, o si el amado se presentase inesperadamente: ¿cuándo vendrá Isaac? ¿qué haré si inesperadamente mi amado se presenta en la puerta...? El tono lírico exige en estos casos el lenguaje directo, y lo siguen prácticamente todos los discursos de las jarchas, pero nunca en forma de diálogo.

Tampoco podemos hablar de diálogo, y menos de diálogo dramático, en la *Razón feita de amor*, a pesar de que el escolar hace una apelación directa al público:

> en mi mano pris una flor
> *sabet* no toda la peyor...

Es una apelación general que no supone diálogo y está justificada por la forma de transmisión oral y la presencia de oyentes. Cuando aparece la doncella viene cantando, circunstancia que anuncia un narrador de palabras:

> E decía: !Ay, meu amigo,
> si me veré jamás contigo...

El mismo narrador va dando sucesivamente los turnos: «*dix le yo... / dix ella...*». En resumen, no se hace diálogo, que ya está hecho, sólo se narra cómo ha transcurrido un diálogo en una situación anterior.

Si analizamos los pasajes que se calificaron como «dialogados» en el *Poema del Cid*, encontramos la misma situación. El lenguaje directo se usa para conseguir mayor afectividad, acercamiento a los hechos o a las personas, y en cualquier caso la figura de un narrador da y quita la palabra de modo que la narración es la forma del poema:

> Decid, ¿qué vos mercí, infantes de Carrión,
> en juego o en vero, o en alguna razón?
> Aquí lo mejoraré, a juicio de la Cort
> ¿A quem' descubriestes las telas del corazón?
> A la salida de Valencia, mis fijas vos dí yo...''

El procedimiento que usa el anónimo juglar del Cid puede encontrarse en toda la épica y pasa a los romances históricos. Apenas hay conatos de diálogo y siempre es, como el de la narración, referido.

Benítez afirma que el *Libro de Buen Amor* es la más completa antología de «conversaciones» literarias medievales. Hay en él pasajes en los que la rapidez y espontaneidad sobresalen, por ejemplo alguno de los parlamentos de la vieja: usan un lenguaje directo, interjeccional, lleno de preguntas y apelaciones a diversos interlocutores y construyen un discurso que se aproxima al soliloquio dramático, vinculado a una situación presente y a un contexto inmediato, pero siempre es un lenguaje «referido» por una narrador:

Como la mi viguisuela m'avia apercivido
non me detove mucho; para allá fui ido.
Fallé la puerta cerrada; mas la vieja que me vido
«Yuy —diz— ¿qué es aquello, qué faz'aquel ruido?
¿Es ome o es viento? Creo que es ome! ¿Non miento?
¿Vedes? ¿Vedes? ¡Cómo'otea el pecado carboniento!...

No cabe duda de que se trata de un discurso dinámico, con apelación directa al público («¿Vedes? ¿Vedes?»), incluso es un discurso que va construyendo su propia referencia (las dudas y la posterior seguridad de la vieja, aunque sean fingidas, pues la información anterior lo contradice), pero no es diálogo. Estamos comprobando que se denominó discurso dialogado a lo que realmente era un discurso directo, a veces sin más, otras veces con algún rasgo añadido, como puede ser el de la apelación directa. El carácter de «diálogo referido» puede extenderse también a ejemplos, como éste del *Libro de Buen Amor,* de «monólogo referido»; la presencia de un narrador es decisiva.

La lírica de los cancioneros galaico-portugueses, aunque se presenta bajo formas diversas (cantigas de amor, de amigo, de escarnio), sigue generalmente los mismos procesos verbales en el discurso. La expresión en primera persona, puesta generalmente en boca de una joven, como en las jarchas y con un marco envolvente en el que un narrador da y quita la palabra o alude a la situación describiendo lo que ve o refiriendo lo que oye:

> Levad' amigo que dormides as manhanas frías
> todal'as aves do mundo d'amor diziam...

Una canción del rey don Dinis (que recoge Benítez como ejemplo de diálogo) alude a los papagayos e incluye a un narrador de hechos y palabras:

> Ela traía na mâo
> un papagay muy fremoso...
> E diz: !Ay! Santa María
> ¿qué será de mí agora?
> E o papagay dizía:
> Ben, por cuant'eu sey, senhora!

Y si de la poesía de los cancioneros pasamos a los romances, aparte de la alusión que ya hemos hecho a los históricos, fragmentos de los poemas épicos, vamos a analizar un género, el de los fronterizos, como ejemplo de un tratamiento discursivo que en éstos encuentra muchas variantes.

Ramón Menéndez Pidal divide los romances en tres tipos: romances-cuento, romances-diálogo y romances-escena. De los segundos dice Don Ramón:

> lo corriente es que la narración se anime y actualice mezclando buena parte de diálogo, sin que tampoco abarque una sucesión larga de sucesos, sino un evento único, aunque desenvuelto en incidentes varios (Menéndez Pidal, 1953, I, 63).

Parece ser que el romance es más tradicional cuanto más diálogo tiene, ya que en el tiempo van desapareciendo las partes mas narrativas, que quedan reducidas a meras fórmulas introductorias del discurso de los personajes, y se pasa con fluidez de un diálogo a otro (Díaz Roig, 1984). Así ocurre, según podemos comprobar, en romances muy conocidos, como el de *Alora la bien cercada*, el de *Ay! de mi Alhama*, pero es preciso distinguir lo que es verdadero diálogo (dramático, lírico, narrativo) y lo que se limita a ser lenguaje directo dicho por un personaje o por otro, a veces sin conexión, que el poeta refiere. Observamos en el romance de *Abenámar* una situación peculiar entre el diálogo directo y el diálogo referido, entre la expresión y la narración que se descubre al final, según vemos en los pasajes más destacados a este respecto:

> Abenámar, Abenámar,
> moro de la morería,
> el día que tú naciste
> grandes señales había...
> —No te la diré, señor...
> —Allí hablara el rey don Juan
> bien oiréis lo que decía...
> El combate era tan fuerte
> que grande temor ponía.

Con un comienzo exabrupto, propio del diálogo vinculado directamente a una situación que lo explica, la alternancia de turnos de los dos interlocutores (Abenámar, señor), la creación de un espacio lúdico (los hablantes están en disposición de dirigirse uno a otro y de comentar lo que ambos ven desde el montículo de Santa Fe de Granada, según se deduce del orden en que enumeran y señalan los edificios), parece que el romance tiene un discurso dramático, sin embargo no se proyecta hacia ningún espacio escénico, que acabaría de darle ese carácter. Es un diálogo referido.

Y después de todos los rasgos propios de un diálogo escénico, lo que podía tomarse como una acción directa, se proyecta a un plano narrativo y se convierte el diálogo referido. El lector descubre que no asiste a la entrevista de Abenámar y un Señor en un lugar desde el que se ven unos castillos, sino que esa escena la cuenta alguien, con gran viveza, que da y quita la palabra y pone y quita los primeros planos. Hay un narrador que informa al oyente por dos veces: «Allí hablara el rey don Juan...», lo que muestra además su conocimiento más amplio que el textual, pues ese «señor» que se ofrece a los lectores por la palabra de Abenámar, es el rey don Juan, y el narrador lo sabe, aunque el texto no lo diga. Por último «narra» en los dos últimos versos: «el combate era tan fuerte...».

En resumen, estamos ante un romance cuyo discurso presenta un gran interés para un análisis locucional; los cambios de locutor y locutario textual se hacen a lo largo del poema, que empieza de un modo en que el lector puede creer que está ante una escena y un diálogo dramáticos, para pasar luego a narración de palabras y a narración de sucesos.

Hay dos diálogos en el romance: rey-Abenámar / rey-Granada, con sus preguntas y respuestas, con información que progresa a medida que se demanda; hay parlamentos que podemos calificar por su finalidad de *captatio benevolentiae,* cuando el rey halaga al moro para que no diga mentira. Aparecen elementos deícticos, que implican signos kinésicos: «¿Qué castillos son *aquellos?»,* y hay informaciones «historiadas» sobre tales castillos: «el moro que los labrara...», que exigen una actitud cara a cara de Abenámar y el rey, mientras que antes, al señalar, pueden estar en línea, etcétera.

El segundo diálogo es también completo y a la propuesta del rey («si tú quisieses, Granada...») contesta la ciudad pertinentemente, lo que da lugar a la acción que se describe en los dos últimos versos. El poema pasa, pues, de un discurso a otro, la palabra da lugar a acciones, a cambios de distancia entre los hablantes y a cambios de gesto, etc., es decir, es un discurso en presente, en situación, con turnos, etc., que se inserta en una narración, oculta en principio, pero manifiesta a partir del relato de palabras («Allí hablara el rey don Juan...»). Los diálogos son envoltura de un proceso narrativo cuyo tema es el ataque del rey don Juan a Granada; literariamente constituyen los diálogos una mimesis conversacional que proporciona al tema dramatismo, inmediatez escénica, emotividad. El narrador que pudo presenciar aquel diálogo del rey y Abenámar quiso reproducirlo directamente e incluirlo en un esquema narrativo que no descubre de inmediato, sino a partir de un momento de la historia.

La historicidad del romance, es decir, su valor como narración de una historia convencional o realmente real, se logra por la presencia de personajes reales, el rey don Juan segundo de Castilla y el príncipe granadino Abenalmao, y por la presencia textual de un narrador que actúa como figura ficcional interpuesta entre los oyentes, a los que se dirige: «bien oiréis...» y la escena, que refiere como si la hubiera visto realmente.

El juego de locuciones que hemos analizado en este romance se repite con variantes en otros muchos y persiste en otras formas de poesía lírica a lo largo de la historia literaria, como podremos ver haciendo diversas calas en la poesía renacentista y en la actual. No pretendemos hacer una historia de los usos locucionales, sino formular una teoría sobre ellos y mostrar con varios ejemplos cómo se verifica.

Alguno de los mejores poemas de nuestra lírica renacentista presenta una estructura locucional que puede caracterizarlos tan eficazmente como el tema, la estrofa o cualquiera de los rasgos que se han propuesto al efecto. Vamos a analizar alguno para verificar cómo consiguen esa disposición locucional en forma paralela a su estructuración estrófica o métrica.

La *Égloga primera* de Garcilaso, y según figura en el encabezamiento, está dedicada al Virrey de Nápoles, y tiene como *Personas* a *Salicio* y *Nemoroso*. *Formalmente* está constituida por treinta estancias de catorce versos, diez endecasílabos y cuatro heptasílabos. *Temáticamente* la Égloga incluye una dedicatoria a ese personaje ilustre que tiene tareas de gobierno y de guerra y aficiones de caza, y el tema central desarrollado en torno a la expresión de dos pastores sobre penas de amor: el desdén y la muerte de sus amadas. La crítica ha interpretado que la figura de estos pastores resulta de un desdoblamiento de la personalidad del poeta en dos etapas de su vida amorosa que adquieren forma en los sentires por el desdén y la muerte de doña Isabel Freyre. Los pastores serían sujetos

ficcionales que, en lenguaje directo y bajo las convenciones de la
lírica pastoril renacentista, espacializan lo que el poeta vivió en sucesividad temporal. El tiempo de las quejas se extiende a lo largo
de un día; la expresión se hace necesariamente en sucesividad: primero Salicio, luego Nemoroso, recitan sus monólogos cuya anécdota fue vivida por Garcilaso en dos etapas de su vida.

Locucionalmente podemos distinguir las partes de una composi-
ción armoniosamente dispuestas: la dedicatoria ocupa tres estrofas
y constituyen un proceso de expresión en el que el emisor es el
poeta que se textualiza con el Yo, por tanto se expresa en lenguaje
directo, y el alocutario es el Virrey al que el emisor textualiza y
fija en el Tú *(he* de cantar, *mi* pluma, sacar*me, mía // espera,*
tus virtudes, a *ti, tu* fama, *tu* gloria, *tu* gloriosa frente, *tu* sombra,
tus loores...). La correlación queda perfecta en el último verso, en
una distribución paralela de los índices personales: «escucha tú el
cantar de *mis* pastores». La voluntad de esa distribución se confirma textualmente porque *mis* podría haber sido sustituido por *los*
sin que el sentido o la referencia se alterasen.

La simetría y el paralelismo se mantienen en la distribución locucional del centro de la Egloga: hay dos monólogos de doce estrofas cada uno, cuyos emisores son los dos pastores, y tres estrofas
coordinadoras que dice el poeta desde una posición de latencia textual: 1 + 12 + 1 + 12 + 1.

Las estrofas coordinadoras cumplen su respectiva función del
modo siguiente: la primera sirve de enlace entre la dedicatoria que
termina con la alusión al canto de los dos pastores, y Salicio que
inicia su monólogo. La segunda, situada entre los dos monólogos,
cierra el canto de Salicio y anuncia el de Nemoroso. La última cierra el triste lloro de los dos pastores que se van recogiendo, con
su ganado, paso a paso.

Es interesante destacar que en esas tres estrofas no encontramos
alusiones a si hay narración de un pastor a otro, o si sus llantos
y quejas son independientes, ni siquiera en la última en la que ambos ven que ha pasado el día, que viene la sombra y «ambos re-

cuerdan como de sueño». Más bien parecen soliloquios que monólogos; cada uno de los pastores vivió el ensueño de su propio canto en forma independiente.

Los dos monólogos, de extensión estrictamente igual, doce estancias cada uno, tiene como locutores a Salicio y Nemoroso y como locutarios a Galatea y Elisa respectivamente. El tono es diferente porque en las palabras de Salicio asoma la indignación de sentirse preterido por otro y abundan las imprecaciones, los indéxicos, las preguntas directas o retóricas; en las palabras de Nemoroso aflora más la pena y con cierta frecuencia la figura de Elisa se presenta en tercera persona, como forma icónica de su ausencia definitiva respecto al intercambio verbal.

La conclusión a que llegamos es que no hay diálogo, ni siquiera intercambio de monólogos, sino sucesión de soliloquios. Y lo mismo podemos decir de las otras Églogas de Garcilaso. La simetría formal, los diferentes recursos utilizados por el poeta han sido analizadas con minuciosidad por críticos desde diversas tendencias (Lapesa, 1968; Parker, Rivers, 1974), y muestran que el artificio de la lírica alcanza formas sutiles, entre las que también cabe situar la combinación de las diferentes formas de locución. La unidad de todos los recursos y la emoción que procede del sentimiento real del poeta hace que todo parezca natural, fluido, sin artificio, aunque el análisis muestre que no es así.

El lenguaje directo que incluye un locutor en primera persona y un locutario textualizado (Galatea, Elisa, la Naturaleza idealizada en aguas cristalinas, en árboles, en animales, etc.) da apariencia de diálogo a lo que son monólogos o soliloquios, y presta una inmediatez y viveza al discurso que lo acerca al destinatario, es decir, a los lectores de cualquier tiempo.

Vamos a destacar, porque nos ha sorprendido, la persistencia en el uso de nuestros poetas áureos, de algunos artificios locucionales que hemos advertido en el discurso de los romances. El de Abenámar mostraba un comienzo exabrupto, en lenguaje directo que se sustanciaba en un diálogo aparentemente *in fieri*, en situación presente, y con un marco espacio-temporal creado por el mismo diálogo; luego el lector advertía que no se trataba realmente de un diálogo presente sino de un diálogo referido, pues aparecía un narrador que daba cuenta de palabras y acciones de los interlocutores. Si analizamos bajo esta misma perspectiva locucional el famoso soneto con estrambote de Cervantes *Al túmulo de Felipe II*, encontramos una situación semejante:

> Voto a Dios que me espanta esta grandeza
> y que diera un doblón por describilla:
> pues ¿a quién no sorprende y maravilla
> esta máquina insigne, esta riqueza?

> Por Jesucristo vivo, cada pieza
> vale más de un millón, y que es mancilla
> que esto no dure un siglo, ¡Oh gran Sevilla,
> Roma triunfante en ánimo y nobleza!

> Apostaré que el ánima del muerto,
> por gozar este sitio, hoy ha dejado
> la gloria donde vive eternamente.

> Esto oyó un valentón, y dijo: «Es cierto
> cuanto dice voacé, señor soldado,
> y el que dijere lo contrario, miente»

> Y luego in continente,
> cogió el chapeo, requirió la espada,
> miró al soslayo, fuese y no hubo nada.

Descubrimos al final de la lectura tres emisores textuales: un soldado, un valentón y un narrador que cuenta lo que pasa y da la palabra o la quita, de modo explícito unas veces, sin decir nada otras veces.

El valor narrativo del poema, que deriva de la presencia de un narrador, ya lo advirtió Francisco Ayala cuando en 1970 escribe

«Reflexiones sobre la estructura narrativa», donde dedica un epígrafe a estudiar «El autor ficcionalizado como sujeto de la experiencia imaginaria». Al considerar el poema de Cervantes advierte que «con la compleja y sutilísima técnica que, al servicio de una vertiginosa ironía, lo distingue, nos engaña el poeta desde el comienzo acerca del narrador» (Ayala, 1990, 58-60). Efectivamente las tres primeras estrofas del soneto (once versos) inducen al lector a creer que está hablando el autor ficcionalizado, sin embargo éste no toma la palabra hasta el segundo terceto para introducir a un segundo locutor, el valentón, que será quien aclare la figura del primero, un señor soldado. El narrador, que deja en primer plano al soldado para que oigamos directamente su enfático discurso lleno de votos, juramentos y apuestas, actúa de maestro de ceremonias para dar paso al valentón, que hasta ahora estaba de oyente como el autor y los lectores, y mediante un verbo de lengua lo anuncia: «esto oyó un valentón, y *dijo*». Ya nos parecía que ese lenguaje cuartelario de los primeros versos no podía ser del autor, y corresponde, como signo caracterizador, a un soldado, pero eso queda más claro al final, cuando todo el artificio se explica.

Ahora bien, no hay diálogo. Hay un primer monólogo, bastante extenso, que dice como tal monólogo el soldado, y hay un segundo monólogo, más corto, que dice el valentón. No podemos hablar de diálogo, a pesar de las apariencias de seguir los turnos, porque el valentón no contesta a las palabras del soldado, sólo las juzga como verdaderas, haciendo una apostilla, cuyo valor caracterizador es también notable.

La función del narrador, además de presentar a los hablantes (directamente al valentón e indirectamente al soldado a través de aquél) y de concederles primeros planos y quitárselos, consiste en dar cuenta también de los signos paraverbales, de la situación y de las acciones: coger el chapeo, requerir la espada, mirar de soslayo e irse. Hay todo un relato de palabras y de acciones.

Vamos a terminar el repaso de las locuciones en la lírica de nuestra época clásica con una visión sobre la poesía mística, que concretaremos en los tres grandes poemas de San Juan de la Cruz, el *Cántico espiritual*, la *Noche oscura* y la *Llama de amor viva*. No entramos en los problemas históricos y textuales de estos poemas, pues ya los hemos abordado en otras ocasiones (Bobes, 1986) y existen críticos más cualificados a los que hemos aludido en tales estudios. Ahora nos limitaremos a lo que concierne a los usos y formas locutivas de los discursos de esos tres poemas en los que hay algunas variantes que pueden interpretarse en lecturas diversas, aunque no contradictorias o exclusivas.

Una de las características de la mística española, según afirma la mayor parte de la crítica literaria, es el dinamismo de su discurso poético. Sin embargo, al hacer un repaso de sus formas métricas, podemos comprobar que las estrofas que usan los poemas se repiten continuamente: son liras con escasas variantes, y los versos de las estrofas repiten también sus formas, ya que los endecasílabos son siempre del modelo italiano que lleva el acento principal en sexta sílaba.

Dámaso Alonso, al señalar estos datos, afirma que sin embargo el *Cántico espiritual*, al que los refiere, no da nunca impresión de monotonía. Y efectivamente así es, el *Cántico espiritual* tiene gran movimiento.

La razón del dinamismo textual, que responde a un dinamismo de contenido, y da la impresión de ausencia de monotonía, creo que es doble: 1) es cierto que la métrica repite estrofas y acentos principales, pero es un hecho que los acentos secundarios de la primera parte de los endecasílabos, es decir, las cinco primeras sílabas que van en ascenso hasta el clímax tónico que señala la sexta sílaba invariablemente acentuada, tienen una gran variedad de distribución; y 2) los sujetos de la locución, particularmente el alocutario, cambian continuamente en las estrofas.

El locutor y el alocutario del *Cántico espiritual* están cambiando continuamente de una estrofa a otra, e incluso podemos encontrar algunos cambios dentro de los límites de una canción y creemos que existe diálogo directo en un caso, aunque es discutido por algunos autores, como vamos a comprobar seguidamente.

En la primera estrofa del *Cántico* hay una pregunta directa de la Esposa al Amado y aparecen textualmente los índices gramaticales de primera y segunda persona (te-me; me-ti). Toda la acción es realizada por la segunda persona: *escondiste, dexaste, huyste, eras ido;* sólo hay un verbo en primera persona: *salí,* que resulta palabra clave en el inicio de los poemas sanjuanistas, la *Noche* y el *Cántico,* para señalar una disposición en el camino místico: la búsqueda empieza cuando el alma, la Esposa, advierte su soledad, que antes no advertía. En contraste con la acción que recae en el Amado, en segunda persona textual, la palabra pertenece invariablemente a la Esposa, sin que cambien en toda la canción su referencia, con lo que se hace imposible el diálogo. La Esposa *dice,* el Amado *hace:* la Esposa ocupa la primera persona en este *Cántico espiritual* que seguirá el camino hasta el encuentro, y el Esposo será el objeto de la búsqueda, directa o indirectamente, a través de la Naturaleza.

La segunda estrofa traerá el cambio de alocutario, por lo que la referencia de la segunda persona serán ahora *los pastores,* mientras mantiene al locutor de la primera estrofa, la Esposa.

En el esquema locucional: Yo = Esposa / Tú = pastores, es decir, en el nivel común de criaturas, se da un equilibrio de las formas verbales de primera persona *(quiero, adolezco, peno, muero)* y de segunda *(fuerdes, vierdes),* que no había en la primera estrofa, en la que la Esposa se dirige al Amado.

La tercera canción introduce una alteración del esquema locucional: desaparece el alocutario del texto, y en consecuencia los verbos se manifiestan en primera persona, como corresponden al locutor y su actividad lingüística y de acción: *iré, cogeré, temeré, pasaré.*

Y llegamos a la cuarta-quinta estrofas, que constituyen, según las lecturas más generalizadas y aceptadas, un diálogo perfecto sobre el esquema pregunta-respuesta. Desde las primeras ediciones apa-

rece la acotación «Pregunta a las criaturas / Respuesta de las criaturas» encabezando la cuarta y quinta liras, respectivamente:

Pregunta a las criaturas:

> ¡O bosques y espesuras
> plantados por la mano del Amado!
> ¡O prado de verduras
> de flores esmaltado!
> dezid si por vosotros ha pasado.

Respuesta de las criaturas:

> Mil gracias derramando
> pasó por estos sotos con presura
> y, yéndolos mirando,
> con sola su figura
> vestidos los dexó de hermosura.

La estrofa cuarta es una apelación a las criaturas y una subsiguiente pregunta directa, que constituye la primera parte del esquema, cuya segunda parte sería lógicamente la estrofa quinta, con
la respuesta.

Los manuscritos del *Cántico* (Jaén, Sanlúcar) no incluyen las
acotaciones; D. Ynduráin, en el prólogo que encabeza la edición
de las *Poesías* de San Juan en la Editorial Cátedra, cuyo texto sigue
el manuscrito de Sanlúcar, cree que las acotaciones proceden de
una lectura ideologizada del poema que implica una interpretación
condicionada por el marco de unas ideas religiosas sobre la creación. La estrofa quinta podría ser dicha por la Esposa, sin necesidad de atribuírsela a las criaturas.

Esta propuesta no es rechazada por el texto, y efectivamente
el locutor de la estrofa quinta podría seguir siendo la Esposa, que
haría una reflexión sobre su propia y directa pregunta a las criaturas, a quienes se dirige mediante la segunda persona en la estrofa
cuarta, según puede comprobarse. Resulta un tanto insólito el que
la estrofa quinta, si la leemos atribuyéndosela a la Esposa, no in-

cluya locutario, pues siempre que habla ella lo explicita. Hay más razones que apoyan la lectura de la estrofa quinta como respuesta de las criaturas: el autor en los *Comentarios a las Canciones* lo interpreta así, y aunque él dice en la dedicatoria de los poemas que su lectura es una entre otras posibles, el hecho es que va por ese camino. Además, la lectura de las canciones, sin relacionarlas con ideologías o interpretaciones previas, nos pone ante una pregunta formulada sobre un verbo en imperativo, un verbo de lengua que pide una información: *dezid si ha pasado*, es decir, un «imperativo epistémico» (Hintikka, 1976), que crea unas expectativas sobre el esquema (respuesta) y sobre la información *(¿pasó?)*, y ocurre que la canción quinta ofrece tal información y *puede ser interpretada* en la lógica discursiva como una respuesta:*¿ha pasado? / Pasó; dezid si ha pasado / (decimos que) pasó.* Por tanto no es necesario acudir a ideologías para explicar el esquema de las dos canciones como pregunta-respuesta, es el texto el que permite, sugiere, propone tal lectura.

Insisto, sin embargo, en que la otra lectura que atribuye a una reflexión de la Esposa la quinta lira, es también posible, pero advertimos que si la lectura con las acotaciones responde a una ideologización previa, la lectura que rechaza esas acotaciones responde a la misma ideología, que está en el texto, porque ¿quién es ése cuya belleza se proyecta en el mundo?

Lo que nos resulta importante en este momento es que si seguimos la lectura del *Cántico* que se deriva de la presencia de las acotaciones, nos encontramos con verdadero diálogo, cuyas formas locutivas serían: sujeto emisor de la cuarta estrofa, la Esposa; alocutario, las criaturas; en la quinta estrofa se cambiarían los turnos de modo que el locutor serían las criaturas y el alocutario la Esposa, no textualizada, pero sí implícita en el esquema dialogal.

El *Cántico* sigue con exclamaciones, preguntas retóricas, cambios de alocutario: el Esposo, la vida, la cristalina fuente; hasta la estrofa número trece en que el locutor es el Amado y el alocutario la paloma, la Esposa, pero sin que haya en ningún caso diálogo, a pesar de que se identifican elementos de coherencia entre las últimas palabra de la Esposa:

> Apártalos, Amado,
> que voy de vuelo.
>
> Vuélvete, paloma

voy-vuelve // vuelo-paloma, y las del Amado que irrumpen directamente en el texto por primera vez.

A partir del Epitalamio hay cambios de locutor Esposa / Amado, pero no hay diálogo, sino turnos de emisión en procesos expresivos que se suceden. Lo mismo ocurre en la *Llama de amor viva*, donde permanece a lo largo de todo el poema el mismo locutor, el Alma, bajo formas gramaticales diversas: *mi (alma), mi (seno), me (enamoras);* y el alocutario, el Amado, que aparece bajo formas morfológicas, como adjetivos posesivos o como «llama de amor viva»: *hyeres, eres, acava, rompe, as trocado, recuerdas, moras, tu (aspirar), enamoras.*

La situación es paralela en la *Noche oscura*, en cuyas estrofas aparece el Amado y la Amada mediante desinencias verbales, pronombres y adjetivos con género preciso: *salí (yo), notada, disfrazada, me (veya), me (esperava), yo savía, mi (pecho), yo le regalaba, yo esparcía, mi (cuello), mis (sentidos), quedéme, olvidéme, recliné, dexéme, mi (cuidado).*

El Amado empieza a aparecer indirectamente en la estrofa cuarta: *quien yo bien me savía*, y directamente en la quinta en forma reiterada: *amado con amada/, amada en el amado transformada*; y en tercera persona en la estrofa sexta: *para él solo, quedó, sus (cavellos), el amado.*

En resumen, los poemas sanjuanistas ofrecen un dinamismo generalizado en el tratamiento de las formas locucionales que van desde el uso de un lenguaje directo con cambios de alocutario y ocasionalmente diálogo en el *Cántico espiritual*. Y podemos afirmar que si los esquemas métricos son causa de dinamismo, también pueden serlo los esquemas y los cambios locucionales a lo largo de las estrofas en los tres poemas sanjuanistas.

EL DIÁLOGO EN LA POESÍA LÍRICA ACTUAL

La incorporación del diálogo al discurso de la novela a partir del realismo, con el fin de utilizarlo como signo o formante literario, es una aventura que se asienta poco a poco hasta hoy descubriendo posibilidades imprevistas al principio; igualmente el diálogo directo del texto dramático va adquiriendo sentidos nuevos en el uso que hacen en sus obras autores como Chéjov, Ibsen, el teatro del absurdo, etc., y que hemos verificado en el análisis textual de *Yerma*, de García Lorca. Frente a esto, en la lírica topamos una situación completamente diferente; a pesar de la renovación métrica, temática e ideológica, las fórmulas locucionales del discurso poético se mantienen iguales desde la poesía medieval: no hay diálogo directo en la lírica y sólo en pequeñas y contadas proporciones aparecen algunos diálogos referidos.

La crítica literaria habla incansablemente de los diálogos continuados del poeta con su entorno, con los hombres, consigo mismo, con el lenguaje, etc., y sin embargo, hemos podido comprobar que no hay tal diálogo, a no ser que por tal entendamos «lenguaje directo con inclusión del tú». Lo que vemos continuamente en los discursos líricos es una invasión total del poema por parte de un *Yo* ficcional del poeta, que arrastra como confidente un *Tú* frecuentemente textual; es un *Yo* que se matiza en su referencia personal concreta hasta el infinito, o se refracta incansablemente en las cosas y sitúa a todo lo que constituye el *no-yo*, en un *tú* o en un *ello*, sin darles, a no ser excepcionalmente, la oportunidad de pasar al *Yo,* es decir, al uso directo de la palabra, y al diálogo real.

El poeta lírico no suele ceder la voz a nadie, no dialoga con nadie, lo más que hace es reproducir palabras que fuera del poema (referencialmente) fueron diálogo directo, pero que para entrar en el poema han de ser asumidas por su voz. La voz de los demás, personas o cosas personificadas, han de convertirse en voz del poeta para tener forma en el discurso del poema. Los poetas muy abiertos, aquellos de los que la crítica dice que dialogan, no ceden su voz y con ella dejan que todo entre en el poema a través del *tú*. Por ejemplo, A. Machado reproduce su propio diálogo con la fuente y lo hace poema:

> La fuente cantaba: ¿Te recuerda, hermano,
> un sueño lejano mi canto presente?
> Fue una tarde lenta del lento verano.
>
> Respondí a la fuente:
> No recuerdo, hermana,
> Mas sé que tu copla presente es lejana.

El tema puede ser, es, un diálogo directo fuente-poeta, pero se hace poema en una historia que cuenta el poeta desde su voz y comparte el discurso, subordinándose a acciones y palabras suyas que lo enmarcan locutivamente: *ella cantaba / yo respondí.*

Para muchos críticos la poesía actual es comunicación y diálogo, pero dan a ambos términos el mismo sentido. Admitimos que en muchas ocasiones la lírica es comunicación, es decir, se presenta en su discurso como un proceso de comunicación en el que un *Yo* dice algo a un *Tú,* pero muy pocas veces el discurso lírico tiene la forma de un diálogo directo. El poema, sea cual sea la forma que presente en su texto, como un proceso de expresión, de comunicación o de interacción dialogada, es una obra que forma parte de un proceso de comunicación literaria y, como tal, es un proceso dialógico. Pero no nos referimos ahora a este aspecto que la lírica comparte con toda obra literaria, sino al texto mismo, que puede presentarse como un proceso semiótico verbal de carácter expresivo, comunicativo o dialogado (interactivo). Y repito que en muy pocas ocasiones, a pesar de lo que dice la crítica y lo que dicen también los poetas, hay un proceso dialogado en el texto, pues si bien aparece casi siempre el Yo (lenguaje directo) y con cierta frecuencia el Tú (lenguaje dirigido), resulta excepcional que se produzcan alternancia de turnos de intervención.

Pedro Salinas pasa por ser uno de los poetas más dialogantes. Él mismo afirma que la forma literaria más hermosa es el diálogo,

> porque en el diálogo el hombre habla a su interlocutor y a sí mismo, y se vive en la doble dimensión de su intimidad y del mundo, y las mismas palabras le sirven para adentrarse en su conciencia y para entregarla a los demás (Salinas, 1948).

Efectivamente, si por diálogo entendemos, como hemos dicho arriba, el lenguaje directo, en el que «el hombre habla a su interlocutor y a sí mismo», Pedro Salinas es uno de los poetas más dialogantes, pero esta forma de hablar entra en los procesos de comunicación, no en los de interacción, no en el diálogo, y no puede llamar al otro «interlocutor» sino «oyente». Si admitimos esas confusiones, la lírica de Salinas es dialogada, pero si se pide para que haya diálogo un verdadero interlocutor que asuma sus turnos, no hay tal diálogo, hay sólo comunicación y recepción.

El caso es que la mayor parte de sus críticos aluden al diálogo de los poemas de Salinas; A. de Zubizarreta dice textualmente que el pensamiento creador del poeta cobra existencia real gracias al diálogo vivo, con el que cumple una función social doble: como participación de nuestro yo en nuestros semejantes y como expresión de la relación social creada (Zubizarreta, 1969).

E. de Zuleta habla de «el diálogo con la amada, la relación yo-tú del diálogo amoroso» (Zuleta, 1971, 51). La presencia textual del emisor y de un *Tú* en *La voz a ti debida* y en *Razón de amor* es interpretada como signo de una relación personal y transpuesta a principio generador de las obras, pues «en ambos volúmenes el yo-tú del diálogo (...) es ritmo fundamental de la estructura poemática» (id., 68).

No hay tal diálogo: hay un *Yo,* centro y razón de toda actividad, de toda relación, que alude a un *Tú,* que nunca se deja oír.

La plenitud estética y moral, la perfecta armonía de la lírica de Salinas que según Zuleta se consigue en la relación yo-tú, o yo-mundo, no es dialogada, es egocéntrica: tú en mí, el mundo en mí.

Y no es sólo Salinas, a quien traemos como ejemplo de lo que se presenta como poeta·dialogante, como poemas dialogados, es general en la lírica de todos los tiempos. La mayor parte de los poemas utilizan un lenguaje directo en el que el Yo, directo o ficcional, está firmemente centrado en el mundo lírico frente a todo lo demás que entra en ese mundo a través de sus percepciones, vivencias, deseos, imaginaciones. El *Tú* es para el poeta la persona, o cosa personificada, sobre la que él se proyecta y tal como él la admite. No es nunca el *Tú* lírico el índice gramatical cuya referencia, una persona, pueda estar en igualdad de condiciones verbales con el poeta y pueda, por tanto, dialogar con él, en turnos que sigan las leyes del diálogo o de la conversación. En tal caso el poema no puede tener forma correspondiente a un proceso dialogado, sino que no pasará de proceso comunicativo. Puede darse también en el discurso un efecto dialógico, como en toda comunicación en la que el *Tú* influye de un modo visible sobre la voz del *Yo*. Por más que el poeta sitúa en posición inmóvil al *Tú*, éste puede influir en la forma, en el léxico, en las ideas que exprese o comunique el emisor.

El poema lírico es campo para el *Yo* del poeta, que lo invade todo. Los recuerdos, las vivencias, las ensoñaciones son las del poeta y las presenta investidas de su yo ficcional, que puede ser cambiante, y las comunica a un *Tú,* que también puede ser cambiante, pero no en sí mismo, pues no accede a la voz, sino en la visión que de él tenga el poeta. En la Égloga primera habla Garcilaso para dedicarla al Virrey de Nápoles y luego habla Garcilaso a través de su Yo ficcional, Salicio, para dirigirse a doña Isabel Freyre en su Tú ficcional, Galatea; no hay diálogo Garcilaso-Isabel (Salicio-Galatea), sino comunicación monológica de Garcilaso a Isabel, que no es la real, sino la que proyecta el poeta. Y la misma situación de comunicación sigue la segunda parte con la modificación de los sujetos ficcionales (Nemoroso-Elisa).

Tenemos que diferenciar el poema como elemento de un proceso de comunicación literaria con un autor y un lector reales y unas circunstancias pragmáticas que se refieren a ese mundo real, y el poema como texto cuya forma reproduce un proceso en el que hay también unas circunstancias pragmáticas que se refieren sólo al mundo ficcional. El poeta se incluye en el mundo ficcional con su yo poético y se dirige a un sujeto con el que tiene una relación, el tú poético, que no coincide por lo general con el lector del poema. La dimensión pragmática del poema como obra literaria le señala unas relaciones con un autor y un lector reales que pueden textualizarse o no, pero, si se textualizan, entran a formar parte del mundo ficcional que en la lírica es el ámbito del *Yo* y lo que él quiera incluir y en la forma en que quiera hacerlo. Por ejemplo, Guillén nos resume sus intenciones en contraste con las de otros poetas en referencia a los lectores, su número y su calidad:

DE LECTOR EN LECTOR

Con el esteta no invoco
«A la inmensa minoría»,
Ni llamo con el ingenuo
«A la inmensa mayoría».
Mi pluma sobre el papel
Tiene ante sí compañía.

Me dirijo a ti, lector,
hombre con toda tu hombría
que sabes leer y lees
a tus horas poesía...

(Homenaje).

El poeta se dirige a quien lo lea, y quien sea es la referencia del Tú señalada en el poema. El Yo decide, es el dominio; el Tú se incorpora al poema si el Yo lo trae, y en la forma que lo reclame: es el dominado.

La idea de un diálogo con el lector, en la forma que lo desarrolla Guillén en este poema, es falsa, porque ese lector no puede contestar, asumir el Yo en sus turnos. Y no digamos ya en la realidad: el lector, sea mayoría, minoría, o cualquiera que lea, tiene la barrera del poema en cuyo recinto ya no puede entrar nadie. *La hora del lector* ha llegado para el lector real que no pretenda entrar en los límites del poema, porque lo encontrará cerrado, y el *Tú* que en el texto se puede referir al lector es creación ya perfecta del poeta.

No es sólo Salinas, el poeta del tú, el que habla del diálogo creador, o sus críticos que lo consideran poeta dialogante, son otros muchos poetas y críticos los que identifican comunicación e interacción, lenguaje directo y diálogo. Juan de Mairena dice que «quien razona afirma la existencia de un prójimo, la necesidad del diálogo, la posible comunicación mental entre los hombres». Y C. Zardoya (1974) insiste, a partir de estas palabras, que el *Yo* machadiano transciende sus propios límites para reclamar la existencia de un *Tú*. Pero Machado dice textualmente en *Los complementarios:*

> sin salir de mí mismo noto que en mi sentir vibran otros sentires y que mi corazón canta siempre en coro, aunque su voz sea para mí la mejor timbrada. Que lo sea también para los demás, éste es el problema de la expresión lírica.

Ha dado en el centro del tema: de estas afirmaciones no puede deducirse la intención dialogal del poeta; el poeta no dice que quiere dialogar con los demás, ni con sus lectores, dice simplemente que él es la voz de todos, y no pretende incorporarse a un coro general, sino que los demás se incorporen a su voz, porque es la mejor timbrada. Estamos ante un problema de asunción de los demás, no de interacción verbal; se trata de recoger la voz de los otros en la mía, no de darles la palabra en mi poema.

Machado «cuenta» con su voz y desde su visión sus propias ensoñaciones de diálogo con la tarde. No hay diálogo directo, hay

la historia de un diálogo en el poema, como en el caso anterior
de la fuente:

> Pregunté a la tarde de abril que moría:
> ¿al fin la alegría se acerca a mi cara?
> La tarde de abril sonrió: La alegría
> pasó por tu puerta —y luego, sombría:
> pasó por tu puerta. Dos veces no pasa.

Un diálogo directo, sin historia, sin contextualizar por el Yo,
sería:

> —¿Al fin la alegría se acerca a mi cara?
> —La alegría pasó por tu puerta...
> pasó por tu puerta. Dos veces no pasa.

Un diálogo de este tipo directo no suele encontrarse en el discurso lírico; lo más próximo al diálogo es la forma que le da Machado
en su poema, en el que claramente hay un narrador que hace acotaciones de tiempo (la tarde de abril), de contexto situacional (que
moría), de actitud y mímica (sonrió, sombría). El poeta se hace
una pregunta retórica que dirige retóricamente (apelación) a la tarde, a la que ha fijado en un *Tú* que la personifica.

Podemos afirmar, a la vista de lo anterior, que el diálogo de
la lírica, cuando se da en esta forma, está más próximo al diálogo
«referido» del discurso novelesco que al diálogo directo del texto
dramático con sus acotaciones incluidas. Hay una notable diferencia, no obstante, pues el narrador encargado de transmitir los diálogos de los personajes es un ente de ficción al servicio de la historia, hasta el punto de que su ser es su función (con las excepciones
que pueden darse en casos de sincretismo eventual entre narrador
y personajes), mientras que el Yo del poeta es interlocutor, transmisor y tema del diálogo lírico. El narrador está al servicio de la historia que cuenta; el poema está al servicio del Yo expresión del poeta.

La afirmación tópica de que la lírica es un continuo diálogo
del poeta con su entorno debe modificarse y precisar que el poema
es siempre manifestación del poeta en un proceso de expresión, en

cuyo caso no necesita un receptor textual; o un proceso de comunicación, en cuyo caso suele incluir en el mismo discurso un receptor
.textualizado; o un proceso de interacción que suele presentarse como previo al poema y se textualiza como una narración, como un
diálogo referido por el *Yo*.

La expresión del *Yo*, sin la presencia textual del *Tú* y sin diálogos referidos es característica de algunos poetas, por ejemplo de
Valle Inclán, como ha advertido con acierto C. Zardoya. El texto
de los poemas de Valle Inclán tiene la forma de un proceso expresivo y no reclama el *Tú*, ni como receptor de una comunicación,
ni como interlocutor de un diálogo que luego será «narrado» por
el Yo (Zardoya, cit.).

Toda obra literaria es comunicación en cuanto que es un elemento intersubjetivo que va del autor al lector, pero los textos literarios pueden presentarse como procesos expresivos, comunicativos, interactivos, etc., y cada uno de ellos sigue el esquema semiótico que le corresponde, según hemos precisado en un capítulo
anterior.

BIBLIOGRAFÍA

Los títulos que siguen constituyen el apoyo teórico de nuestro estudio. Se incluye la edición manejada y cuando es posible se completa con las referencias a la primera, si la fecha es pertinente para situar la historia.

Acero, J. J. (1977), «El profesor Hintikka y el análisis semántico de las preguntas», en *Teorema*, VII, 2 (págs. 175-185).

Actes du Premier Congrès de l'Association Internationale de Sémiotique (Milán, junio de 1974) (1979), *Panorama sémiotique*, en Chatman, S., y otros, *A semiotic landscape*.

Alas, L. (Clarín) (1912), *Galdós*, Madrid, Renacimiento.

— (1963), *La Regenta*, Barcelona, Planeta.

Albaladejo, T. (1982), «Struttura comunicativa testuale e proposizione performativo-modali», en *Lingua e stile*, XVII, 1 (págs. 113-159).

— (1982b), «Pragmática y sintaxis pragmática del diálogo literario. Sobre un texto dramático del Duque de Rivas», en *Anales de Literatura Española*, I, Universidad de Alicante (págs. 225-247).

— (1984), «Espressione dell'autore e unità comunicativa nella struttura sintattica pragmatica», en *Lingua e stile*, XIX, 1 (págs. 167-174).

Alexandrescu, S. (1985), «L'observateur et le discours spectaculaire», en Parret y Ruprecht (eds.), *Récueil d'hommages pour / Essays in honor of A. J. Greimas*», II, Amsterdam, J. Benjamin (págs. 553-574).

Almansi, G., y Hendersen, S. (1985), «La strategia del grugnito», en Ferroni, G. (ed.), *Il dialogo*, Palermo, Sellerio (págs. 138-149).

Álvarez Sanagustín, A. (1986), «Conversación cotidiana, discurso teatral», en *AES* (ed.), *Investigaciones semióticas*, II, Oviedo (págs. 39-52).

Andrenio (Gómez de Baquero, E.) (1918), *Novelas y novelistas,* Madrid, Calleja.

Andreu, A. G. (1989), *Modelos dialógicos en la narrativa de Benito Pérez Galdós,* Amsterdam/Filadelfia, J. Benjamin.

Andrieu, J. (1954), *Le dialogue antique, structure et présentation,* París, Les Belles Lettres.

Apostel, L. (1980), «Logique de l'action et théorie formelles des dialogues», en Parret, H., y otros, *Le langage en contexte,* Amsterdam, J. Benjamin (págs. 240-275).

Aragone, E. (1961), *Introducción al «Diálogo del amor y un viejo»,* de R. Cota, Florencia, F. Le Monier.

Argyle, M. (1969), *Social interaction,* Londres, Metuen.

— (1979), «Sequences in social behaviour as a function of the situation», en Ginsburg, G. P. (ed.), *Emerging strategies in social Psychological Research,* Chichester, J. Wiley.

— (1981), Furnham, A., y Graham, I. A. (1981), *Social situations,* Cambridge, C.U.P.

Austin, J. L. (1971), *Palabra y acciones. Cómo hacer cosas con palabras,* Buenos Aires, Paidós (1.ª ed. 1962).

Ayala, F. (1990), «Reflexiones sobre la estructura narrativa», en *El escritor y su siglo,* Madrid, Alianza.

Baamonde, G. (1986), «Caracteres generales del diálogo dramático», en *LEA,* VIII (págs. 209-218).

Bádenas, P. (1984), *La estructura del diálogo platónico,* Madrid, CSIC.

Bakhtine, M. (Bajtin) (1970), *L'œuvre de Rabelais et la culture populaire au Moyen Âge et sous la Renaissance,* París, Seuil.

— (1978), *Esthétique et théorie du roman,* París, Gallimard.

— (1982), *Estética de la creación verbal,* México, Siglo XXI.

— (1986), *Problemas de la poética de Dostoievski,* México, Fondo de Cultura Económica.

Bataillon, M. (1980), *«La Célestine» selon Fernando de Rojas,* París, Didier (1961). Recogido en «Tuteo, diálogo y aparte: de la forma al sentido», en Rico, F., *Historia y crítica de la literatura española,* I, *Edad Media,* Barcelona, Crítica (págs. 517-521).

Bauer, G. (1969), *Zur Poetik des Dialogs. Leistung und Formen der Gesprächsführung in der neueren Literatur,* Darmstadt, Wissenschaftl. Buchgesellschaft.

Belleau, A. (1986), «La teoria bachtianiana del dialogismo e le sue implicazioni narratologiche», en Corona, F. (ed.), *Bachtin teorico del dialogo,* Milán, F. Angeli (págs. 284-292).

Benítez Claros, R. (1963), «El diálogo en la poesía medieval», en *Visión de la literatura española,* Madrid, Rialp (págs. 13-32).

Benouis, M. K. (1976), *Le dialogue philosophique dans la littérature française du seizième siècle,* París, Mouton.

Benson, J., y Greaves, W. (1973), *The Language People Really Use,* Ontario, Soc. del libro de Canadá.

Bentley, E. (1982), *La vida del drama,* Barcelona, Paidós.

Benveniste, E. (1970), «L'appareil formel de l'énonciation», en *Langages,* 17 (págs. 12-18). (Incluido en *Problemas de Lingüística General,* II, México, Siglo XXI, 1977.)

Berndt, E. R. (1963), *Amor, muerte y fortuna en «La Celestina»,* Madrid, Gredos.

Beser, S. (1972), *Leopoldo Alas Clarín: teoría y crítica de la novela española,* Barcelona, Laia.

Beuchot, M. (1979), *Elementos de semiótica,* México, UNAM.

Bialostosky, Don H. (1986), «La dialogica come arte del discorso e la critica letteraria», en Corona, F. (ed.), *Bachtin teorico del dialogo,* Milán, F. Angeli (págs. 261-274).

Birdwhistell, R. (1970), *Kinesics and Context,* Filadelfia, Ph. U. P.

Bobes, M. C. (1971), *Las personas gramaticales,* Santiago de Compostela, Universidad.

— (1977), *Gramática textual de «Belarmino y Apolonio»,* Madrid, Cupsa.

— (1985), *Teoría general de la novela. Semiología de «La Regenta»,* Madrid, Gredos.

— (1985b), «Lecturas del *Cántico espiritual* desde la estética de la recepción», en *Simposio sobre San Juan de la Cruz,* Ávila, Secretariado Diocesano Teresiano Sanjuanista (pág. 15-51).

— (1986), «Algunos valores semióticos del Diálogo Narrativo», en *Investigaciones semióticas,* I, *Actas del I Simposio de la AES* (Toledo, junio 1984), Madrid, CSIC (págs. 75-93).

— (1987), *Semiología de la obra dramática,* Madrid, Taurus.

— (1987b), «Valor performativo de los deícticos en el diálogo dramático», en *Diálogos hispánicos de Amsterdam,* 6, *La semiótica del diálogo,* H. Haverkate (ed.) (págs. 165-193).

— (1989), *La semiología,* Madrid, Síntesis.

Bogatyrev, P. (1971), «Les signes du théâtre», en *Poétique,* 8 (págs. 517-530).

Boldori, R. (1974), *Vargas Llosa: un narrador y sus demonios,* Buenos Aires, Cambeiro.

Bonet, L. (1972), *De Galdós a Robbe-Grillet,* Madrid, Taurus.

Borsellino, Nino (1985), «Morfologie del dialogo osceno: «La cazzaria» dell'Arsiccio Intronato», en Ferroni, G. (ed.), *Il dialogo,* Palermo, Sellerio (págs. 110-123).

Bouissac, P. (1973), *La mesure des gestes. Prolégomènes à la sémiotique gestuelle,* La Haya, Mouton.

Brian Morris, C. (ed.) (1989), *Rafael Alberti: Sobre los ángeles. Yo era un tonto y lo que he visto me ha hecho dos tontos,* Madrid, Cátedra.

Buber, M. (1960), *Yo y Tú (Ich und Du,* 1922), Buenos Aires, Nueva Visión.

Burckhardt, J. (1942), *La cultura del Renacimiento en Italia,* Madrid, Iberia.

Burton, D. (1980), *Diologue and Discourse. A sociolinguistic Approach to Modern Drama Dialogue and Naturally Occurring Conversation,* Londres, Routledge and Kegan Paul.

Burunat, S. (1980), *El monólogo interior como forma narrativa en la novela española,* Madrid, Porrúa.

Caprettini, G. P. (1985), en Ferroni, G. (ed.), *Il dialogo,* Palermo, Sellerio (págs. 187-199).

Carlson, L. (1985), *Dialogues Games. An Approach to Discourse Analysis,* Dordrecht, D. Reidel.

Carrasco, F. (1979), «Diálogo, antidiálogo y conciencia de clase en *La Celestina»,* en *Imprevue. Idéologies et pratiques discursives,* 1/2 (págs. 103-118).

Castro Guisasola, F. (1924), «Observaciones sobre las fuentes literarias de *La Celestina»,* Madrid, *RFE.*

Chaytor, H. J. (1980), *From script to print. An introduction to medieval literature,* Cambridge, Heffer (1945). Traducción y selección titulada «Verso y prosa. Literatura para oír y literatura para ver», se incluye en Rico, F., *Historia y crítica de la literatura española,* I, *Edad Media,* Barcelona, Crítica (págs. 37-40).

Chicharro, D. (1980), *Orígenes del teatro. «La Celestina». El teatro prelopista,* Madrid, Cincel.

Cohen, A. J. (1985), «Prolégomènes à une sémiotique du monologue», en Parret y Ruprecht (eds.), *Récueil d'hommages pour / Essays in* honor of A. J. Greimas, Amsterdam, J. Benjamin, I (págs. 149-160).

Corona, F. *(a cura di)* (1986), *Bachtin teorico del dialogo,* Milán, F. Angeli.

Cosnier, J., y Kerbrat-Orecchioni, C. (dirs.) (1987), *Décrire la conversation,* Lyon, Presses Universitaires de Lyon.

— y otros (eds.) (1988), *Échanges sur la conversation,* París, CNRS.

Cota, R. (1961), *Diálogo entre el amor y un viejo,* Florencia, F. Le Monier.

Cowes, H. (1965), *Relación yo-tú y trascendencia en la obra dramática de Pedro Salinas,* Buenos Aires, Facultad de Filosofía y Letras.

Criado de Val, M., y Trotter, G. D. (eds.) (1958), *Tragicomedia de Calixto y Melibea,* Madrid, Clásicos Hispánicos.

Critchley, M. (1939), *The language of gesture,* Londres, A. Arnold.

Cueto, M. (1986), «La función mediadora del aparte, el monólogo y la apelación al público en el discurso teatral», en *AES* (ed.), *Investigaciones semióticas,* II, Oviedo, Universidad (págs. 515-529).

— (1986b), «La doble enunciación del texto dramático», *LEA,* VIII (págs. 195-207).

Danziger, K. (1976), *Interpersonal Communication,* Oxford, Pergamon Press.

Dascal, M. (ed.) (1985), *Dialogue. An interdisciplinary approach,* Amsterdam-Filadelfia, J. Benjamin.

Deschoux, M. (1956), *L'homme et son prochain,* 32, París, PUF.

Diálogos Hispánicos (1987), 6, *Semiótica del diálogo,* Amsterdam, Universidad.

Díaz Roig, M. (1984), *El romancero viejo,* Madrid, Cátedra.

Diccionario de Autoridades (1984), Madrid, Gredos (Ed. facsímil).

Diccionario de la lengua española (1984), Madrid, RAE.

Dijk, T. A. van (1980), *Texto y contexto. Semántica y pragmática del discurso,* Madrid, Cátedra.

— (1980b), *Estructuras y funciones del discurso: una introducción interdisciplinaria a la lingüística del texto y a los estudios del discurso,* México, Siglo XXI.

— (1983), *La ciencia del texto: un enfoque interdisciplinario,* Barcelona, Paidós.

— (1984), *Prejudice in Discourse: An Analysis of Ethnic Prejudice in Cognition and Conversation,* Amsterdam, J. Benjamin.

Diller, A. M., y Recanati, F. (eds.) (1979), *La pragmatique, Langue française,* 42.

Dodd, W. N. (1981), «Conversation, Dialogue and Exposition», en *Strumenti Critici,* 44 (págs. 171-191).

Doležel, L. (1986), «Semiotics of Literary Communication», en *Strumenti Critici,* 1 (págs. 5-48).

— (1979), «In Defense of Structural Poetics», en *Poetics,* 8 (págs. 521-530).

Doubrowsky, S. (1962), *Corneille et la dialectique du héros,* París, Gallimard.

Dougherty, D. (1986), «El lenguaje del silencio en el teatro de García Lorca», *Actas del coloquio celebrado en la casa de Velázquez,* 13-14, III, *Valoración actual de la obra de García Lorca.*

Dressler, W. (1974), *Introduzione alla linguistica del testo,* Roma, Officina.

Ducrot, O. (1982), *Decir y no decir. Principios de semántica lingüística,* Madrid, Anagrama (1.ª ed. francesa de 1972).

— y otros (1973), *La preuve et le dire. Langage et logique,* París, Mame.

Durand, G. (1981), *Estructuras antropológicas de lo imaginario. Introducción a la arquetipología general,* Madrid, Taurus.

Durrer, S. (1990), «Le dialogue romanesque: essai de typologie», en *Pratiques,* 65 (págs. 37-62).

Eco, U. (1976), *A Theory of Semiotics,* Bloomington, Indiana U. P.

— (1977), *Tratado de semiótica general,* Barcelona, Lumen.

— (1981), *Lector in fabula: la cooperación interpretativa en el texto narrativo,* Barcelona, Lumen.

— (1990), *Semiótica y filosofía del lenguaje,* Barcelona, Lumen.

Elam, K. (1978), «Appunti sulla deisi, l'anafora e le transformazione nel testo e sulla scena», en Serpieri, A., y otros, *Come comunica el teatro: del testo alla scena,* Milán, Il Formichiere (págs. 97-108).

Ermilli, M. (1975), «Pirandello e il problema del linguaggio teatrale», en *Lingua e stile,* 2 (págs. 275-309).

Escandell Vidal, M. V. (1984), «La interrogación retórica», en *Dicenda. Cuadernos de filología hispánica,* 3, Madrid, Facultad de Filología, Universidad Complutense (págs. 9-37).

Fava, E. (1987), «Note su forme grammaticali e atti di manda in italiano», en *Lingua e Stile,* XXII, 1 (págs. 31-49).

Ferreras, J. (1985), *Les dialogues espagnols du XVIème siècle ou l'expression littéraire d'une nouvelle conscience,* París, Didier.

Ferroni, G. *(a cura di)* (1985), *Il dialogo. Scambi e passaggi della parola,* Palermo, Sellerio.

Fischer, B. A. (1978), *Perspectives on Human Communication,* Nueva York-Londres, Macmillan.

Fischer-Lichte, E. (1984), «The Dramatic Dialogue, Oral or Literary Communication?», en Schmid y Van Kesteren (eds.), *Semiotics of Dramma and Theatre,* Amsterdam-Filadelfia, J. Benjamin (págs. 137-173).

Forest, A. (1956), *L'homme et son prochain,* 210, París, PUF.

Forster, E. D. (1983), *Aspectos de la novela,* Madrid, Debate (1.ª ed. inglesa de 1923).

Gadamer, H. G. (1977), *Verdad y método. Fundamentos de una hermenéutica filosófica,* Salamanca, Sígueme.

Galmés, Á. (1976), «La invocación a sí mismo: "Yo soy Alí", "Yo soy Ruy Díaz"», en *Épica árabe y épica hispánica,* Barcelona, Ariel.

García Berrio, A. (1980), «Lingüística, literalidad, poeticidad (Gramática, Pragmática, Texto)», en *1616. Anuario de 1979,* II (págs. 125-168).

— y Vera Luján, A. (1977), *Fundamentos de teoría lingüística,* Madrid, Comunicación.

García Lorenzo, L. (1975), «Elementos paraverbales en el teatro de A. Buero Vallejo», en Díez Borque (ed.), *Semiología del teatro,* Barcelona, Planeta.

Garcilaso de la Vega (1989), *Poesías castellanas completas,* Ed. de Elías L. Rivers, Madrid, Castalia.

Garfinkel, H. (1967), *Studies in Ethnomethodology,* Prentice Hall, Englewood Cliffs, N. J.

Garrido Gallardo, M. A. (1982), *Estudios de semiótica literaria: tendencias de la crítica en la actualidad vistas desde España,* Madrid, CSIC (Anejos de la *Revista de Literatura,* 40).

— (comp.) (1988), *Teoría de los géneros literarios,* Madrid, Arco Libros.

Garvey, C. (1977), «The contingent query: a dependent act in conversation», en M. Levis y L. A. Rosenbaum (eds.), *Interaction, conversation and development of language,* Nueva York, Academic Press (páginas 63-93).

Gelas, N. (1988), «Dialogues authentiques et dialogues romanesques», en J. Cosnier y otros (ed.), *Echanges sur la conversation,* CNRS, París.

Genette, G. (1972), *Figures III,* París, Seuil. Traducción española *Figuras III,* Barcelona, Lumen (1989).

Gil, A. (1987), «La veraçidad del diálogo literario», en *Diálogos hispánicos de Amsterdam,* 6, *La semiótica del diálogo,* H. Haverkate (ed.) (págs. 119-148).

Gilman, S. (1974), *«La Celestina»: arte y estructura,* Madrid, Taurus.

— (1978), *La España de Fernando de Rojas. Panorama intelectual y social de «La Celestina»,* Madrid, Taurus.

Goffman, E. (1955), «On Fact-Work: An Analysis of Ritual Elements in Social Interaction», *Psychiatry,* XVIII, 3.

— (1970), *Ritual de la interacción,* Buenos Aires, Tiempo Contemporáneo.

— (1973), *La mise en scène de la vie quotidienne: les relations en public,* París, Minuit.

— (1979), *Relaciones en público. Microestudios del orden público,* Madrid, Alianza.

— (1981), *Forms of Talk,* Filadelfia, Pensilvania U. P.

— (1987), *La presentación de la persona en la vida cotidiana,* Madrid, H. F. Martínez de Munguía.

Goldin, D. (1985), «Monólogo, diálogo y «disputatio» nella «commedia elegiaca», en Ferroni, G. (ed.), *Il dialogo,* Palermo, Sellerio (págs. 72-86).

Goldschmidt, V. (1947), *Les dialogues de Platon. Structure et méthode dialectique,* París, Presses Univ.

Gómez, J. (1988), *El diálogo en el Renacimiento español,* Madrid, Cátedra.

Gómez de Baquero, E. (Andrenio) (1918), *Novelas y novelistas,* Madrid, Calleja.

Gordon, D., y Lakoff, G. (1973), «Postulats de conversation», en *Langages,* 30 (págs. 32-55).

Gregory, M., y Carroll, S. (1986), *Lenguaje y situación: variantes del lenguaje y sus contextos sociales,* México, F.C.E.

Greimas, A. J. (1976), *Sémiotique et Sciences sociales,* París, Le Seuil.

— y Courtez, J. (1982), *Semiótica. Diccionario razonado de la teoría del lenguaje,* Madrid, Gredos.

Grewendorf, G. (1983), «What Answers can be given?», en J. Hintikka y J. Kulas (eds.), *The game of Language. Studies in Game-Theoretical Semantics and its Applications,* Boston, Dordrecht.

Grice, H. P. (1975), «Logic and Conversation», en Cole, P., y Morgan, J. (eds.), *Syntax and Semantics,* III, Nueva York, Academic Press (págs. 41-58).

Grunig, B. N. (1981), «Plusieurs pragmatiques», en *Revue de Linguistique,* 25, DRLAV.

Guespin, L. (1976), «Les embrayeurs en discours», en *Langages,* 41 (págs. 47-48).

Guillén, C. (1988), *El primer siglo de oro. Estudios sobre géneros y modelos,* Barcelona, Crítica.

Guillot, J. (1962), *La dynamique de l'expresion et de la communication, La voix, la parole, les mimiques et gestes auxiliaires,* París-La Haya, Mouton.

Gulli-Pugliatti, P. (1978), «Prova di segmentazione di due brani drammatici a verifica della proposta de découpage in orientamenti deittici formulata da A. Serpieri», en Serpieri y otros, *Come comunica il teatro: dal testo alla scena,* Milán, Il Formichiere (págs. 81-91).

— (1978b), «Contributo al processo di segmentazione del texto drammatico in orientamenti deittico-performativi come verifica di ulteriori sopraelevazioni connotative», en Serpieri y otros, *Come comunica il teatro: dal testo alla scena,* Milán, Il Formichiere.

Gullón, G. (1983), «El discurso literario: entre el monólogo y el diálogo (Cela, Massip, Delibes)», en *Serta Philologica F. Lázaro Carreter,* II, Madrid, Cátedra (págs. 233-234).

Gullón, R. (1970), «Estructura y diseño en *Fortunata y Jacinta»,* en, *Técnicas de Galdós,* Madrid, Taurus (págs. 135-220).

Hall, E. T. (1989), *El lenguaje silencioso,* Madrid, Alianza.

Hamburger, K. (1973), *The Logic of Literature,* Bloomington y Londres, Indiana U. P.

Hamon, P. (1977), «Texte littéraire et métalangage», en *Poétique,* 31 (págs. 261-284).

— (1981), *Introduction à l'analyse du descriptif,* París, Hachette.

Harrah, D. (1985), «Logic for rational dialogue», en M. Dascal (ed.), *Dialogue: An Interdisciplinary Approach,* Amsterdam, J. Benjamin (págs. 125-133).

Harss, L. (1966), «Vargas Llosa o los vasos comunicantes», en *Los nuestros,* Buenos Aires, Sudamericana (págs. 420-462).

Harweg, G. (1971), «Quelques problèmes de la constitution monologique et dialogique des textes», en *Semiotica,* IV, 2 (págs. 127-148).

Haverkate, H. (1984), *Speech Acts, Speakers and Hearers: Reference and Referential Strategies in Spanish,* Amsterdam, J. Benjamin.

— (1987), «La cortesía como estrategia conversacional», en *Diálogos hispánicos de Amsterdam,* 6, *Semiótica del diálogo,* H. Haverkate (ed.) (págs. 27-79).

Hayakawa, S. I. (1967), *El lenguaje en el pensamiento y en la acción,* México, UTEHA.

Hegel, F. W. (1948), *Poética,* Buenos Aires, Espasa-Calpe, col. Austral (2.ª ed.).

Helbo, A. (1983), *Les mots et les gestes. Essai sur le théâtre,* Lille, P. U. L.

Hess-Luttich, E. W. B. (1980), *Literatur und Konversation,* Wiesbaden, Akademische Verlagsgesellschaft Athenaion.

— (ed.) (1985), *Multimedial Communication,* vol. II, *Theatre Semiotics,* Tübingen, Gunter Narr.

— (1985), «Dramatic Discourse», en Dijk, T. van, *Discourse and Literature (Critical Theory),* III, Amsterdam, J. Benjamin.

Heugas, P. (1981), «¿*La Celestina,* novela dialogada?», en *Seis lecciones sobre la España de los Siglos de Oro. Homenaje al Profesor M. Bataillon,* Sevilla/Burdeos, Universidad (págs. 159-177).

Hintikka, J. (1972), «Semantics of Modal Notions on the Indeterminacy of Ontology», en Davidson, D., y Harman, G. (eds.), *Semantics of Natural Language,* Boston, Dordrecht.

— (1974), «Questions about questions», en M. Munitz y P. Unger (eds.), *Semantics and Philosophy,* New York University Press (págs. 103-158).

— (1975), «Quine on Quantifying in Dialog», en *The Intentions of Intentionality and Other Models for Modalities,* Boston, Dordrecht.

— (1976), *Lógica, juegos del lenguaje e información,* Madrid, Tecnos.

— (1976b), *The Semantic of Questions and the Question of Semantics,* en *Acta Philologica Fennica,* 28, Amsterdam, North Holland.

— (1979), *Saber y creer,* Madrid, Tecnos.

— y otros (1980), *Ensayos sobre explicación y comprensión,* Madrid, Alianza.

Hirzel, R. (1963), *Der Dialog,* Hildesheim, G. Olms Verlag.

Honzl, J. (1971), «La mobilité du signe théâtral», en *Travail théâtral,* 4 (págs. 177-188).

Huerta Calvo, J. (1987), «El diálogo en el centro de la poética: Bajtin. Ensayo de una bibliografía crítica», en *Diálogos hispánicos,* 6 (págs. 196-218).

Huglo, M. P. (1987), «Sémantique linguistique et sociocritique: la question de la présupposition dans l'anecdote contemporaine», en *Imprevue,* I (págs. 89-105).

Ingarden, R. (1971), «Les fonctions du langage au théâtre», en *Poétique,* 8 (págs. 531-538).

Iribarren Borges, I. (1981), *Escena y lenguaje. Sobre teatro, poesía y narrativa,* Caracas, Monte Ávila.

Iser, W. (1987), *El acto de leer (Teoría del efecto estético),* Madrid, Taurus.

Jacques, F. (1979), *Dialogiques. Recherches logiques sur le dialogue,* París, P. U. F.

— (1983), «La mise en communauté de l'énonciation», en *Langages,* 70, París, Larousse (págs. 47-71).

— (1985), «Du dialogisme à la forme dialoguée: sur les fondements de l'approche pragmatique», en Dascal, M. (ed.), *Dialogue. An Interdisciplinary Approach,* Amsterdam/Filadelfia, J. Benjamin (págs. 27-56).

Jaffe, J., y Feldstein, S. (1970), *Rhythms of Dialogue,* Nueva York/Londres, Academic Press.

Jakubinski, L. P. (1979), «On verbal dialogue», en *Dispositio,* IV, 11-12 (págs. 321-336).

Jefferson, G. (1978), «Sequential Aspects of Storytelling in Conversation», en Schenkein, J. (ed.), *Studies in the Organization of Conversational Interaction,* Nueva York, Academic Press.

Jones, L. (1983), *Pragmatic Aspects of English Text Structure,* Dallas, Summer Institute of Linguistics.

Jones-Davies, M. T. (ed.) (1984), *Le dialogue au temps de la Renaissance,* París, J. Touzot.

Kennedy, A. K. (1983), *Dramatic Dialogue. The duologue of personal encounter,* Londres, Cambridge University Press.

— (1985), «Writen versus Spoken Dialogue», en *Proceeding of the Xth Congres of the International Comparative Literature Association, 1982,* I, Londres-Nueva Yor, Garland, P.

Kerbrat-Orecchioni, C. (1980), *L'énonciation de la subjectivité dans le langage,* París, Colin.

— (1985), «Le dialogue théâtral», en *Mélanges de langue et de littérature, Fç. offerts à P. Larthomas,* París, Ec. Norm. Sup. Jeunes Filles, 26.

Klammer, T. P. (1973), «Foundations for a Theory of Dialogue Structure», en *Poetics,* 9 (págs. 27-64).

Knapp, M. L. (1982), *La comunicación no-verbal: el cuerpo y el entorno,* Barcelona, Paidós.

Kowzan, T. (1968), «Le signe au théâtre», en *Diogène,* 61 (págs. 59-90).

Kristeva, J. (1978), «La palabra, el diálogo y la novela», en *Semiótica I,* Madrid, Fundamentos.

— (1978b), «El gesto ¿práctica o comunicación?», en *Semiótica,* Madrid, Fundamentos.

Krysinski, W. (1986), «Polifonia e dialogismo nel romanzo moderno», en Corona, F. (ed.), *Bachtin teorico del dialogo,* Milán, F. Angeli (págs. 211-228).

Lane-Mercier, G. (1989), *La parole romanesque,* París/Ottawa, Klincsieck/PUO.

— (1989b), «Pour un statut sémiotique du dialogue romanesque», en *Versus,* 54 (págs. 43-58).

— (1990), «Pour une analysse du dialogue romanesque», en *Poétique,* 81 (págs. 45-52).

Lang, E. (1972), «Quand une 'grammaire de texte' est-elle plus adéquate qu'une 'grammaire de phrase'»?, en *Langages,* 26 (págs. 75-80).

Lapesa, R. (1968), *La trayectoria poética de Garcilaso,* Madrid, Rev. de Occidente (1.ª ed. 1948).

Laroche-Bouvy, D. (1985), «Dialogue et conversation», en P. Perron (ed.), *Le dialogue,* Ottawa, Dider (págs. 7-14).

Larthomas, P. (1972), *Le langage dramatique, sa nature, ses procédés,* París, Colin.

Latella, G. (1986), «Notas para un enfoque semiótico de la interacción», en *LEA,* VIII, Madrid (págs. 169-175).

Lavedrine, J. (ed.) (1980), *Essai sur le dialogue,* Grenoble, Publ. de l'Univ. de Langues et Lettres.

Laver, J. (1975), «Communicative functions in phatic communion», en A. Kendon, R. M. Harris y R. M. Kay (eds.), *Organizations of behavior in face-to-face interaction,* La Haya, Mouton (págs. 215-238).

Lázaro, F. (1976), *Teatro medieval,* Madrid, Castalia (4.ª ed.).

— (1976b), *Estudios de poética (La obra en sí),* Madrid, Taurus.

— (1980), «La obra como fenómeno comunicativo», en *Estudios de lingüística,* Barcelona, Crítica.

Leclaire, A. (1979), «*La cantatrice chauve.* Scènes d'exposition et presupposition», en *Pratiques,* 24, «Théâtre» (págs. 3-10).

Léon, P. y Perron, P. (eds.) (1985), *Le dialogue,* Otawa, Dider.

Levin, S. E. (1975), «Concernig what Kind of Speech Act a Poem is», en T. A. Dijk (ed.), *Pragmatics of Language and Literature,* Amsterdam/Nueva York/Oxford (págs. 141-160).

Levinson, S. C. (1981), «The esential inadequacies of speech act models of dialogue», en Parret, H., y otros, *Posibilities and limitations of pragmatics* (Studies in language companion series, 7), Amsterdam, Benjamin (págs. 473-492).

— (1989), *Pragmática,* Barcelona, Teide.

Levi-Valensi, E. A. (1965), *El diálogo psicoanalítico,* México, FCE.

Lida de Malkiel, M. R. (1970), *La originalidad artística de «La Celestina»,* Buenos Aires, Eudeba (1.ª ed. 1962).

Lintvelt, J. (1981), *Essai de typologie narrative: le «point de vue»,* París, Corti.

Lips, M. (1920), *Le style indirect libre,* París, Payot.

Longacre, R. E. (1976), *An Anatomy of Speech Notions,* Lisse, The Rider.

— (1983), *The Grammar of Discourse,* Nueva York, Plenum Press.

López Estrada, F. (1987), *Introducción a la literatura medieval,* Madrid, Gredos (1.ª ed. 1952).

Lorenzen, P. (1970), *Lógica formal,* Buenos Aires, Ed. Científicas.

Lotman, J. M. (1975), *La structure du texte artistique,* París, Gallimard.

Lozano, J., Peña-Marín, C., y Abril, G. (1982), *Análisis del discurso. Hacia una semiótica de la interacción textual,* Madrid, Cátedra.

Lucas, L. (1969), *Dialogsstrukturen und ihre szenischen Elemente im deutschsprachen Drama des 20 Jahrhunderts,* Bonn, Bouvier.

Maffesoli, M. (1985), «Dialogo e socialità», en Ferroni, G. (ed.), *Il dialogo,* Palermo, Sellerio (págs. 219-227).

Maingenau, D. (1981), *Approche de l'énonciation en linguistique française. Embrayeurs. «Temps». Discours rapporté,* París, Hachette.

Man, P. de (1990), *La resistencia a la teoría,* Madrid, Visor.

Maravall, J. A. (1964), *El mundo social de «La Celestina»,* Madrid, Gredos.

Marinis, M. de (1982), *Semiotica del teatro: L'analisi testuale dello spettacolo,* Milán, Bompiani.

Marsch, D. (1980), *The Qattrocento dialogue. Classical tradition and Humanist Innovation,* Harvard, Univ. Press.

Mathiot, M. (1978), «Toward a Frame of Reference for the Analysis of Face-to-Face Interaction», en *Semiotica,* 24, 3/4 (págs. 199-220).

Mehan, H. y Wood, H. (1975), *The Reality of Ethnomethodology,* Nueva York, Wiley.

Meneghetti, M. L. (1985), «Dialogo, intertestualità e semantica poetica. Un esempio: Mario Equicola e la lirica provenzale», en Ferroni, G. (ed.), *Il dialogo,* Palermo, Sellerio (págs. 87-100).

Menéndez Pelayo, M. (1947), *Orígenes de la novela (O. C.),* Santander, Ed. Nacional. La parte correspondiente a *La Celestina* fue publicada en un tomo por Espasa-Calpe, Col. Austral.

Menéndez Pidal, R. (1953), *Romancero hispánico. Teoría e historia,* Madrid.

— (1989), *Flor nueva de romances viejos,* Madrid, Espasa-Calpe (32.ª ed.).

Meo-Zilio, G. (1961), «Consideraciones generales sobre el lenguaje de los gestos», en *Boletín de Filología,* XII, Santiago de Chile, Editorial Universitaria.

— y Mejía, S. (1980-83), *Diccionario de gestos,* I (A-H) y II (I-Z), Bogotá, Inst. Caro y Cuervo.

Merquior, J. E. (1986), *From Prague to Paris,* Londres, Verso.

Merril, E. (1969), *The Dialogue in English Literature,* Hamden, Archon Books (1.ª ed. 1911).

Mignolo, W. (1987), «Diálogo y conversación», en *Diálogos hispánicos,* 6, *La semiótica del diálogo,* H. Haverkate (ed.) (págs. 3-26).

Minguenau, D. (1980), *Introducción a los métodos de análisis del discurso. Problemas y perspectivas,* Buenos Aires, Hachette.

Mitterand, H. (1973), «Fonction narrative et fonction mimétique», en *Poétique,* 16 (págs. 477-490).

Moliner, M. (1975), *Diccionario de uso del español,* Madrid, Gredos.

Morgan, Ch. (1953), «Dialogue in Novels and Plays», en *Études Anglaises,* París, Didier (págs. 88-108).

Morón Arroyo, C. (1974), «Sobre el diálogo y sus funciones literarias», en *Sentido y forma de «La Celestina»,* Madrid, Cátedra (págs. 37-57).

Mortara Garavelli, B. (1989), *Manuale di retorica,* Milán, Bompiani.

Mounin, G. (1972), «La comunicación teatral», en *Introducción a la semiología,* Barcelona, Anagrama.

Mukařovski, J. (1975), «Zum heutigen Stand einer Theorie des Theaters», en Kesteren, A. V., y Schmid, H. (eds.), *Moderne Dramentheorie,* Kronberg (págs. 76-95).

— (1977), «Two Studies of Dialogue», en *The World and Verbal Art,* New Haven and London, Yale U. P. (págs. 81-115).

Mulas, L. (1982), «La scrittura del dialogo. Teorie del dialogo tra cinque e seicento», en G. Cerina y otros (eds.), *Oralità e scrittura nel sistema letterario,* Roma, Bulzoni (págs. 245-263).

Muñoz Cortés, M. (1972), «El uso del pronombre "yo" en el *Poema del Cid*», en *Studia Hispanica in honorem R. Lapesa,* II, Madrid (págs. 379-397).

Murphy, J. J. (1986), *La retórica en la Edad Media: historia de la teoría retórica desde San Agustín hasta el Renacimiento,* México, FCE.

Nef, F. (1985), «Polifonía, dialogo e dialogo interiorizzato», en Ferroni, G. (ed.), *Il dialogo,* Palermo, Sellerio (págs. 177-186).

Negri, A. (1985), «Dialogo e consenso», en Ferroni. G. (ed.), *Il dialogo,* Palermo, Sellerio (págs. 228-242).

Nicol, E. (1963), *Psicología de las situaciones vitales,* México, FCE.

Nodar Manso, F. (1985), *La narratividad de la poesía lírica galaicoportuguesa (I. Estudio analítico; II. Antología narrativa),* Kassel, Reichenberger.

Oviedo, J. M. (1977), *Mario Vargas Llosa. La invención de una realidad,* Barcelona, Barral.

— (1981), *Mario Vargas Llosa. El escritor y la crítica,* Madrid, Taurus.

Paduano, G. (1985), «Il cuore diviso a metà. La comunicazione dell'io nella poesia ellenistica», en Ferroni, G. (ed.), *Il dialogo,* Palermo, Sellerio (págs. 33-46).

Panofski, E. (1967), *Essais d'iconologie,* París, Gallimard.

Pardo Bazán, E. (1970), *La cuestión palpitante,* Salamanca, Anaya.

Pareyson, L., *Estetica della performatività,* Milán, Bompiani.

Parker, A. A. (1974), «Temas e imágenes en la *Égloga I*», en E. L. Rivers (ed.), *La poesía de Garcilaso,* Barcelona, Ariel.

Parret, H. (ed.) (1980), *Le langage en contexte. Études philosophiques et linguistiques de pragmatique,* Amsterdam, Benjamin.

— (1983), «L'énonciation en tant que déictisation et modélisation», en *Langages,* 70 (págs. 83-97).

Pavis, P. (1976), *Problèmes de sémiologie théâtrale,* Quebec, P. U. Q.

— (1980), «Vers une esthétique de la reception théâtrale», en Bourgy, V. y Durand, R. (eds.), *La relation théâtrale,* P. U. Lille.

Perelman, Ch. (1970), *Traité de l'argumentation. La nouvelle rhétorique*, Éditions de l'Institut de Sociologie devenues Éditions de l'Université de Bruxelles.

— y Olbrechts-Tyteca, L. (1989), *Tratado de la argumentación: La nueva retórica*, Madrid, Gredos.

Pérez Bowie, J. A. (1990), «Géneros y perspectivismo en *La velada de Benicarló»*, en *Ínsula*, 526.

Pérez Galdós, B. (1975), *Novelas (O. C.)*, Madrid, Aguilar.

— (1976), *La incógnita*, Madrid, Taurus.

— (1983), *El abuelo*, Madrid, Hernando (12.ª ed.).

— (1983b), *Fortunata y Jacinta*, Madrid, Cátedra.

— (1985), *La desheredada*, Madrid, Alianza.

— (1990), *Ensayo de crítica literaria* (Selección, introducción y notas de Álvaro Bonet), Barcelona, Península (1.ª ed. 1972).

Pérez Gallego, C. (1986), «Semiótica de la novela y sistema dialogal», en M. A. Garrido (ed.), *Teoría semiótica. Lenguaje y textos hispánicos*, Madrid, CSIC.

— (1988), *El diálogo en la novela*, Madrid, Península.

Perniola, M. (1985), «Dal dialogo al transito», en Ferroni, G. (ed.), *Il dialogo*, Palermo, Sellerio (págs. 243-252).

Piccinato, S. (1985), «Per una lettura dialogica del romanzo jamesiano», en Ferroni, G. (ed.), *Il dialogo*, Palermo, Sellerio (págs. 124-137).

Polan, D. B. (1983), «The Text between Monologue and Dialogue», en *Poetics Today*, IV, 1 (págs. 145-152).

Popovici, V. (1984), «Is the stage-audience relationship a form of dialogue?», en *Poetics*, 13, 1/2 (págs. 111-118).

Poyatos, F. (1972), «Paralenguaje y kinésica del personaje novelesco. Nueva perpectiva en el análisis de la narración», en *Revista de Occidente*, 113-114, Madrid (págs. 148-170).

— (1976), «Nueva perspectiva en la narración a través de los repertorios extraverbales del personaje», en Sanz Villanueva, S., y Barbachano, C. J., *Teoría de la novela*, Madrid, SGEL (págs. 353-383).

Pratt, M. L. (1977), *Toward a Speech-Act Theory of Literary Discourse*, Bloomington, Indiana U. P.

Prince, G. (1978), «Le discours attributif et le récit», en *Poétique*, 35 (págs. 305-313).

Recanati, F. (1981), *Les énoncés performatifs*, París, Minuit.

— (1981b), *La transparencia y la enunciación. Introducción a la pragmática,* Buenos Aires, Hachette.

Reckert, S. (1976), «La textura verbal de *La Celestina»,* en *Medieval Studies presented to Rita Hamilton,* Londres, Támesis.

Revzina, O., y Revzin, I. (1971), «Expérimentation sémiotique chez Eugène Ionesco», en *Semiotica,* 4 (págs. 240-262).

— (1975), «A semiotic experiment on stage: The violation of the postulate of normal communications as a dramatic device», en *Semiotica,* 14 (páginas 245-268).

Reyes, G. (1984), *Polifonía textual,* Madrid, Gredos.

Ricoeur, P. (1987), *Tiempo y narración* (2 vols.), Madrid, Cristiandad.

— (1990), *Soi-même comme un autre,* París, Seuil.

Rickert, H. (1922), *Ciencia cultural y ciencia natural,* Madrid, Espasa-Calpe.

Riffaterre, M. (1976), *Ensayos de estilística estructural,* Barcelona, Seix Barral.

Riquer, M. de (1957), «Fernando de Rojas y el primer acto de *La Celestina», RFE,* XLI (págs. 373-395).

Rivers, E. L. (1974), «La *Égloga III* y la paradoja del arte natural», en E. L. Rivers (ed.), *La poesía de Garcilaso,* Barcelona, Ariel.

Rodríguez Puértolas, J. (1976), «*La Celestina* o la negación de la negación», en *Literatura, historia, alienación,* Barcelona, Labor.

Rojas, M. (1981), «Tipología del discurso del personaje en el texto narrativo», en *Dispositio,* V-VI, 1980-81 (págs. 19-55).

Romera Castillo, J. (1977), *El comentario de textos semiológico,* Madrid, Soc. Gral. de Librería («Temas»).

Roulet, E. (ed.) (1980), *Actes de langage et structure de la conversation, Cahiers de linguistique française,* 1, Université de Genève.

— (ed.) (1981), «Les différents types de marqueurs et la détermination des fonctions des actes de langage en contexte», en *Actes du Colloque de Pragmatique de Genève, Cahiers de linguistique française,* 1, Université de Genève.

Runcan, A. (1877), «Propositions pour un approche logique du dialogue», en *Versus* (págs. 13-26).

Russell, B. (1983), *El conocimiento humano,* Barcelona, Orbis.

Rutelli, R. (1985), «Strutture temporalli e rapporto enunciato/enunciazione nella logica drammatica», en Ferroni, G. (ed.), *Il dialogo,* Palermo, Sellerio (págs. 160-176).

Saboye, J. (1985), «Les dialogues espagnols du xvi siècle ou l'expression d'une nouvelle conscience», París, Didier.

— (1986), «Del diálogo humanístico a la novela», en *Homenaje a José Antonio Maravall,* Madrid, Centro de Investigaciones Sociológicas (págs. 357-358).

Sacks, H., Schegloff, E., y Jefferson, G. (1974), «A simplest systematics for the organization of Turn-taking in conversation», en *Langage,* 50 (págs. 696-735).

Saint-Victor (1943), *Las dos carátulas,* Buenos Aires, Gil.

Sala Di Felice, E., y Delogu, M. (1986), «Teatro e dialogo: il drama giocoso (Don Giovanni)», en Corona, F. (ed.), *Bachtin teorico del dialogo,* Milán, Franco Angeli (págs. 293-306).

Salinas, P. (1948), *Aprecio y defensa del lenguaje,* San Juan de Puerto Rico, Universidad.

Salvestroni, S. (1986), «Il dialogo, il confine, il cronotopo nel pensiero di Michail Bachtin», en *Bachtin teorico del dialogo,* Milán, Franco Angeli (págs. 17-34).

— (1986b), «La teoria del dialogo bachtiniana e il mondo scientifico e umanistico contemporaneo: un dialogo aperto», en Corona (ed.), *Bachtin teorico del dialogo,* Milán, Franco Angeli (págs. 176-192).

Sánchez, R. (1974), *El teatro en la novela: Galdós y Clarín,* Madrid, Ínsula.

Sánchez Sánchez-Serrano, A. (1988), *Mensaje de «La Celestina»: análisis de un proceso de comunicación diferida,* Madrid, Univ. Complutense.

— y Prieto de la Iglesia, M.ª R. (1971), *Solución razonada para las principales incógnitas de «La Celestina»,* Madrid.

Saraiva, A. (1974), «Message et littérature», en Poétique, 17 (págs. 1-13).

Schegloff, E. A. y Sacks, H. (1973), «Opening and Closings», en *Semiotica,* 8, 4 (págs. 289-327).

Schenkein, N. (1978), *Studies on the Organization of Conversational Interaction,* Nueva York, Dpt. of Sociology, Queen College, Flusing.

Schlegel, A. W. (1846), *A Course of Lectures on Dramatic Art and Literature,* Londres, H. G. Bohn.

Schlesinger, J. M. (1974), «Toward a structural analysis of discussions», en *Semiotica,* 11, 2 (págs. 109-122).

Schlieben-Lange, B. (1987), *Pragmática lingüística,* Madrid, Gredos.

Scrivano, R. (1985), «Nelle pieghe del dialogare bembesco», en Ferroni, G. (ed.), *Il dialogo,* Palermo, Sellerio (págs. 101-109).

Searle, J. R. (1975), «Una taxonomía de los actos ilocucionarios», en *Teorema,* Valencia.

— (1977), «¿Qué es un acto de habla?», en *Cuadernos de la Revista Teorema.*

— (1977b), «Actos de habla indirectos», en *Teorema,* VII, 1 (págs. 23-53).

— (1980), *Actos de habla. Ensayo de Filosofía del lenguaje,* Madrid, Cátedra.

— (1982), *Sens et expression. Étude de théorie des actes de langage,* París, Minuit.

Segre, C. (1984), *Teatro e romanzo. Due tipi di comunicazione letteraria,* Turín, Einaudi.

— (1985), *Principios de análisis del texto literario,* Barcelona, Crítica.

— (1985b), «Il dialogismo nel romanzo medievale», en Ferroni (ed.), *Il dialogo,* Palermo, Sellerio (págs. 63-71).

Serpieri, A. (1980), «La retorica a teatro», en *Strumenti critici,* 41 (págs. 149-179).

— y otros (1978), «Ipotesi teorica di segmentazione del testo teatrale», en *Come comunica el teatro: dal testo alla scena,* Milán, Il Formichiere (págs. 11-54).

Sherzer, D. (1978), «Dialogic Incongruitities in the Theater of the Absurd», en *Semiotica,* 22, 3-4 (págs. 269-285).

Silva Cáceres, R. (1974), «Vargas Llosa: *La ciudad y los perros*», en *Cuadernos Hispanoamericanos,* 173.

Simonin-Gumbrach, J. (1975), «Pour une typologie des discours», en *Langue, discours, société,* París, Seuil.

Stati, S. (1982), *Il dialogo. Considerazioni di linguistica pragmatica,* Nápoles, Lignori.

— (1982b), «La frase interrogative retoriche», en *Lingua e Stile,* XVII, 2 (págs. 195-207).

Sudnow, D. (ed.), *Studies in Social Interaction,* Nueva York, Free Press.

Suvin, D. (1986), «Un approccio al teatro come dialogo pubblico e scena introducente un mondo possibile», en Corona, F. (ed.), *Bachtin teorico del dialogo,* Milán, Franco Angeli (págs. 160-175).

Tagliagambe, S. (1986), «Mondi possibile e teoria del dialogo», en Corona, F. (ed.), *Bachtin teorico del dialogo,* Milán, Franco Angeli (págs. 136-159).

Talens, J. (1975), *Novela picaresca y práctica de la transgresión,* Madrid, Júcar.

— y otros (1978), *Elementos para una semiótica del texto artístico (poesía, narrativa, teatro, cine),* Madrid, Cátedra.

Teodorescu-Brinzeu, P. (1984), «The monologue as dramatic sign», en *Poetics,* 13, 1/2 (págs. 135-148).

Thibaut, J. W., y Kelley, H. H. (1959), *The social psychology of Groups,* Londres, Wiley.

Thomas, A. (1987), «Describing the Structure of Conversation using Markov Chains, Chain analysis and Montecarlo Simulation», en *Journal of Literary Semantics,* XVI, 3 (págs. 159-179).

Todorov, T. (1981), *Mikhaïl Bakhtine. Le principe dialogique. Suivi des Écrits du Cercle de Bakhtine,* París, Seuil.

Toro, F. de (1987), *Semiótica del teatro: del texto a la puesta en escena,* Buenos Aires, Galerna.

— (1989), «Toward a Specification of Theatre Discourse», en *Versus,* 54 (págs. 3-20).

Ubersfeld, A. (1978), *Lire le théâtre,* París, Ed. Sociales.

Unamuno, M. de (1968), *Soledad,* Madrid, Espasa-Calpe.

Urrutia Cárdenas, H. (1978), «El diálogo en el habla y en la técnica narrativa», en *Letras de Deusto,* 17 (págs. 17-31).

Vallée, J. F. (1989), «Dialogue et marginalité», en *Proceedings from the Conference: «The Unmaking of Margins»,* Toronto. Centre for Comparative Literature, Univ. de Toronto, *Comparative Literature in Canada,* vol. 20, 2 (págs. 8-13).

Van Den Heuvel, P. (1985), *Parole, mot, silence. Pour une poétique de l'énonciation,* París, Corti.

Vargas Llosa, M. (1971), *García Márquez: historia de un deicidio,* Barcelona, Barral.

— (1981), *Conversación en la catedral,* Barcelona, Seix Barral (13.ª ed.).

Veltruski, I. (1976), «El texto dramático como un componente del teatro», en Matejka y Titunik (eds.), *Semiotics of Art: Prague School Contributions,* Cambridge, MIT Press (134-144).

— (1977), *Drama as Literature,* Lisse, The P. Rider Press.

Verdín Díaz, G. (1970), *Introducción al estilo indirecto libre en español,* Madrid, CSIC, RFE.

Vian Herrero, A. (1982), *Diálogo y forma narrativa en «El Crotalón», estudio literario, edición y notas,* Madrid, Univ. Complutense.

— (1988), «La ficción conversacional en el diálogo renacentista», en *Edad de Oro,* Rev. de la Universidad Complutense, VII (págs. 173-186).

Vicente Gómez, F. (1983), «El concepto de "dialogismo" en Bajtin: la otra forma del diálogo renacentista», en *1616,* Sociedad española de literatura general y comparada, V (pág. 47-54).

— (1987), «Poética del proceso discursivo: Mijail M. Bajtin», en *Epos, Revista de Filología,* UNED, VIII (págs. 347-356).

Villanueva, D. (1984), «Narratario y lectores implícitos en la evolución formal de la novela picaresca», en González del Valle, L. T. y Villanueva, D., *Estudios en honor de R. Gullón,* Nebraska, SSSAS (págs. 343-367).

Villela-Petit, M.ª da P. (1985), «What does "talking to one self" mean?», en Dascal (ed.), *Dialogue. An interdisciplinary Approach,* Amsterdam-Filadelfia, J. Benjamin (págs. 305-319).

Voloshinov, V. N. (Bakhtine) (1976), *El signo ideológico y la filosofía del lenguaje,* Buenos Aires, Nueva Visión.

VV. AA. (1981), *Les voies du langage. Communications verbales, gestuelles et animales,* París, Dunod.

Watzlawick, P., Helmick-Beavin, J., y Jakson, D. (1972), *Une logique de la communication,* París, Seuil.

Weber, J. J. (1982), «Frame Construction and Frame Accommodation in a Gricean Analysis of Narrative», en *Journal of Literary Semantics,* XI, 2 (págs. 90-95).

Weissman, F. (1976), «Le monologue intérieur: à la première, à la seconde ou à la troisième personne?», en *Travaux de linguistique et de littérature,* XIV, 2 (págs. 291-300).

Wittgenstein, L. (1988), *Investigaciones filosóficas,* México-Barcelona, Inst. de Insvestigaciones Filosóficas.

Wunderlich, D. (1972), «Pragmatique, situation d'énonciation et déixis», en *Langages,* 26 (págs. 34-58).

— (1978), «Les présupposés en linguistique», en *Linguistique et sémiologie,* 5, Lyon (págs. 33-56).

Zardoya, C. (1974), *Poesía española del siglo XX, I. Estudios temáticos y estilísticos,* Madrid, Gredos.

Zuber, R. (1989), *Implications sémantiques dans les langues naturelles,* París, CNRS.

Zubizarreta, A. de (1969), *Pedro Salinas: el diálogo creador,* Madrid, Gredos.

Zuleta, Emilia de (1981), *Cinco poetas españoles (Salinas, Guillén, Lorca, Alberti, Cernuda),* Madrid, Gredos (2.ª ed. aumentada, la 1.ª es de 1971).

Zumthor, P. (1973), *Semiologia e poetica medievale,* Milán, Feltrinelli.

— (1985), «Le texte médiéval entre oralité et écriture», en Parret, H., y Ruprecht, H. G. (eds.), *Recueil d'hommages pour / Essays in honor of Algirdas J. Greimas,* Amsterdam, Benjamin.

— (1991), *Introducción a la poesía oral,* Madrid, Taurus.

ÍNDICE GENERAL